Olaf Gersemann

Amerikanische Verhältnisse

Olaf Gersemann

Amerikanische Verhältnisse

Die falsche Furcht der Deutschen vor dem Cowboy-Kapitalismus

FinanzBuch Verlag

Bibliografische Information Der Deutschen Bibliothek:
Die Deutsche Bibliothek verzeichnet diese Publikation in der
Deutschen Nationalbibliografie; detaillierte bibliografische Daten
sind im Internet über **http://dnb.ddb.de** abrufbar.

Design/Layout: Stephanie Villiger
Druck: Druckerei Joh. Walch, Augsburg
Covergestaltung: Stephanie Villiger
Lektorat: Dr. Renate Oettinger

1. Auflage 2003

Landshuter Allee 61 • 80637 München
Tel.: 089 651285-0 • Fax: 089 652096

Für Fragen und Anregungen:
Gersemann@finanzbuchverlag.de

ISBN 3-89879-051-7

Inhaltsverzeichnis

Einführung

Amerikanische Verhältnisse? In Deutschland? Nur das nicht! „Wenn dieses Land weiter auf Marktradikalismus und Deregulierung setzt, verspielen wir unsere Zukunft", sagt Michael Sommer, der Vorsitzende des Deutschen Gewerkschaftsbundes (DGB). „Dann bekommen wir amerikanische Verhältnisse, dann kommt es zur ‚Verslumung' unserer Städte, zu einer Fragmentierung der Gesellschaft und zum Zwang, dass die Arbeitnehmer drei oder vier Jobs brauchen, um sich zu ernähren. (...) Wer das Land nach vorne bringen will, muss auch für soziale Gerechtigkeit sorgen."[1]

Der Bundeskanzler sieht es ähnlich. „Ich will keine amerikanischen Verhältnisse auf dem Arbeitsmarkt", sagt Gerhard Schröder (SPD). Begründung: „Sozialdemokraten stehen dafür ein, dass es möglich sein muss, ein Leben in Anstand und Würde zu führen, ohne dafür drei Jobs am Tag machen zu müssen, und das auch noch ohne Kündigungsschutz."[2]

Aus der Opposition sind ähnliche Töne zu vernehmen: „Arbeitnehmer und ihre Familien brauchen auch Sicherheit. Wir wollen in Deutschland keine amerikanischen Verhältnisse", sagt der bayerische Ministerpräsident Edmund Stoiber (CSU).[3] Und der FDP-Vorsitzende Guido Westerwelle sieht sich „weit davon entfernt, die so genannten amerikanischen Verhältnisse nach Deutschland zu holen, gerade weil ich sie sehr genau kenne"[4].

Selbst die Wirtschaft distanziert sich. Kajo Neukirchen, der Ex-Chef des Chemie- und Anlagenproduzenten mg technologies, will auch keine „amerikanischen Verhältnisse, wo Heuern und Feuern an der Tagesordnung ist". Denn, so erklärt der als harter Sanierer bekannte Manager in einem Zeitungsinterview:

„Drei Jobs parallel, um den Lebensunterhalt zu sichern – das wollen weder Sie noch ich ..."[5]

„Bloß keine amerikanischen Verhältnisse" – dies scheint so etwas wie der Grundkonsens in Deutschlands wirtschaftspolitischer Debatte zu sein. Gerne wird eine vermeintlich drohende Amerikanisierung als Schreckgespenst hervorgeholt. So macht es zum Beispiel die Nationale Armutskonferenz (NAK), ein Zusammenschluss von Selbsthilfeorganisationen, den Spitzenverbänden der Freien Wohlfahrtspflege und dem DGB: Die Arbeitsmarktreformen, die im Herbst 2002 beschlossen wurden, waren für die NAK „ein *weiterer* Schritt hin zu ‚amerikanischen Verhältnissen', mit dem *Ziel*, die US-amerikanischen ‚working poor' auch in Deutschland gesellschaftsfähig zu machen"[6].

Amerika als Modell zu betrachten – das ist offenbar von vornherein ausgeschlossen. Als der hessische Ministerpräsident Roland Koch (CDU) im Sommer 2001 die Sozialhilfereformen im US-Bundesstaat Wisconsin pries, brach denn auch prompt ein Sturm der Entrüstung los.

Dabei drängt sich eine genaue Auseinandersetzung mit dem Modell Amerika aus gleich mehreren Gründen auf. Den Arbeitsmarkt flexibilisieren, die Gütermärkte deregulieren, Staatsausgaben und Abgabenbelastung herunterfahren: Die Reformvorschläge, die unabhängige Wirtschaftsexperten und selbst die von der Bundesregierung berufenen Wirtschaftsweisen machen, laufen üblicherweise tatsächlich auf eine partielle Amerikanisierung der deutschen Wirtschaftsordnung hinaus – auch wenn das nie so gesagt wird.[7]

Außerdem: Wer von vornherein nur in Ländern mit ähnlichen Systemen nach Erfolgsbeispielen sucht, läuft Gefahr, bei den Lösungsansätzen zu kurz zu greifen. Die Niederlande etwa haben mit ihrem Konsensmodell ihre offiziell ausgewiesene Arbeitslosenquote erfolgreich gesenkt. Das heißt aber nicht, dass ihre Beschäftigungsbilanz makellos wäre: Viele Holländer haben nur Teilzeitjobs, viele sind gänzlich aus dem Erwerbsleben ausgeschieden. Vollbeschäftigung hat das Modell Holland zu keiner Zeit auch nur annähernd geschaffen, sein Vorbildcharakter ist daher fraglich. Ähnliches gilt beispielsweise für Dänemark oder Finnland.

Keine andere große Industrienation hat in den vergangenen zwei Jahrzehnten so viel Wachstum, so viele neue Jobs erzeugt wie die USA. Was die Schröders und Stoibers darauf entgegnen würden, ist klar: Amerika bezahlt sein Wirtschafts- und Beschäftigungswachstum mit unerträglicher Ungerechtigkeit und nicht hinnehmbarer sozialer Unsicherheit.

In Wirklichkeit – und das ist die Quintessenz dieses Buches – ist es genau andersherum: Es ist zumindest äußerst fraglich, ob Deutschland im Vergleich zu Amerika mehr Gerechtigkeit und mehr soziale Sicherheit schafft. Sicher ist dagegen: Den Preis, den Deutschland für sein Modell in Form von magerem Wirtschaftswachstum und skandalös hoher Unterbeschäftigung inzwischen zahlt, ist gewaltig.

* * *

In diesem Buch wird das Wirtschaftsmodell Deutschland dem Modell Amerika gegenübergestellt. Nicht die einzelne Regelung steht bei den Vergleichen im Vordergrund, sondern das große Ganze: Hier das Laissez-faire-Land Amerika mit seinem relativ ungezügelten, seinem Cowboy-Kapitalismus. Dort Deutschland mit seinem Wohlfahrtstaat, seinem Kuschel-Kapitalismus.

Amerika soll dabei nicht schöngeredet werden. Sehr bewusst allerdings ist der Blick, der hier auf die USA geworfen wird, wohlwollender, als es in Deutschland gemeinhin üblich ist. Wohlwollender, weil nicht von vornherein vorausgesetzt wird, dass die sozialen Probleme der USA wirklich so viel größer sind als diejenigen Deutschlands. Wohlwollender auch, weil untersucht wird, worin Amerikas soziale Probleme wurzeln: Ist wirklich der Cowboy-Kapitalismus die Ursache? Oder gibt es nicht vielleicht Gründe, die wenig mit der Tatsache zu tun haben, dass Amerika einer freien Marktwirtschaft nahe kommt?

* * *

Teil I dieses Buches analysiert, wie sich Wirtschaftswachstum, Beschäftigung und Produktivität in den zurückliegenden 25 Jahren in Deutschland und Amerika entwickelt haben, und sucht nach den Gründen für die sich zeigenden Diskrepanzen. Aspekte der Gerechtigkeit und sozialen Sicherheit bleiben hier zunächst außen vor.

Teil II nimmt sich der Vorurteile an, die sich um das Modell Amerika ranken. Das Bild vom Modell Amerika, das in Deutschland vorherrscht, beruht im Wesentlichen auf Anekdoten, auf impressionistischen Beschreibungen, die nur Ausschnitte der Wirklichkeit wiedergeben.

Beispielsweise deuten die eingangs aufgeführten Zitate an: In Deutschland hat sich der Glaube etabliert, viele Amerikaner müssten zwei oder mehr Jobs annehmen, um über die Runden zu kommen. Verwundern kann das kaum: Wer in Deutschland hat noch nicht eine Fernsehreportage gesehen über eine alleinerziehende amerikanische Mutter, die genau dieses Schicksal ertragen muss? Bei genauerem Hinsehen aber, so wird sich zeigen, erweist sich das Drei-Jobs-zum-Überleben-Phänomen als eine Randerscheinung von geringer sozialer Brisanz.

Teil III schließlich widmet sich, aufbauend auf den Teilen I und II, dem Thema, wie es in Amerika um die Gerechtigkeit und die soziale Sicherheit steht – und wie das Land im Vergleich zu Deutschland abschneidet.

* * *

Ein paar Sätze zur Methodik. Dieses Buch stützt sich in weiten Teilen auf (öffentlich zugängliche) Statistiken. Natürlich hat dieser Ansatz seine Grenzen. So können Zahlenreihen ein schiefes oder gar gänzlich falsches Bild entstehen lassen. Außerdem bieten viele Statistiken einen breiten Interpretationsspielraum: Ob das Glas halb voll ist oder halb leer, ist oft eine Sache des Blickwinkels.

Und schließlich besteht besonders bei internationalen Vergleichen die Gefahr, dass Äpfel mit Birnen verglichen werden. Arbeitslosigkeit beispielsweise wird in den USA anders gemessen als in Deutschland. Um ein Mindestmaß an Vergleichbarkeit zu garantieren, wird in diesem Buch daher vorzugsweise auf Zahlenmaterial von internationalen Institutionen wie der Organisation für wirtschaftliche Zusammenarbeit und Entwicklung (OECD) in Paris zurückgegriffen – eine Vorgehensweise, die an einigen Stellen auf Kosten der Aktualität geht.

Wo als Quellenhinweis eine Internetadresse angegeben sind, können die zitierten Informationen auf den Webseiten der entsprechenden Institutionen und Personen abgerufen werden. Wenn außer der Quelle weder eine Internetadresse noch ein bibliographischer Verweis genannt wird, handelt es sich um Informationen, die die zitierte Institution oder Person auf Anfrage bereitgestellt hat.

Fußnoten

1) Einblick (2002).
2) Stellungnahme vom 24. April 2002, zitiert nach www.spd.de.
3) Redemanuskript, 5. Juni 2002, zitiert nach www.csu.de.
4) Frankfurter Allgemeine Zeitung (2002).
5) Tagesspiegel (2002).
6) Nationale Armutskonferenz (2002); Hervorhebungen des Autors.
7) vgl. zum Beispiel SVR (2002), S. 216ff., und den von mehreren hundert deutschen Ökonomen unterzeichneten Aufruf „Den Reformaufbruch wagen!“ vom Mai 2003 (www.iza.org).

Teil I:

Wer zuletzt lacht ... Wachstum und Beschäftigung in Deutschland und den USA, 1978–2003

25 Jahre – ein Vierteljahrhundert, jener Zeitraum, der gemeinhin als Abstand zwischen zwei Generationen definiert wird. Dies ist ein Grund, warum im Folgenden immer wieder auf die Entwicklung seit jenem Jahr verwiesen wird, das nun 25 Jahre zurückliegt: das Jahr 1978.

Es liegt nahe, derart weit zurückzublicken. Eine kurzfristige Betrachtung oder gar eine bloße Momentaufnahme birgt die Gefahr, dem Modell Deutschland Unrecht zu tun: Womöglich befände sich Deutschland im betrachteten Zeitraum an einem ungünstigeren Punkt eines Konjunkturzyklus und würde im deutsch-amerikanischen Vergleich nur deshalb schlecht abschneiden. Durch einen derart langen Untersuchungszeitraum, wie er hier gewählt wurde, lässt sich dagegen ausschließen, dass zyklische Effekte eine Rolle spielen.[1]

Im konkreten Fall wird zudem der dämpfende Effekt relativiert, den die Wiedervereinigung auf die deutsche Wirtschaftsdynamik gehabt haben könnte: Wenn Deutschlands wirtschaftliche Performance seit 1990 hinter der amerikanischen zurückbleibt, dann mag dafür die Einheit als Rechtfertigung herangezogen werden. Insoweit sich aber herausstellt, dass Deutschland schon vor dem Mauerfall Probleme hatte, den Anschluss zu behalten, verliert die „Ausrede Einheit" ihre Überzeugungskraft.

Hinzu kommt: Das Jahr 1978 markiert in der Wirtschaftsgeschichte einen wichtigen Wendepunkt – politisch wie technologisch. Politisch, denn bereits damals – zwei Jahre vor der Wahl Ronald Reagans zum Präsidenten – zeichnete sich ab, dass Amerikas Wirtschaftspolitik das Ruder herumreißen würde. Und technologisch, weil ungefähr zu dieser Zeit ein von neuen Technologien angetriebener Prozess begann, der tief greifende wirtschaftliche Folgen hat – und wahrscheinlich weiterhin haben wird.

Fußnote

1) vgl. zum Beispiel Garibaldi und Mauro (1999), S. 5.

Kapitel 1: Ein Blick zurück – Wohlstand und Beschäftigung vor 25 Jahren

Das Aus kommt in der 88. Minute. Am 21. Juni 1978 holt Hans Krankl die Deutschen mit seinem Treffer zum 3:2 aus ihren WM-Träumen. Ihren Weltmeistertitel hatte die bundesdeutsche Kicker-Elite in Argentinien verteidigen wollen, doch nun ist nach der zweiten Turnierrunde Schluss. Ausgeschieden durch eine Niederlage gegen Österreich. Österreich!

Immerhin: Wirtschaftlich, so scheint es jedenfalls, steht die Bundesrepublik 1978 geradezu weltmeisterlich da. Zwar sind die goldenen Nachkriegsdekaden seit dem Ölpreisschock von 1973/74 vorbei. Seither haben die monatlich aus Nürnberg vermeldeten Arbeitslosenquoten keine Null mehr vor dem Komma. Die Verbraucherpreise sind binnen fünf Jahren um fast ein Drittel gestiegen. Und der Staatshaushalt ist in die roten Zahlen gerutscht.

Aber die Idee, jenseits deutscher Grenzen nach vorbildlicher Wirtschaftspolitik Ausschau zu halten, wirkt geradezu irrwitzig. In Ländern wie Italien und Spanien sind zweistellige Inflationsraten zur Regel geworden, in Frankreich sieht es kaum besser aus.

Besonders dramatisch ist die Situation in Großbritannien. Dort lahmt die Wirtschaft, im Staatshaushalt klaffen Riesenlöcher. Allein im Jahr 1975 erreicht die Geldentwertung mehr als

24 Prozent, 1976 sieht sich die Bank of England gezwungen, dem heimischen Pfund mit Stützungskäufen unter die Arme zu greifen. Die dafür nötigen Devisenreserven fehlen, deshalb müssen die Briten den Internationalen Währungsfonds (IWF) anpumpen – eine Organisation, die normalerweise als Anlaufstelle für hilfsbedürftige Schwellen- und Entwicklungsländer fungiert.

Mit dem „Winter der Unzufriedenheit" 1978/79 eskaliert die Krise schließlich. Ein Müllmänner-Streik führt dazu, dass sich Unrat meterhoch auf den Straßen türmt. Entnervt geben am Ende die Wähler den konservativen Tories unter der Führung von Margaret Thatcher beim Urnengang am 3. Mai 1979 das Mandat zu einem radikalen wirtschaftspolitischen Richtungswechsel.

In den USA ist die Stimmung Ende der Siebzigerjahre kaum besser. Jimmy Carter spricht von einer „nationalen Malaise". Eine „Vertrauenskrise" habe die Amerikaner erfasst, sagt der US-Präsident in einer berühmt gewordenen Rede am 15. Juli 1979, eine Vertrauenskrise, die „das soziale und politische Gewebe Amerikas zu zerstören droht". Zum Teil hat diese Krise politische Ursachen, vor allem der schmachvolle Rückzug aus Vietnam und der Watergate-Skandal haben dem kollektiven Selbstbewusstsein schwer zugesetzt.

Aber auch wirtschaftlich sind die USA angeschlagen. Ende der Siebzigerjahre sind Arbeitslosenquote und Inflationsrate in den USA fast dreimal so hoch wie in Deutschland. Der „Elendsindex", ein unter Ökonomen gebräuchliches Maß, bei dem Inflationsrate und Arbeitslosenquote addiert werden, erreicht weit mehr als zehn Prozent (siehe Grafik 1.1).[1]

Und alle Zeichen stehen auf Sturm. Japans Exporteure setzen gerade zum Großangriff an, binnen nur vier Jahren verdoppeln Honda, Toyota & Co. ihren Anteil auf dem amerikanischen Automarkt auf 20 Prozent. Ende 1979 kann nur eine milliardenschwere Kreditbürgschaft der Washingtoner Bundesregierung

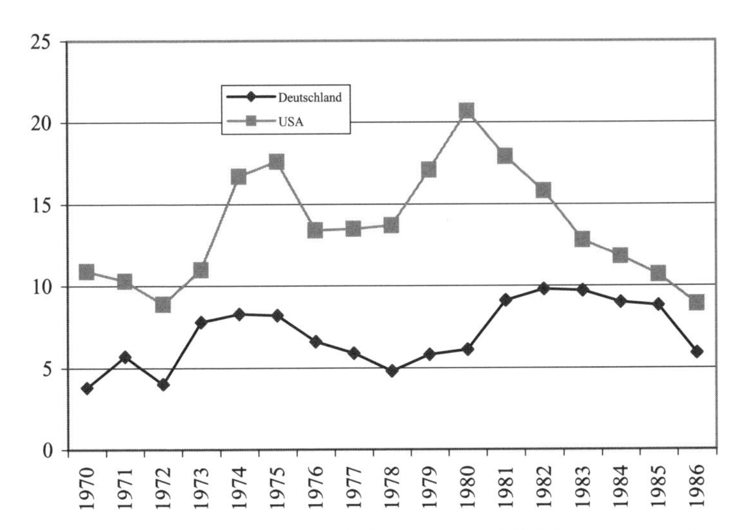

Grafik 1.1: *Der „Elendsindex" im Vergleich – Summe aus Arbeitslosenquoten und Inflationsraten in Prozent.* *[Quelle: OECD, eigene Berechnungen]*

den traditionsreichen Autokonzern Chrysler vor der Pleite bewahren.

Führende amerikanische Wirtschaftswissenschaftler halten gar zu dieser Zeit hohe Inflationsraten und schwaches Wirtschaftswachstum für ein Schicksal, dem sich das Land zu fügen habe. Der Ökonomie-Nobelpreisträger Paul Samuelson etwa sagt den USA für die Achtzigerjahre im Jahresdurchschnitt mehr als neun Prozent Inflation und mehr als acht Prozent Arbeitslosigkeit voraus. Das jährliche Wirtschaftswachstum werde gerade einmal zwei Prozent betragen. Damit gehört Samuelson fast schon zu den Optimisten.[2]

Und zunächst scheint es, als solle Samuelson recht behalten: Anfang der Achtzigerjahre durchleiden die Amerikaner zwei schwere, kurz aufeinander folgende Rezessionen.

So wirkt die Bundesrepublik in der zweiten Hälfte der Siebzigerjahre wirtschaftlich wie eine Insel der Seligen. Stolz preist Bundeskanzler Helmut Schmidt denn auch im Bundestagswahlkampf 1976 das „Modell Deutschland" – und wird prompt im Amt bestätigt.

Fußnoten

1) Die von der OECD erstellten standardisierten Arbeitslosenquoten lassen Deutschland im Vergleich zu den USA in einem besseren Licht dastehen als die nicht standardisierten Quoten, die für die Erstellung dieser Grafik und Grafik 3.1 in Kapitel 3 verwendet wurden. Die standardisierten Quoten berücksichtigen jedoch die „verdeckte" Arbeitslosigkeit nicht – und bilden damit die Realität im deutsch-amerikanischen Vergleich sehr verzerrt ab. Denn während verdeckte Arbeitslosigkeit in Deutschland weit verbreitet ist (siehe Kapitel 3), dürfte sie in den USA, wo es eine aktive Arbeitsmarktpolitik nur in Ansätzen gibt, sehr gering sein.
2) Vedder und Gallaway (1997), S. 220ff.

Kapitel 2: Den Anschluss verloren – Deutschland und die USA heute

Was ist leichter: die Menschen im afrikanischen Dschibuti zu Wohlstand zu führen – oder die Deutschen noch reicher zu machen? Intuitiv möchte man auf das reiche Land setzen.

Die ökonomische Logik legt das Gegenteil nahe. Ein bettelarmer Bauer, der einen Pflug im Wert von 100 Euro erhält, kann damit seine Ernte womöglich verdoppeln oder verdreifachen. Ein etwas wohlhabenderer Landwirt, der bereits einen Pflug und einen Ochsen besitzt, wird 100 Euro auch gewinnbringend anlegen können. Zum Beispiel wird er besseres Futter für den Ochsen und besseres Saatgut für seine Äcker kaufen. Damit wird er seinen Ertrag deutlich erhöhen können, wahrscheinlich aber nicht mit einer derart hohen Steigerungsrate wie der bettelarme Bauer. Ein reicher Bauer schließlich, der schon einen modernen Maschinenpark hat und Saatgut, Kunstdünger und Pflanzenschutzmittel en masse, wird sicher ebenfalls einen Weg finden, 100 Euro profitabel zu investieren. Ob diese 100 Euro allerdings einen mehr als geringfügigen Zuwachs des Ertrages einbringen, ist fraglich.

Ökonomen sprechen in diesem Zusammenhang von „abnehmenden Skalenerträgen“: Bei Produktionsprozessen aller Art lassen sich durch zusätzlichen Einsatz von Kapital der Tendenz nach umso höhere Zuwachsraten erzielen, je geringer das Ausgangsniveau des Kapitalstocks ist.

Dieser Zusammenhang lässt sich auch auf die Weltwirtschaft übertragen: Entwicklungsländer können ein höheres Wirtschaftswachstum erzielen als Schwellenländer, und Schwellenländer können schneller wachsen als Industrieländer – jedenfalls dann, wenn der grenzüberschreitende Fluss von Kapital und Know-how nicht behindert wird. Wirtschaftswissenschaftler sprechen von einem „Catch-up-Effekt“: Eigentlich müssten die ärmeren Länder der Welt nach und nach zu den reicheren aufschließen; die Lebensstandards gleichen sich an, die Ungleichverteilung nimmt nicht zu, sondern ab.

Zwar kann der Aufholprozess sehr langsam ablaufen – insbesondere, wenn es den reichen Ländern gelingt, abnehmende Skalenerträge durch eine effiziente Nutzung des technischen Fortschritts auszugleichen. Andererseits kann Erfolg kopiert werden. In diesem Sinne gleichen die am weitesten fortgeschrittenen Länder Pionieren: Entdeckern, die mit der Machete einen Weg durch den Dschungel schlagen und allen Nachzüglern einen begehbaren Trampelpfad hinterlassen. Denn Produkte brauchen nur einmal erfunden werden, und auch Produktionsverfahren und institutionelle Arrangements, die sich als erfolgreich erweisen, können imitiert werden.

Länder, die auf Autarkiestreben und planwirtschaftliche Experimente verzichteten, die die Korruption in Grenzen hielten, einigermaßen stabile politische Verhältnisse genossen und privates Eigentum schützten, haben in den vergangenen Jahrzehnten gegenüber den westlichen Industrienationen tatsächlich zum Teil dramatisch aufgeholt. Südkorea war 1950 kaum wohlhabender als Indien; Japan erreichte damals gerade einmal das Pro-Kopf-Einkommen der Türkei.[1] Heute zählen die beiden Länder in Fernost zu den reichsten Ländern der Welt.

Allerdings ist der Aufholprozess kein Naturgesetz. Er kann auch nachhaltig blockiert werden. Länder wie Afghanistan, Angola, Irak, Kuba, Madagaskar, Nicaragua, Niger und Somalia hatten 1998 ein geringeres Pro-Kopf-Einkommen als 1950.[2] Zu den möglichen Ursachen zählen widrige geographische Bedingungen und ein feuchtheißes Klima, das Krankheiten wie Malaria begünstigt.[3]

Vor allem aber sind es politische und institutionelle Rahmenbedingungen, die über den Konvergenzprozess entscheiden.[4] Und das bedeutet: Der Konvergenzprozess ist kein Selbstläufer. Einmal in Gang gekommen, kann er sich drastisch verlangsamen oder gar abbrechen.

Eines der besten Beispiele dafür ist Deutschland.

Konvergenz ade

Mitte des 19. Jahrhunderts war es so weit: Das amerikanische Wohlstandsniveau überstieg erstmals das der Alten Welt. Und während Amerika von seinem riesigen Binnenmarkt und seinem Reichtum an Land und Rohstoffen profitierte, fiel Europa immer weiter zurück. 1950, nach zwei verheerenden Weltkriegen, erreichte Westeuropa gerade mal 56 Prozent des amerikanischen Pro-Kopf-Einkommens.[5]

Danach allerdings passierte exakt das, was die Theorie vorhersagt: Europa schloss wieder auf. In Preisen von 1998 gerechnet, erreichte das jährliche Pro-Kopf-Einkommen 1960 in der alten Bundesrepublik kaufkraftbereinigt 9.842 Dollar.[6] Damit wurden bereits wieder 73,4 Prozent des US-Niveaus erwirtschaftet.

In den Sechziger- und Siebzigerjahren setzte sich der Aufholprozess fort. Er verlief nicht sehr schnell und nicht stetig; für die zweite Hälfte der Sechzigerjahre, als die amerikanische Wirtschaftsleistung durch die Rüstungsanstrengungen im Zuge des Vietnamkriegs künstlich aufgebläht wurde, ist sogar eine vorübergehende Unterbrechung des Prozesses zu erkennen.

Letztlich aber war der Aufwärtstrend eindeutig (siehe Grafik 2.1). 1980 erreichte der Pro-Kopf-Wohlstand in Westdeutschland 81,3 Prozent des amerikanischen Niveaus.

Seither geht es abwärts: Der Aufholprozess ist gestoppt, das Wohlstandsniveau in Westdeutschland fällt immer weiter hin-

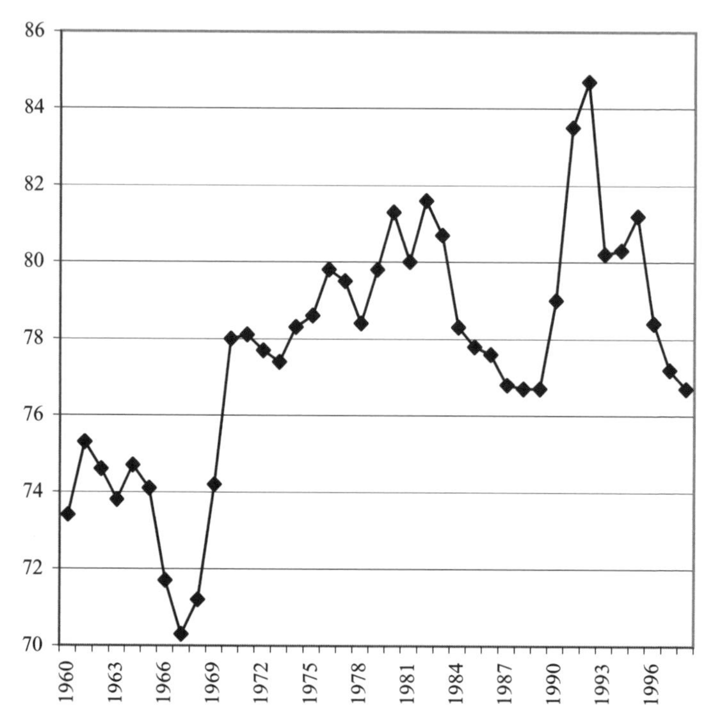

***Grafik 2.1:** Pro-Kopf-Einkommen in Westdeutschland in Prozent des US-Niveaus – kaufkraftbereinigt* *[Quelle: BLS (2000), S. 9]*

ter das amerikanische zurück. Auch bei diesem neuen Trend gibt es Aufs und Abs. Der deutlichste Ausreißer nach oben war Anfang der Neunzigerjahre zu beobachten, als die USA eine Rezession erlebten, während Deutschland noch im Einheitsboom schwelgte. Doch letztlich ist die Trendwende nicht zu leugnen: Westdeutschland verliert an Boden. Noch weiter als 1998 hinkte die alte Bundesrepublik den USA zuletzt 1969 hinterher.[7]

Der Preis, den die Westdeutschen für den Abbruch des Aufholprozesses zahlen, lässt sich mit Hilfe von hypothetischen Szenarien abschätzen (siehe Grafik 2.2):

- Szenario 1 nimmt an, dass sich der Trend aus den Sechziger- und Siebzigerjahren zwischen 1980 und 1998 linear fortsetzt.

- Szenario 2 geht davon aus, dass der Aufholprozess nach 1980 mit halber Geschwindigkeit weitergeht.

- Szenario 3 schließlich unterstellt, dass das Wohlstandsgefälle zwischen den USA und Westdeutschland weder kleiner noch größer wird, sondern sich auf dem Niveau von 1980 stabilisiert.

Wäre Szenario 1 Realität geworden, hätte das Pro-Kopf-Einkommen 1998 in Westdeutschland 88,4 Prozent des US-Niveaus und damit 28.653 Dollar erreicht (siehe Grafik 2.3). Dies entspricht gegenüber dem tatsächlich erreichten Betrag einem Plus von 3.785 Dollar; insgesamt wäre die gesamte Wirtschaftsleistung der alten Bundesrepublik um rund 250 Milliarden Dollar höher ausgefallen.

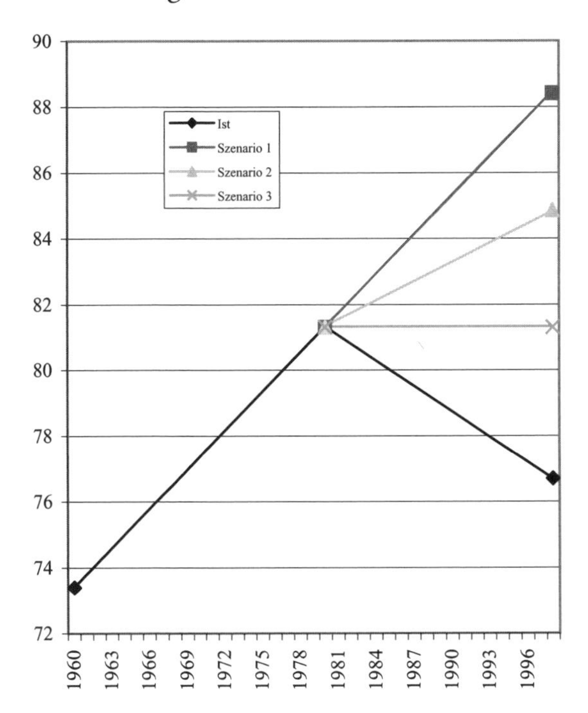

***Grafik 2.2:** Drei Alternativ-Szenarien für die Entwicklung des Pro-Kopf-Einkommens in Westdeutschland – in Prozent des US-Niveaus, kaufkraftbereinigt*

[Quelle: BLS (2000), S. 9, und eigene Berechnungen]

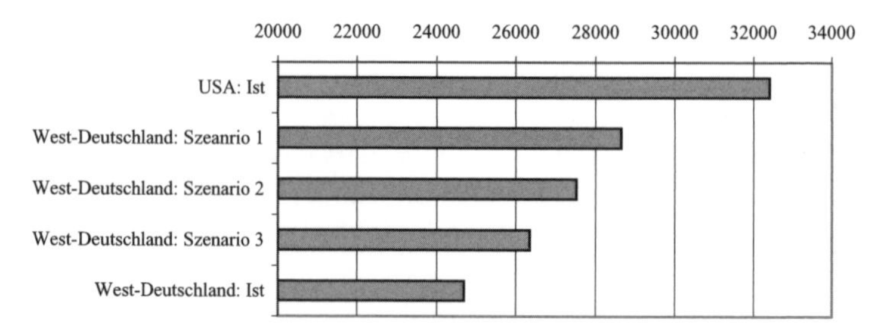

Grafik 2.3: *Pro-Kopf-Einkommen in Westdeutschland und den USA – in Dollar und Preisen von 1998, kaufkraftbereinigt*

[Quelle: BLS (2000), S. 8f., und eigene Berechnungen]

Selbst wenn sich, analog zu Szenario 3, das Wohlstandsgefälle nur stabilisiert hätte, das Pro-Kopf-Einkommen in Westdeutschland hätte 1998 um 1.484 Dollar höher gelegen: Jeder in Deutschland, vom Säugling bis zum Greis, hat also diesem Szenario gegenüber allein in den 364 Tagen des Jahres 1998 fast 1.500 Dollar verloren. Die Summe, die seit 1980 insgesamt verloren ging, ist natürlich um ein Vielfaches größer.

Die Ausrede Ost

Ist die Einheit an allem schuld? Immerhin wurden in den Neunzigerjahren Jahr für Jahr netto rund vier Prozent der westdeutschen Wirtschaftsleistung gen Osten transferiert.[8] Die Folge ist eine höhere Abgabenbelastung für die westdeutsche Wirtschaft; die höhere Belastung wiederum drückt auf die Gewinnerwartungen der Unternehmen und dämpft so die Bereitschaft zu investieren.

Nur: Erstens ist der Aufholprozess zwischen Westdeutschland und Amerika nicht erst seit 1990 unterbrochen, er kam, wie Grafik 2.1 gezeigt hat, bereits in den Achtzigern zum Stillstand. Zweitens ist der bremsende Effekt, den die einheitsbedingten Zusatzlasten auf das gesamtdeutsche Wirtschaftswachstum haben, beträchtlich – aber nicht eben gigantisch. Nach Berechnungen von Experten der Europäischen Kommission in Brüssel lässt er sich auf jährlich rund 0,3 Prozentpunkte seit Mitte der Neunzigerjahre taxieren.[9]

Das bedeutet: Mit der deutschen Einheit kann nur ein kleiner Teil der deutschen Wachstumsschwäche erklärt werden. Zwischen 1995 und 2002 hat die deutsche Wirtschaftsleistung im Durchschnitt um jährlich real 1,5 Prozent zugelegt. Das Wachstum der US-Wirtschaft betrug dagegen durchschnittlich 3,2 Prozent. Die Wachstumslücke in Höhe von 1,7 Prozentpunkten kann demnach zu nicht einmal einem Fünftel auf die Folgen der Einheit zurückgeführt werden.[10]

Besorgniserregend ist denn auch weniger die Belastung, die der Aufbau Ost für die westdeutsche Wirtschaft darstellt. Viel erschreckender ist vielmehr, dass sich Ostdeutschland zwar ein gutes Drittel seines Verbrauchs durch westdeutsche Steuergelder finanzieren lässt, dass diese Milliarden aber folgenfrei versickern.[11]

Folgenfrei insofern, als dass trotz aller Investitionen in ICE-Strecken, Autobahnen und modernste Glasfasernetze die Transfers nicht zu einer Initialzündung im Osten geführt haben. Zwischen 1997 und 2002 ist Ostdeutschland in jedem Jahr langsamer gewachsen als Westdeutschland. Die Kluft zwischen den Landesteilen wird also bereits seit Jahren größer anstatt kleiner. Die Wirtschaftsleistung je Erwerbsfähigem in Ostdeutschland erreichte 1996 knapp 61 Prozent des westdeutschen Niveaus, im Jahr 2002 lag dieser Wert nur noch bei gut 58 Prozent.[12]

So fällt denn das Bild nur noch deprimierender aus, wenn Ostdeutschland in einen deutsch-amerikanischen Vergleich einbezogen wird. Natürlich weist die Statistik des kaufkraftbereinigten Pro-Kopf-Einkommens einen Knick nach unten auf, wenn von 1991 an nicht mehr nur West-, sondern Gesamtdeutschland betrachtet wird – die Arbeitsproduktivität ostdeutscher Beschäftigter war schließlich viel niedriger als in der Bundesrepublik.

Dem Rückfall hätte aber eigentlich eine Wiederaufnahme des Aufholprozesses folgen müssen. Das legt die Theorie von den abnehmenden Skalenerträgen ebenso nahe wie der gesunde Menschenverstand. Eine verrottete Infrastruktur, ein unterentwickelter Dienstleistungssektor und Fabriken, die eher als

Museen taugen denn als Produktionsstätten: Die Ex-DDR hatte offenkundigen Aufholbedarf. Eigentlich also hätte ein wiedervereinigtes Deutschland, getrieben durch besonders hohe Zuwachsraten in Ostdeutschland, nach 1991 von einem geringeren Niveau aus wieder beginnen müssen, sich dem amerikanischen Niveau anzunähern. Aber das blieb aus: Ende der Neunzigerjahre war auch Gesamtdeutschland im Vergleich zu Amerika abgerutscht (siehe Grafik 2.4).

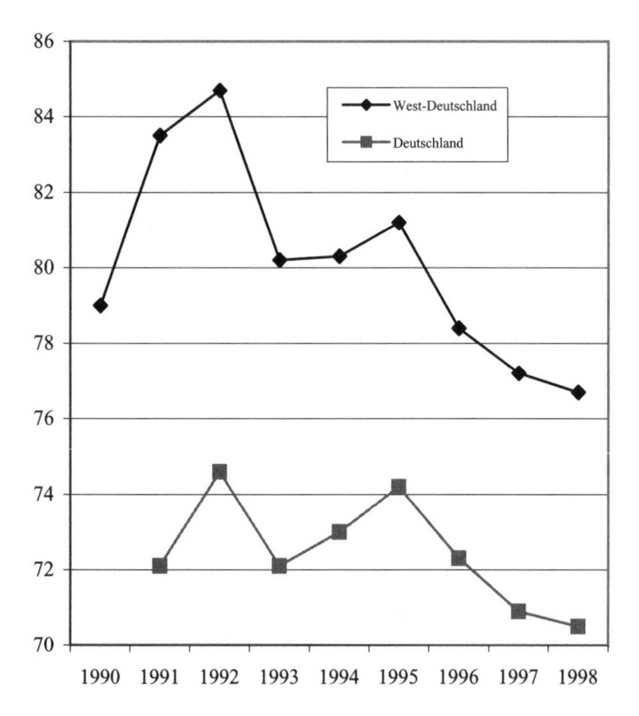

Grafik 2.4: *Pro-Kopf-Einkommen in Deutschland in Prozent des US-Niveaus – kaufkraftbereinigt* *[Quelle: BLS (2000), S. 9]*

Das Pro-Kopf-Einkommen im Detail

Wie konnte es so weit kommen? Bei der Suche nach den Ursachen ist es sinnvoll, sich anzuschauen, von welchen Faktoren das Einkommen pro Kopf und Jahr abhängt.

Definitionsgemäß ist das Pro-Kopf-Einkommen das Produkt aus

- dem Anteil der Erwerbstätigen an der Gesamtbevölkerung,
- den jährlich geleisteten Arbeitsstunden je Erwerbstätigen und
- der Wertschöpfung je geleisteter Arbeitsstunde, kurz „Arbeitsproduktivität" genannt.

Zwei der drei Faktoren – der Anteil der Erwerbstätigen und die geleisteten Arbeitsstunden – werden ganz offenkundig durch die Verhältnisse am Arbeitsmarkt erklärt. Ein genauerer Vergleich der Arbeitsmärkte in Deutschland und Amerika steht deshalb im Vordergrund des folgenden Kapitels.

In Kapitel 4 wird dann die Entwicklung des dritten Faktors – der Arbeitsproduktivität – genauer beleuchtet.

Fußnoten

1) Maddison (2001), S. 304, 308; vgl. Greenspan (2003), S. 3.
2) Maddison (2001), S. 289f., 306f., 322ff.
3) Sachs (2003).
4) siehe zum Beispiel Acemoglu, Johnson und Robinson (2001) und IWF (2003), S. 95ff.
5) Gordon (2002), S. 5f., 13ff.
6) Die Kaufkraftbereinigung ist eine gängige Methode bei internationalen Vergleichen von zum Beispiel Wohlstandsniveaus. Die tatsächlichen Wechselkurse werden dabei so angepasst, dass sich die Preisniveaus der verglichenen Länder angleichen.
7) Institutionen wie das Statistische Amt der Europäischen Gemeinschaften (Eurostat) und die OECD verfügen über aktuellere Daten zum kaufkraftbereinigten Pro-Kopf-Einkommen. In den Eurostat- und OECD-Zahlen wird jedoch Westdeutschland nicht mehr gesondert erfasst – daher hier der Rückgriff auf eine Untersuchung des amerikanischen Bureau of Labor Statistics (BLS). Diese Untersuchung reicht zwar nur bis 1998. Allerdings lässt die wirtschaftliche Entwicklung seit 1998 nicht erwarten, dass eine Fortschreibung der Statistik eine Wiederaufnahme des Konvergenz-Prozesses (oder auch nur eine Stabilisierung des Rückstands) ausweisen würde.
8) Kommission der Europäischen Gemeinschaften (2002), S. 43.
9) a.a.O., S. 2.
10) OECD (www.oecd.org) und eigene Berechnungen.
11) vgl. Kommission der Europäischen Gemeinschaften (2002), S. 43.
12) Sinn (2002), S. 7, 22.

Kapitel 3: Wem die Arbeit ausgeht – Arbeitsmärkte im Vergleich

„Die Arbeit geht uns aus!“

Popularisiert worden ist dieser Warnruf von dem Amerikaner Jeremy Rifkin. „The End of Work“ – das Ende der Erwerbsarbeit – prognostizierte Rifkin 1995 in einem gleichnamigen Buch: Die Mehrheit der Arbeitnehmer in den Industrienationen, so seine zentrale These, drohe aus dem Arbeitsmarkt wegrationalisiert zu werden. Denn drei von vier Arbeitern und Angestellten verrichteten Jobs, die automatisiert werden könnten.

Rasch ist diese These auch auf dieser Seite des Atlantiks aufgegriffen worden, insbesondere von dem Münchener Soziologen Ulrich Beck. „Die Deutschen sind zu fleißig“ lässt Beck wissen: „Wir arbeiten uns selbst überflüssig.“ Von einem „Entwicklungsgesetz einer schrumpfenden Erwerbsarbeitsgesellschaft“, schreibt Beck. Als Lösung schlägt er vor, Männer sollten sich mehr um Frau und Kinder kümmern und alle sich mehr um Ehrenämter und Bürgerinitiativen – jedenfalls gelte es, aus dem „Denkkäfig der Vollbeschäftigungspolitik“ auszubrechen.[1]

Ähnlich denken auch deutsche Gewerkschaftsführer. Die Arbeit geht uns aus, zumindest aber lässt sich die Nachfrage nach ihr nicht mehren. Ergo muss die verbleibende Arbeit gerechter verteilt werden. Daher rühren die Forderungen nach verbindlich vorgeschriebenen 35- oder gar 30-Stunden-Wochen. Daher sagt DGB-Chef Michael Sommer Sätze wie: „Arbeitnehmer, die es sich leisten können, sollten weniger arbeiten.“[2]

Jeremy Rifkin und Ulrich Beck könnten durchaus Recht haben: Ein Großteil der heute existierenden Jobs mögen im Zuge des Fortschritts etwa im Bereich der Informationstechnologien, automatisiert werden können.

Nur: Wenn heute Jobs in Deutschland verschwinden, dann können sie durch neue, angenehmere, besser bezahlte Jobs ersetzt werden. Genau darauf nämlich weist alles hin: die historische Erfahrung, die ökonomische Logik und auch der Vergleich mit Amerika. „Die Furcht vor dem Untergang der Arbeit ist die Furcht vor dem Strukturwandel, sonst nichts", urteilt denn auch der Mannheimer Ökonomieprofessor Axel Börsch-Supan.[3]

Ideen, Bedürfnisse, Arbeit – alles unbegrenzt

Lägen Rifkin & Co. richtig, die Deutschen hätten sich schon einmal überflüssig arbeiten müssen. Anfang des 19. Jahrhunderts nämlich. Damals lebte mehr als die Hälfte der deutschen Bevölkerung von der Landwirtschaft. Neue Feldfrüchte, neue Düngemittel und schließlich die Industrialisierung erlaubten eine allmähliche, aber letztlich gewaltige Steigerung der Ernteerträge. Die Zahl der Menschen, die benötigt wurden, um die gesamte Bevölkerung zu ernähren, sank zusehends, heute sind nur noch 2,4 Prozent der Erwerbstätigen in Deutschland in der Landwirtschaft tätig.[4]

Die Arbeit ist dennoch nicht ausgegangen. In der Landwirtschaft vernichtete der technische Fortschritt Arbeitsplätze, zugleich jedoch kreierte er an anderer Stelle massenhaft neue Jobs – zunächst vor allem in der Industrie. „Die industrielle Revolution hat neue Arbeitsplätze in Branchen geschaffen, die es vorher gar nicht gab und die damals auch keiner vorhersehen konnte", schreibt Axel Börsch-Supan.[5]

Wenn aber nun die Menschen in den reichen Ländern von immer weniger Beschäftigten mit den Gütern versorgt werden können, die sie brauchen – geht dann nicht doch die Arbeit aus?

Wohl kaum. Der fundamentalste Grund dafür: Wie viel Arbeitskraft auch immer zur Verfügung stehen mag, ihre Menge wird knapp sein relativ zur Menge unserer Bedürfnisse. Nirgends ist erkennbar, dass sich jener Teil der menschlichen Bedürfnisse, der sich durch den Einsatz von Arbeitskraft befriedigen lässt, eine Obergrenze kennt. Natürlich mag dies materialistisch klingen – haben wir, die Bewohner der reichen Länder dieser Welt, nicht schon alles?

Auf gar keinen Fall, und das wird klar, wenn man zurückblickt und sich anschaut, was die Konsumenten vor nur 25 Jahren alles noch *nicht* hatten. Damals, im Jahre 1978, war der Golf I von Volkswagen das Lieblingsauto der Deutschen, und der unterscheidet sich vom heutigen Golf nicht nur dadurch, dass er keine Airbags, keinen elektrischen Fensterheber und keine Klimaanlage hatte. Statt mit Computer und Internetzugang, mit CD- und DVD-Spielern, mit mobilen und schnurlosen Telefonen waren die Haushalte mit Schreibmaschinen, Kassettenrekordern und dem Einheitstelefon der Deutschen Bundespost ausgestattet. Mountainbikes und Carving-Ski gab es noch nicht, Inline Skates ebenfalls nicht, und statt Viagra war es noch Milch, die müde Männer munter machte.

Diese Liste verdeutlicht auch: Unsere Bedürfnisse sind schon deshalb praktisch unbegrenzt, weil sie zu einem erheblichen Teil erst durch den technischen Fortschritt geweckt werden. Kaum jemand wird 1978 Sehnsucht danach verspürt haben, in etwas zu surfen, was damals noch gar nicht erfunden war und später World Wide Web genannt werden würde. Und doch ist es heute wie selbstverständlich, dass das Surfen im Netz und die Kommunikation via E-Mail für viele Menschen aus Berufs- wie Privatleben nicht mehr wegzudenken sind.

Wenn aber die menschlichen Bedürfnisse tatsächlich keine Grenzen kennen, dann kann uns die Arbeit nur in einem Fall ausgehen – nämlich dann, wenn der Menschheit die Ideen versiegen, wie sich bestehende Bedürfnisse befriedigen oder neue Bedürfnisse wecken lassen. Die Furcht, dass es so weit kommen könnte, ist alt. „Alles, was erfunden werden kann, ist erfunden worden". soll 1899 der damalige Chef des amerikanischen Patentamts, Charles Duell, gesagt haben.[6] Wie jedoch der Vergleich mit dem Jahr 1978 gezeigt hat, lässt die menschliche Erfindungsgabe zumindest bis in die jüngste Vergangenheit hinein keine Ermüdungserscheinungen erkennen.

Ja, der technische Fortschritt vernichtet bestehende Arbeitsplätze, und er wird das auch in Zukunft tun. Ja, einen Ersatz zu finden ist für die Betroffenen ein schmerzhafter Prozess, der oft den Erwerb neuer Qualifikationen oder den Umzug in eine andere Region erfordert.

Aber: Wenn alte Jobs verschwinden, ohne dass neue entstehen, dann ist dafür weder der technische Fortschritt noch irgendein Becksches „Entwicklungsgesetz" verantwortlich. Wenn es in Deutschland über lange Zeit hinweg und in großem Stil Arbeitslosigkeit gibt, dann müssen die Gründe woanders liegen. Darauf deutet auch der Vergleich mit den USA hin. Ihm ist der Rest dieses Kapitels gewidmet.

Entwicklung der Arbeitslosigkeit

Wie sich die Zeiten ändern: Ende der Siebzigerjahre noch lag die Arbeitslosenquote in den USA dreimal so hoch wie in der damaligen Bundesrepublik. Im Laufe der Achtzigerjahre schloss sich die Schere, seit Anfang der Neunziger befindet sich die Arbeitslosigkeit in Deutschland nachhaltig über amerikanischem Niveau – und zwar in beiden Teilen Deutschlands (vgl. Grafik 3.1).

In den USA erreichte die Arbeitslosenquote auf dem Höhepunkt des zurückliegenden Booms, im April 2000, einen Tiefststand von 3,8 Prozent. Zuletzt war ein derart niedriges Niveau 1969, also während des Vietnamkriegs, zu verzeichnen gewesen; in Friedenszeiten wurde eine noch geringere Arbeitslosigkeit in den vergangenen 50 Jahren nur ein einziges Mal, im März 1957, gemessen.

Grafik 3.1: *Arbeitslosenquoten im Vergleich – in Prozent; 2003/04: Prognose vom April 2003* *[Quelle: OECD]*

Im Zuge der jüngsten Konjunkturkrise ist die Arbeitslosigkeit in den USA wieder deutlich gestiegen. Im Sommer 2003 erreichte sie deutlich mehr als sechs Prozent. Für Amerika ist das der *höchste* Stand seit 1994.[7] Für Deutschland wäre ein solches Niveau das *geringste* seit dem Ende des Einheitsbooms 1991.

Auf den zweiten Blick ist die Bilanz für Deutschland noch bedenklicher als auf den ersten. Dies zeigt sich in Grafik 3.2. In ihr sind die Höhepunkte von Konjunkturzyklen markiert – jene Jahre, in denen die Arbeitslosenquoten zyklische Tiefststände erreicht haben. Die Arbeitslosigkeit in diesen Jahren entspricht ungefähr jener, die ein Wirtschaftsaufschwung allein nicht zum Verschwinden bringen kann. Ökonomen sprechen in diesem Zusammenhang von „Sockelarbeitslosigkeit".

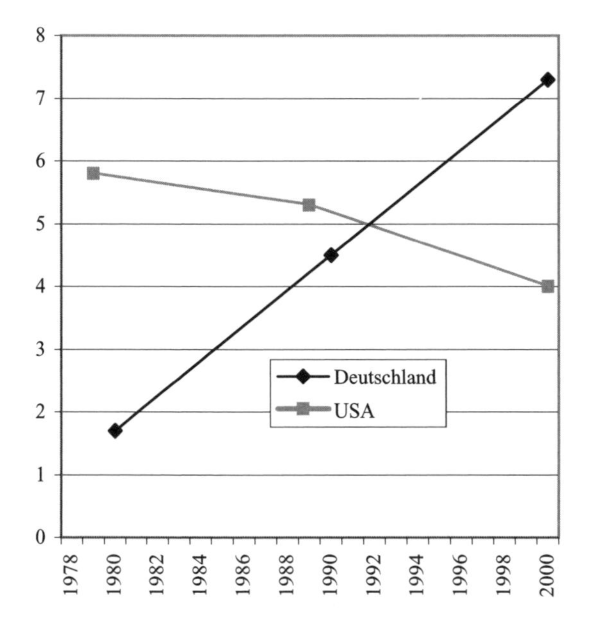

***Grafik 3.2:** Sockelarbeitslosigkeit im Vergleich – in Prozent* *[Quelle: OECD]*

Für die USA ist ein verhaltener, aber stetiger Abwärtstrend zu erkennen: Die Sockelarbeitslosigkeit sank seit Ende der Siebzigerjahre von knapp sechs auf vier Prozent. In Deutschland ist der Trend entgegengesetzt: Hier stieg die Sockelarbeitslosigkeit von weniger als zwei auf mehr als sieben Prozent.

Entwicklung der Beschäftigung

Die offiziell gemessene Arbeitslosenquote ist der gebräuchlichste Maßstab für das Geschehen am Arbeitsmarkt – und zugleich ein sehr unzulänglicher.[8] Wenn etwa in Deutschland oder Amerika eine arbeitslose Mutter frustriert die Jobsuche aufgibt und sich auf Kinder und Haushalt konzentriert, dann ist sie aus Sicht der amtlichen Statistiker nicht länger arbeitslos.

Zudem ist die Arbeitslosenquote politisch leicht manipulierbar – etwa durch Maßnahmen der so genannten aktiven Arbeitsmarktpolitik. Nicht ohne Grund steigt in Deutschland die Zahl der bewilligten Arbeitsbeschaffungs-Maßnahmen vor Bundestagswahlen regelmäßig deutlich an. In Deutschland fielen im Jahr 2002 mehr als 1,7 Millionen Menschen allein dank derlei staatlicher Interventionen aus den offiziellen Statistiken. Würden diese „verdeckten" Arbeitslosen in die Berechnung einbezogen, hätte die offizielle Arbeitslosenquote in 2002 bei 13,4 Prozent gelegen.[9]

Die Beschäftigungsbilanz einer Volkswirtschaft abzuschätzen, erfordert daher einen genaueren Blick in die Statistik. Wie Grafik 3.3 zeigt, ist die Zahl der abhängig Beschäftigten in Westdeutschland und in den USA von Ende der Siebzigerjahre bis Anfang der Neunzigerjahre ungefähr im Gleichschritt gewachsen. Seither klafft die Entwicklung auseinander: Während die USA weiter kräftige Zuwächse erzielen konnten, hat die abhängige Beschäftigung in Westdeutschland nur noch geringfügig zugenommen. Insgesamt beträgt das Beschäftigungswachstum

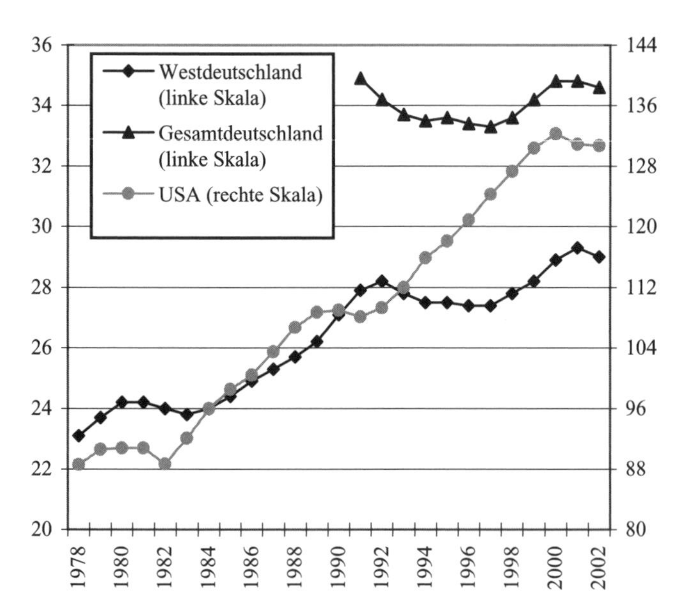

Grafik 3.3: *Zahl der abhängig Beschäftigten im Vergleich – in Millionen*

[Quelle: BLS, IAB]

in Amerika für die Jahre 1978 bis 2002 fast 48 Prozent; Westdeutschland kommt nur auf ein Plus von 26 Prozent.

Noch schlechter steht Deutschland da, wenn von 1991 an Gesamtdeutschland betrachtet wird. In Ost und West zusammengenommen ist die abhängige Beschäftigung zwischen 1991 und 2002 sogar leicht – um 0,9 Prozent – zurückgegangen. Hätte dagegen Gesamtdeutschland seit 1991 einen derart starken Beschäftigungsboom wie die USA erlebt, würde es heute zusätzlich Arbeitsplätze für 7,6 Millionen Menschen geben. Rein rechnerisch heißt das: Es herrschte Vollbeschäftigung. Mehr noch, um überhaupt alle verfügbaren Arbeitsplätze besetzen zu können, hätten in großem Stil arbeitsfähige Einwanderer ins Land geholt werden müssen.

Give 'em all to me – Exkurs Einwanderung

„Gebt mir Eure Müden, Eure Armen, Eure zusammengedrängten Massen, die sich danach sehnen, frei zu atmen." Amerikas Offenheit gegenüber Einwanderern ist mit diesem Satz an der New Yorker Freiheitsstatue verewigt.

Im mittleren Drittel des 20. Jahrhunderts allerdings hatten die Amerikaner die Schotten fast dicht gemacht, aus dem Strom von Immigranten wurde ein Rinnsal. Erst ein Gesetz aus dem Jahr 1965 schuf die Voraussetzung für eine erneute Einwanderungswelle.

Und was für eine Welle: Heute leben mehr als 32 Millionen im Ausland geborene Menschen in den USA, so viele wie noch nie zuvor. Ihr Anteil an der Gesamtbevölkerung erreicht mit mehr als elf Prozent den höchsten Stand seit den Dreißigerjahren (siehe Grafik 3.4). Die Bevölkerung der Bundesrepublik ist vor allem wegen der Wiedervereinigung um ein Viertel größer als vor 25 Jahren; die Bevölkerung der USA ist im gleichen Maße gewachsen – nur war hier der Zustrom aus dem Ausland der Hauptgrund.[10]

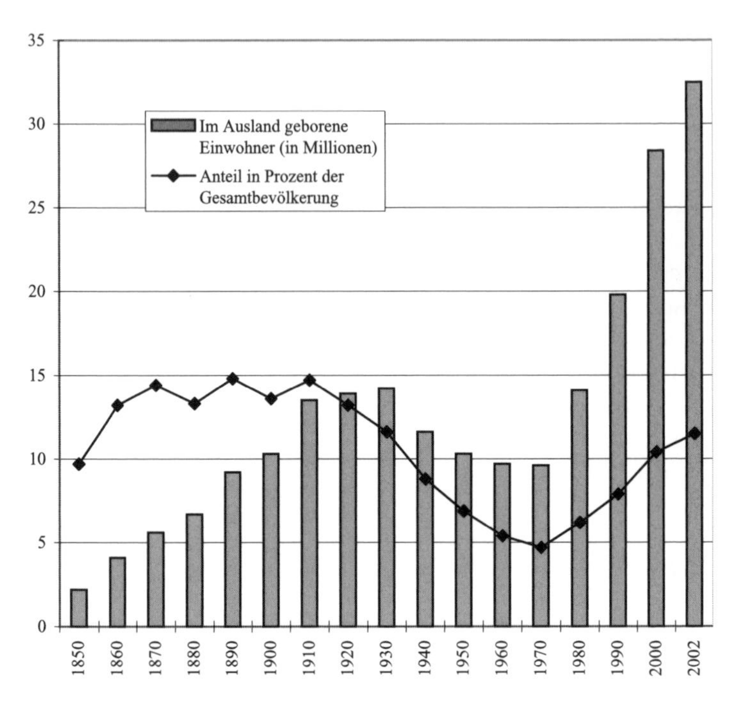

Grafik 3.4: *Einwanderung in den USA*

[Quelle: US Census Bureau (2001), S. 9, Schmidley (2003), S. 1.]

So stellen Einwanderer in den USA denn auch einen deutlich größeren Teil der Bevölkerung als hier zu Lande. In Deutschland leben rund 7,3 Millionen Ausländer, was einem Anteil von knapp neun Prozent entspricht.[11] Anders als in der amerikanischen Statistik sind in dieser Zahl allerdings nicht nur Einwanderer der ersten Generation enthalten, sondern – soweit sie nicht die deutsche Staatsbürgerschaft erworben haben – auch die Kinder und Enkel von Gastarbeitern, die vor 30 oder 40 Jahren nach Deutschland zogen.[12]

Die Einwanderungswelle verändert Amerikas Gesicht in dramatischem Tempo. 1960 kamen drei von vier im Ausland geborenen Menschen in den USA aus Europa, heute beträgt der Anteil weniger als ein Siebtel; gut jeder zweite kommt heute aus Lateinamerika, jeder vierte aus Asien.[13]

Die Folge: Seit Herbst 2000 gibt es mehr Latinos als Schwarze in den USA. Die Zahl der „Asian Americans“ ist von 1,4 Millionen im Jahr 1970 auf elf Millionen gestiegen. Zur nächsten Jahrhundertwende sollen es 75 Millionen sein. In Kalifornien und Texas sind selbst die Weißen mittlerweile eine Minderheit.[14]

Für die Beurteilung des Modells Amerika hat die Einwanderungswelle enorme Bedeutung, unter anderem im Zusammenhang mit der Entwicklung der Einkommensverteilung. In den nachfolgenden Kapiteln wird daher noch mehrfach auf den Zustrom verwiesen werden.

Hier sei nur festgehalten: Ob die in Deutschland häufig geäußerte Befürchtung, massenhafte Einwanderung bedrohe die Beschäftigung der heimischen Bevölkerung, für Deutschland richtig ist, sei dahingestellt. In den amerikanischen Beschäftigungsstatistiken jedenfalls lässt sich dafür kein Indiz finden: Einwanderungswelle und Jobwunder in den USA gehen Hand in Hand – es gelingt, die Neuen in den Arbeitsmarkt zu integrieren.

Die Zahl der im Ausland geborenen Erwerbstätigen in den USA beläuft sich auf mehr als 17 Millionen.[15] Die Beschäftigungsquote, also der Anteil der Beschäftigten an den Personen im erwerbsfähigen Alter, liegt unter den im Ausland Geborenen bei 64 Prozent und damit nur geringfügig unter dem Niveau der alteingesessenen Bevölkerung. Unter den im Ausland geborenen Männern ist die Beschäftigungsquote sogar deutlich höher (80 Prozent) als unter ihren heimischen Geschlechtsgenossen (74 Prozent).[16] Und: Vor allem Einwanderer aus Asien trugen erheblich zu dem Boom der Unternehmensgründungen in den Achtziger- und Neunzigerjahren bei. Nach Berechnungen der Zeitung „USA Today“ haben „Asian Americans“ in den zurückliegenden zwei Jahrzehnten nahezu 600.000 Unternehmen in den USA aufgebaut.[17]

Die deutsche Bilanz fällt deutlich trüber aus: Nicht einmal vier von zehn Ausländern im erwerbsfähigen Alter sind in Lohn und

Brot. Im Jahr 2000 gab es in Deutschland 1,9 Millionen ausländische Beschäftigte. Damit wurde das Niveau des Jahres 1980 unterschritten – obwohl die Zahl der Ausländer zwischen 18 und 65 Jahren von 1980 bis 2000 um fast 80 Prozent gestiegen ist.[18]

Über die möglichen Ursachen für dieses deutsch-amerikanische Gefälle soll hier nicht weiter spekuliert werden. Jedenfalls deutet die Statistik an: Aus Sicht von Immigranten dürften die USA dem viel beschworenen Selbstbild „Land der unbegrenzten Möglichkeiten" weit eher entsprechen als Deutschland.[19]

Entwicklung der Unterbeschäftigung

Ein Großteil der neu geschaffenen Jobs in den USA ist von Einwanderern besetzt worden. Dies ist aber nur die eine Hälfte des amerikanischen Jobwunders. Die andere Hälfte besteht darin, dass ein zunehmender Teil der erwerbsfähigen Bevölkerung arbeitet. In den USA ist die Beschäftigungsquote zwischen 1978 und 2001 von 67 auf 73 Prozent gestiegen (siehe Grafik 3.5).

In Deutschland dagegen lag die Beschäftigungsquote Ende der Achtzigerjahre nicht höher als zu Beginn der Dekade. Die Vereinigung der alten Bundesrepublik mit Ostdeutschland brachte, weil im Osten traditionell viele Frauen erwerbstätig sind, einen leichten Anstieg. Mittlerweile aber ist dieser Effekt verpufft, im Jahr 2001 lag die Beschäftigungsquote bei 66 Prozent – und damit auf demselben Niveau wie 1978.

Unabhängig davon, was die Ursachen sind: Wenn in Deutschland ein Drittel der Bevölkerung im erwerbsfähigen Alter nicht arbeitet, dann kommt dies einer gigantischen Verschwendung menschlicher Ressourcen gleich. Wissen, das sich Menschen in jahre- oder gar jahrzehntelanger – und größtenteils mit Steuergeldern finanzierter – Ausbildung angeeignet haben, bleibt in großem Stil ungenutzt.

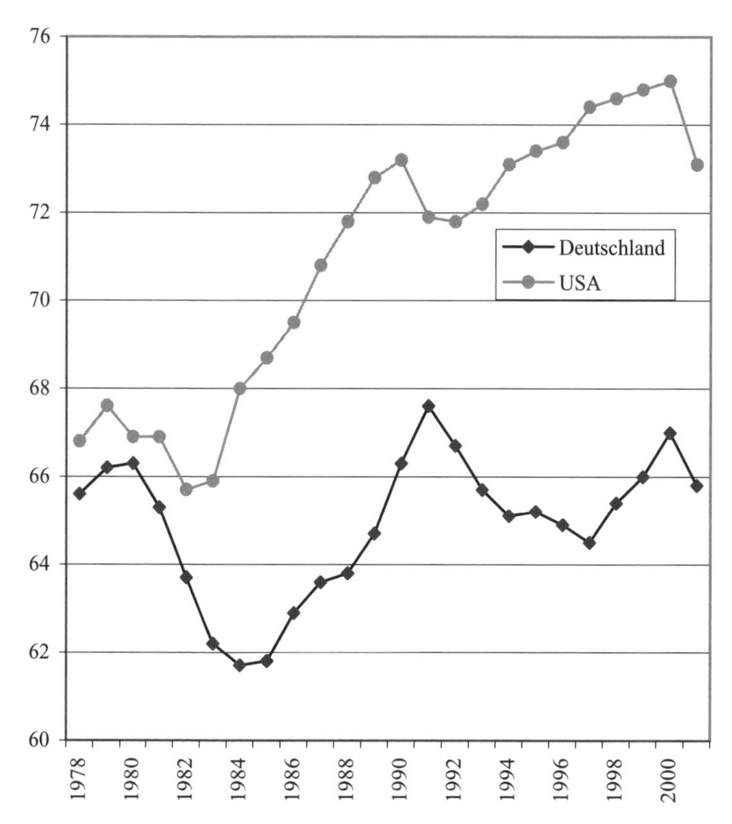

Grafik 3.5: *Beschäftigungsquoten im Vergleich – Anteil der Erwerbstätigen an der 14- bis 64-jährigen Bevölkerung in Prozent* *[Quelle: OECD]*

Entwicklung der geleisteten Arbeitszeit

Arbeitslosigkeit, die Zahl der abhängig Beschäftigten, Beschäftigungsquoten – selbst die drei bisher diskutierten Indikatoren zusammengenommen spiegeln das volle Ausmaß der Unterbeschäftigung in Deutschland nur unzulänglich wider. Die ganze deutsche Misere wird erst deutlich, wenn zusätzlich auch das geleistete Arbeitsvolumen in die Betrachtung einbezogen wird. Dies deshalb, weil jene zwei Drittel, die überhaupt noch erwerbstätig sind, immer weniger arbeiten.

Ein zusehends größer werdender Teil der Beschäftigten in Deutschland geht nur einem Teilzeitjob oder einer so genannten geringfügigen Beschäftigung nach. Zwischen 1991 und 2002 ist in Deutschland die Zahl der Arbeitnehmer, die einen Vollzeitjob haben, um 4,4 Millionen gesunken; die Zahl der Teilzeit-Jobber ist im gleichen Zeitraum um 3,9 Millionen gestiegen. In Vollzeit-Äquivalenten gerechnet, ist das Beschäftigungsvolumen von 31,6 Millionen Vollzeit-Arbeitsplätzen in 1991 auf 28,6 Millionen in 2002 gefallen.[20]

Hinzu kommt, dass in den zurückliegenden Dekaden die tariflichen Wochenarbeitszeiten drastisch verkürzt worden sind. Unter dem Strich ergibt sich: 1978 arbeitete ein durchschnittlicher Arbeitnehmer in Westdeutschland 1.716 Stunden. 1991 betrug der Durchschnitt im wiedervereinigten Deutschland noch 1.473 Stunden. Und im Jahr 2002 schließlich waren nicht mehr als 1.361 Stunden übriggeblieben.[21]

Das insgesamt in Deutschland geleistete Arbeitsvolumen ist denn auch rückläufig. In den Achtzigerjahren stagnierte es noch: 1978 wie 1990 lag die Zahl der in Westdeutschland von Arbeitnehmern geleisteten Arbeitszeit bei jeweils 39,3 Millionen Stunden. Seit 1991 aber ist der Trend nach unten gerichtet: Im Westen sank die Arbeitszeit bis zum Jahr 2002 um fünf Prozent; der Osten hatte gar einen Einbruch von 22 Prozent zu verzeichnen.[22]

Rein statistisch betrachtet hat demnach der durchschnittliche Arbeitnehmer in Deutschland je Werktag des Jahres 2002 gerade einmal fünf Stunden und 48 Minuten gearbeitet (siehe Grafik 3.6). Und: Legt man für 2002 großzügig eine Beschäftigungsquote von zwei Dritteln zugrunde, dann bleibt in Deutschland je Person im erwerbsfähigen Alter eine werktägliche Arbeitsbelastung von drei Stunden und 52 Minuten übrig;[23] pro Kopf der Bevölkerung wird gar nur zwei Stunden und 43 Minuten gearbeitet. Von einer wie auch immer definierten Vollbeschäftigung ist Deutschland also offenkundig sehr weit entfernt.

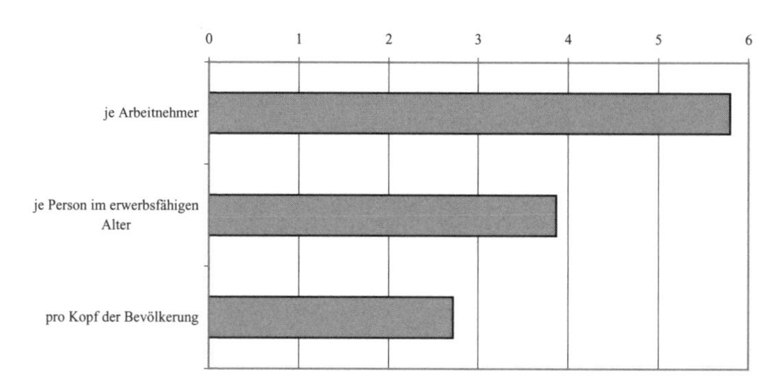

Grafik 3.6: *Tatsächlich geleistete Arbeitszeit in Deutschland – werktäglicher Durchschnitt in Stunden, 2002* *[Quelle: IAB, StBA]*

„Die Arbeit geht uns aus!" Die These von Rifkin, Beck & Co. scheint sich hier zu bestätigen. Nur: Auch hier ist die Entwicklung in den USA gegenläufig. In Amerika liegt die durchschnittliche Arbeitszeit bei gut 1.800 Stunden – heute ebenso wie Ende der Siebzigerjahre.[24] Und: Die Zahl der geleisteten Arbeitsstunden in den USA ist 1978 um fast 44 Prozent gewachsen (siehe Grafik 3.7).[25] Den Deutschen mag die Arbeit ausgehen. In Amerika tut sie das nicht.

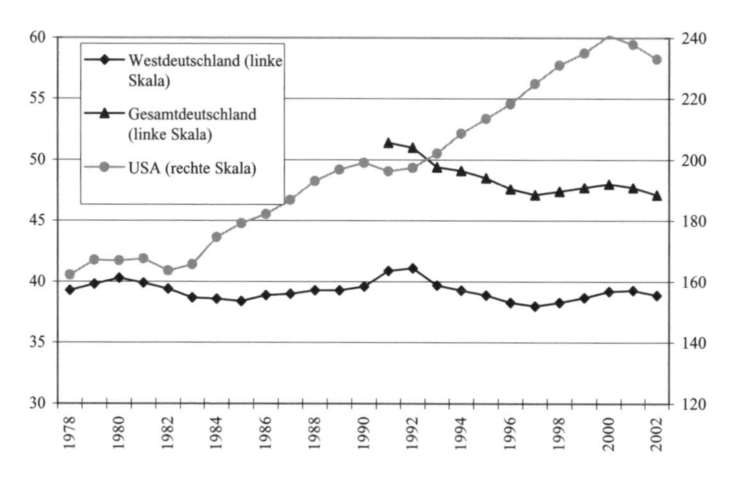

Grafik 3.7: *Geleistetes Arbeitsvolumen beschäftigter Arbeitnehmer im Vergleich – in Milliarden Stunden* *[Quelle: IAB, U.S. Department of Labor (2001), S. 122, BLS und eigene Berechnungen]*

In Deutschland wird also immer weniger gearbeitet. Halten lässt sich der materielle Lebensstandard unter diesen Bedingungen nur, wenn in der verbleibenden Arbeitszeit umso effizienter gearbeitet wird. Auf die Produktivität kommt es also an.

Umso bedenklicher ist, dass – wie im folgenden Kapitel gezeigt wird – auch hier Deutschland offenkundig den Anschluss verliert.

Fußnoten

1) Beck (1997).
2) Süddeutsche Zeitung (2003).
3) Börsch-Supan (2000), S. 1.
4) StBA (2002), S. 108f.
5) Börsch-Supan (2000), S. 3.
6) U.S. Patent and Trademark Office (www.uspto.gov). Ob Duell diesen vielzitierten Satz jemals gesagt hat, ist strittig.
7) BLS (www.bls.gov).
8) vgl. zum Beispiel Garibaldi und Mauro (1999), S. 4.
9) SVR (2002), S. 119ff.
10) U.S. Census Bureau (2002), S. 8, und U.S. Census Bureau (www.census.gov).
11) StBA (2002), S. 45, 65.
12) In den USA sind die Nachfahren von Einwanderern in aller Regel Amerikaner, da nach US-Recht jeder ein Anrecht auf die Staatsbürgerschaft hat, der auf amerikanischem Boden geboren wurde. Ein Vergleich der Zahl der Ausländer wäre verzerrend auch wegen der großzügigen Vergabe der amerikanischen Staatsbürgerschaft an Einwanderer der ersten Generation: Rund 44 Prozent der im Ausland Geborenen sind im Besitz eines amerikanischen Passes. U.S. Census Bureau (2001), S. 36.
13) Mosisa (2002), S. 3ff., und Schmidley (2003), S. 1.
14) U.S. Census Bureau (www.census.gov).
15) U.S. Census Bureau (2001), S. 38. Stand: März 2000.
16) Mosisa (2002), S. 6.
17) USA Today (2002).
18) Deutscher Bundestag (2002), S. 248, StBA (2002), S. 18, StBA (www.destatis.de) und eigene Berechnungen.
19) Außerdem ist nahe liegend, dass die augenscheinlich relativ reibungsarme Integration der Einwanderer in das amerikanische Wirtschaftsleben erheblich die Neigung zur Fremdenfeindlichkeit abzubauen hilft und die Akzeptanz von Immigration fördert. Nach einer Ende 2002 durchgeführten Umfrage empfinden 60 Prozent der Deutschen den „Einfluss von Immigranten“ als negativ, nur 35 Prozent halten ihn für positiv. In den USA ist das Meinungsbild trotz des ungleich größeren Zustroms aus dem Ausland deutlich fremdenfreundlicher: 49 Prozent der Amerikaner halten den Einfluß von Immigranten für eine gute Sache, 43 Prozent stehen ihm ablehnend gegenüber. The Pew Research Center For The People & The Press (2002), S. 44.
20) IAB und eigene Berechnungen.
21) ebenda.
22) ebenda. Die US-Statistik weist nur Arbeitszeiten für Arbeitnehmer aus. Um eine möglichst große Vergleichbarkeit herzustellen, werden bei den Angaben zu Deutsch-

land die Selbstständigen und mithelfenden Familienangehörigen nicht berücksichtigt. Die Einbeziehung von Selbstständigen und Mithelfenden würde das Bild aber nicht nennenswert ändern.

23) ebenda. Die Beschäftigungsquote umfasst alle Beschäftigte, nicht nur Arbeitnehmer. Daher wurden – anders als in Grafik 3.7 – hier bei der Abschätzung der durchschnittlichen werktäglichen Arbeitszeit einer Person im erwerbsfähigen Alter auch die Arbeitszeiten von Selbstständigen und mithelfenden Familienangehörigen einbezogen; ebenfalls einbezogen sind die in Nebenerwerbstätigkeit geleisteten Arbeitsstunden.

24) OECD (2002), S. 320.

25) Für Deutschland sind die Zahlen aus der Zeit vor 1991 nur bedingt mit den Zahlen aus der Zeit danach vergleichbar. Grund ist eine Änderung der Erfassungsmethoden.

Kapitel 4: Die New Economy lebt ... in Amerika

Feierabend nach im Durchschnitt nicht einmal drei Stunden: Eine Nation, die – wie in Kapitel 3 gezeigt – pro Tag derart wenig arbeitet wie die deutsche, könnte ihren materiellen Lebensstandard erheblich steigern: schlicht, indem sie mehr arbeitet.

Auf längere Sicht dagegen kann sich wachsender materieller Wohlstand nur aus einer Quelle speisen: einer steigenden Arbeitsproduktivität. Denn wenn in einer Volkswirtschaft die Wirtschaftsleistung steigt, dann kann dieses Wachstum nur zwei Ursachen haben: Entweder es wird mehr gearbeitet – zum Beispiel, weil Beschäftigte Überstunden machen, Arbeitslose einen Job finden oder geburtenstarke Jahrgänge auf den Arbeitsmarkt kommen. Oder die Arbeitsproduktivität, die Wertschöpfung je gearbeiteter Stunde also, wächst.[1]

Der Arbeitstag jedoch kann nicht beliebig verlängert und die Zahl der Berufsanfänger nicht beliebig vermehrt werden; die Arbeitslosigkeit kann – theoretisch – auf null sinken, aber nicht weiter. Einzig die Arbeitsproduktivität lässt sich immer weiter erhöhen.

Schlüsselfaktor Arbeitsproduktivität

Hohes Produktivitäts-Wachstum stellt sicher, dass Löhne stark wachsen können, ohne dass Lohnstückkosten und Inflationsrate außer Kontrolle geraten.[2] Arbeitnehmer in Deutschland sind denn auch nicht deshalb um ein Vielfaches reicher als ihre Vorfahren vor hundert Jahren, weil sie mehr arbeiten – sondern weil sie um ein Vielfaches produktiver sind.

Dabei kommt es, abermals auf lange Sicht betrachtet, auf jeden Zehntelprozentpunkt an. Ein Beispiel: Das kaufkraftbereinigte Pro-Kopf-Einkommen in den USA liegt bei rund 140 Prozent des EU-Durchschnitts. Hätte das Produktivitäts-Wachstum in den USA seit dem Zweiten Weltkrieg jedes Jahr um einen Prozentpunkt niedriger gelegen, würde der US-Wohlstand heute nur rund 80 Prozent des europäischen Niveaus erreichen. Die USA wären dann nicht, von Luxemburg abgesehen, reicher als jedes europäische Land; stattdessen würde der Wohlstand der Amerikaner unter dem spanischen Niveau liegen – von den 15 EU-Mitgliedstaaten wären nur Griechenland und Portugal ärmer.[3]

In Wirklichkeit jedoch haben die USA einen Produktivitätsschub erlebt, dessen Anfänge bis in die Zeit des Ersten Weltkriegs zurückreichen.[4] In Europa begann diese Welle erhöhten Produktivitäts-Wachstums erst nach dem Ende des Zweiten Weltkriegs. Dafür fiel sie in der Alten Welt umso größer aus – der Grund für die bereits beschriebene Annäherung der europäischen Pro-Kopf-Einkommen an das amerikanische in den Fünfziger-, Sechziger- und Siebzigerjahren.

Nach 1973 brach die Phase hohen Produktivitätswachstums in den USA unvermittelt ab – aus Gründen, die bis heute nicht geklärt sind. Natürlich ist es nahe liegend, den Ölpreisschock von 1973/74 verantwortlich zu machen. Fraglich ist dann aber, warum das weiter unten beschriebene neue Produktivitätswunder erst 1996 begann – und nicht bereits Mitte der Achtzigerjahre, als der Ölpreis real wieder auf das Niveau fiel, das vor der ersten Ölkrise vorherrschte.[5]

Deutschland konnte sich, wie Grafik 4.1 zeigt, noch einige Jahre lang starker Zuwächse erfreuen, ehe es 1980 auch hier mit der Herrlichkeit vorbei war.[6] Ende der Achtzigerjahre kam noch einmal Schwung in die deutsche Produktivitätsentwicklung –

ein Schub, der durch den Einheitsboom und die Schließung besonders ineffizienter ostdeutscher Betriebe zusätzliche Dynamik erhielt.[7]

Grafik 4.1: *Produktivitätswachstum im Vergleich – gleitende Fünf-Jahres-Durchschnitte der jährlichen Zuwachsraten der Stundenproduktivität, in Prozent*

[Quellen: Deutsche Bundesbank, BLS]

Amerikas neues Produktivitätswunder

„Zu Beginn der neunziger Jahre", schreibt die Bundesbank, „sah man die Produktivitätsperspektiven in Deutschland mit Optimismus. Die deutsche Einheit und die Öffnung Mittel- und Osteuropas schienen neue Möglichkeiten für eine stärkere Spezialisierung auf größeren Märkten und damit für eine raschere Zunahme der Produktivität zu eröffnen."[8]

Entweder gab es diese Möglichkeiten in Wirklichkeit gar nicht – oder, wahrscheinlicher, sie wurden nicht genutzt. Zwar bewegt sich die Arbeitsproduktivität je Erwerbsstunde in Deutschland ungefähr auf demselben *Niveau* wie in den USA: Je nach Berechnungsmethode liegt sie ein paar Prozentpunkte höher oder niedriger als in Amerika.[9]

Das *Wachstum* der Produktivität ist jedoch seit dem Ende des Einheitsbooms tendenziell rückläufig. Ganz anders die USA: Hatte dort das durchschnittliche Wachstum der Arbeitsproduktivität zwischen 1974 und 1995 im Durchschnitt nur 1,55 Prozent erreicht, ist es seither auf jahresdurchschnittlich 2,74 Prozent hochgeschnellt. Deutschland, zum Vergleich, musste sich zwischen 1996 und 2002 mit 1,64 Prozent begnügen.

Diese Diskrepanz ist beträchtlich: Bei konstantem Arbeitseinsatz und einem Produktivitätswachstum von 2,74 Prozent jährlich verdoppelt sich das Pro-Kopf-Einkommen in einer Volkswirtschaft binnen 26 Jahren. Bei einer Jahresrate von 1,64 Prozent dagegen wird eine Verdopplung nur alle 43 Jahre erreicht.

Und: Die Diskrepanz ist widernatürlich. Denn eigentlich wären von Deutschland die höheren Zuwächse zu erwarten gewesen:

- Der Aufbau Ost (siehe oben und Kapitel 3) hätte Produktivitätsschübe erzeugen müssen.

- Traditionell wird im verarbeitenden Gewerbe, das in Deutschland ein ungleich größeres Gewicht hat als in den USA, das höchste Produktivitätswachstum erzielt.[10]

- Im Zuge des amerikanischen Jobwunders ist es, wie bereits erwähnt, gelungen, die Erwerbsbeteiligung stark auszudehnen. Insbesondere wurden Einwanderer und Frauen in den Arbeitsmarkt integriert. Diese Gruppen drücken das Produktivitätsniveau, weil sie – im Durchschnitt – relativ schlecht qualifiziert sind (Einwanderer) oder relativ wenig Berufserfahrung haben (Frauen). So hatten zum Beispiel im Jahr 2002 knapp 33 Prozent, der im Ausland geborenen, über 25-jährigen Einwohner in Amerika keinen High-School-Abschluss – in der alteingesessenen Bevölkerung lag dieser Anteil nur bei 13 Prozent. In Deutschland demgegenüber lässt sich das Phänomen der „Entlassungsproduktivität" beobachten: Zunehmend viele Geringqualifizierte sind aus dem Arbeitsmarkt gedrängt worden. Dies hat, da in den einschlägigen Berechnungen naturgemäß nur die tatsächlich Arbeitenden berücksichtigt werden, statistisch einen positiven Effekt auf das gemessene Produktivitätsniveau.[11]

Über die Ursachen des Produktivitätswunders in Amerika sind sich die Experten mittlerweile weitgehend einig: Der Fortschritt bei Informations- und Kommunikationstechnologien (IKT) wie Computern und Software, dem Internet und Glasfasernetzen hat eine „New Economy" entstehen lassen. Nicht nur haben die IKT-*Hersteller* gewaltige Produktivitätssprünge verzeichnen können. Es ist auch den amerikanischen *Anwendern* gelungen, massive IKT-Investitionen in beachtliche Effizienzsteigerungen umzumünzen.[12]

Der Hintergrund: In den USA wurde früher und stärker in IKT investiert als in Deutschland und vielen anderen europäischen Ländern. Bereits 1980 lag in Amerika der Anteil der Informations- und Kommunikations-Technologien an den Gesamtinvestitionen der Unternehmen bei 15,2 Prozent – ein Wert, der in Deutschland selbst 1990 noch nicht erreicht war (siehe Grafik 4.2). Im Jahr 2000 betrug der IKT-Anteil in Amerika gar 31,4 Prozent. Unter den Industrieländern konnte nur Finnland ein annähernd so hohes Niveau vorweisen.

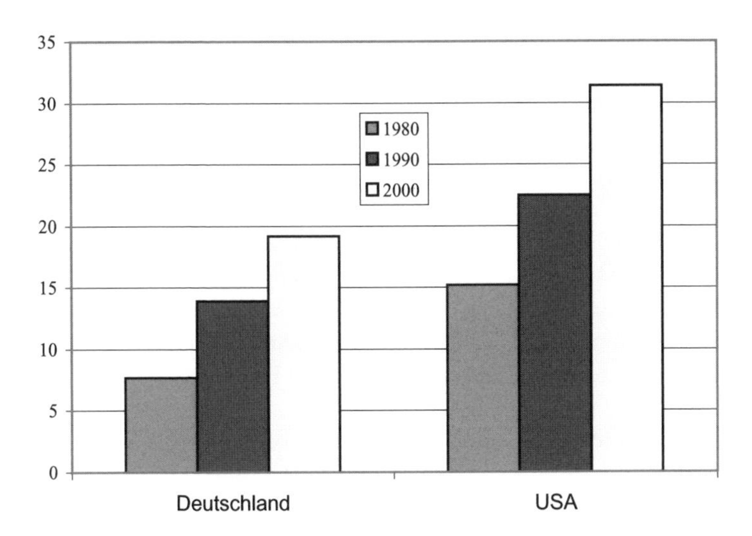

Grafik 4.2: *Investitionen in Informations- und Kommunikationstechnologien im Vergleich – in Prozent aller Unternehmensinvestitionen* *[Quelle: OECD]*

Das paradoxe Solow-Paradox

„Man sieht das Computerzeitalter überall, nur in den Produktivitätsstatistiken nicht." Dieses berühmt gewordene Diktum des amerikanischen Ökonomie-Nobelpreisträgers Robert Solow aus dem Jahr 1987 umschreibt die Verwunderung der Ökonomenzunft darüber, dass effizienzsteigernde neue Technologien wie die IKT zunächst augenscheinlich nur geringe Effekte auf die amerikanische Gesamtwirtschaft hatten.

Im Nachhinein sind alle schlauer: Mittlerweile gehört es in der Fachwelt zum Konsens, dass es nur natürlich ist, wenn zwischen der Entwicklung bahnbrechender neuer Technologien, den Investitionen in sie und den Auswirkungen auf die gesamtwirtschaftliche Produktivität Jahrzehnte vergehen.

So hatte Werner von Siemens den elektrischen Dynamo bereits im Jahr 1866 erfunden. Die durch den Dynamo ermöglichte

Elektrifizierung jedoch schlug sich erst in den Zwanzigerjahren des 20. Jahrhunderts in den amerikanischen Produktivitätsstatistiken nieder, hat der US-Wirtschaftshistoriker Paul David herausgearbeitet.[13]

Die heute modernen Technologien werden auf der einen Seite von der Wirtschaft zwar sehr viel schneller adaptiert als dereinst der Dynamo, schreibt David. Doch auf der anderen Seite sei die Herausforderung, für ein effizientes Zusammenspiel zwischen den heutigen Technologien und ihren menschlichen Anwendern zu sorgen, „enorm subtiler und komplexer"[14].

Trotz dieser Herausforderung stellen die Informations- und Kommunikationstechnologien frühere technologische Revolu-

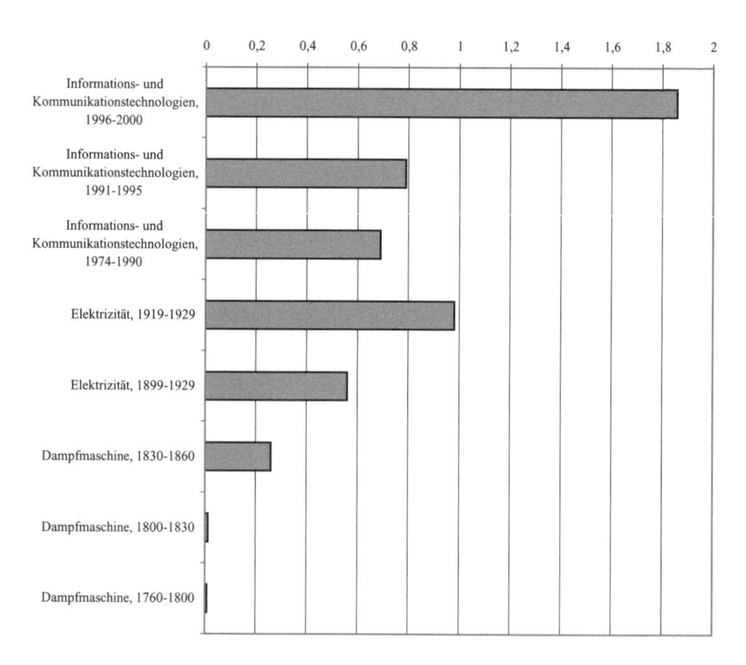

Grafik 4.3: *Der Beitrag neuer Technologien zum jährlichen Wirtschaftswachstum – in Prozentpunkten; Dampfmaschine: Großbritannien; Elektrizität und Informations- und Kommunikationstechnologien: USA* *[Quelle: Crafts (2002), S. 20ff.]*

tionen in den Schatten. So hat der britische Wirtschaftshistoriker Nicholas Crafts errechnet, dass der Beitrag der ITK zum Wirtschaftswachstum in den USA in den vergangenen 25 Jahren den der Dampfmaschine „übertroffen und dem der Elektrizität über vergleichbare Perioden zumindest entsprochen" hat (siehe Grafik 4.3).[15]

Das Solow-Paradox „wurzelt weitgehend in unrealistischen Erwartungen", folgert Crafts: „Das wahre Paradox ist, warum von den IKT mehr hätte erwartet werden sollen."[16]

Noch 'ne Blase?

Natürlich könnte sein, dass alles nur eine Blase war – und dass mit dem Ende von Hochkonjunktur und Börsenhausse auch das Ende des Produktivitätswunders naht.

Tatsächlich ist ein steigendes Produktivitätswachstum in Zeiten kräftiger Konjunkturaufschwünge nur normal, weil sich dann die Fixkosten auf eine stark wachsende Produktion verteilen lassen und so die Stückkosten sinken.[17] So schätzt Robert Gordon, der prominenteste New-Economy-Skeptiker unter Amerikas Ökonomieprofessoren, dass das Produktivitätswunder möglicherweise bis zu einem vollen Drittel zyklischer Natur war.[18]

Allerdings spricht einiges dafür, dass strukturelle, nicht konjunkturelle Faktoren die mit Abstand wichtigere Rolle spielten:

■ Gerade einmal sechs Branchen waren einer Untersuchung des McKinsey Global Institute zufolge für 99 Prozent der Beschleunigung des Produktivitätswachstums zwischen 1995 und 1999 verantwortlich: die Computerindustrie und die Halbleiterindustrie, der Großhandel und der Einzelhandel, der Wertpapier- und Rohstoffhandel sowie der Bereich Telecom-Dienstleistungen. Zusammen machen diese Branchen nicht mehr als

30 Prozent der amerikanischen Wirtschaftsleistung aus. Und: Innerhalb der Branchen ist das Produktivitätswunder zum Teil auf die Aktivitäten einzelner Unternehmen zurückzuführen: Volle 23 Prozent des Produktivitätswachstums im Einzelhandel beispielsweise schreibt McKinsey der Supermarktkette Wal-Mart zu, weitere 46 Prozent gehen auf das Konto von Wettbewerbern wie K-Mart, die notgedrungen nachziehen mussten.[19] Das Produktivitätswachstum war also hoch konzentriert. Wäre es konjunkturell bedingt gewesen, hätte es mehr oder minder gleichmäßig auf die gesamte Wirtschaft verteilt sein müssen.

■ Nach einem Einbruch im Jahr 2001 hat die Arbeitsproduktivität in den USA ihr starkes Wachstum wieder aufgenommen. Im Jahr 2002 erreichte sie mit einem Plus von 4,8 Prozent sogar den höchsten jährlichen Zuwachs seit 1950.[20] Diese Rate liegt weit höher, als die noch bescheidene konjunkturelle Erholung erwarten lässt. Die meisten Experten sehen darin ein Indiz, dass die kräftigen Produktivitätszuwächse der späten Neunziger in der Tat nachhaltig sind.[21]

High Tech in Amerika ist denn auch nicht mit den Hunderten untergegangener Internetfirmen („Dot-coms") verschwunden. Allein in IT-Berufen arbeiteten zu Beginn des Jahres 2003 mehr als zehn Millionen Menschen. Der Umsatz von Intel und Sun Microsystems hat sich zwischen 1995 und 2002 etwa verdoppelt, der von Microsoft ungefähr vervierfacht und der von Cisco Systems etwa verachtfacht.[22]

Und die Zeichen stehen inzwischen wieder auf Wachstum: Die Ausgaben amerikanischer Unternehmen in der Kategorie „Datenverarbeitungs-Ausrüstungen und Software" lagen, aufs Jahr hochgerechnet, im ersten Halbjahr 2003 preisbereinigt bereits wieder deutlich über dem Niveau der Rekordjahre 1999 und 2000.[23]

Außerdem: Bei allen Pleiten und fehlgeschlagenen Geschäftsmodellen übertrifft der Aufbruch in die digitale Wirtschaft in

Teilen selbst die überschwänglichen Prognosen, die auf dem Höhepunkt des Börsenbooms veröffentlicht wurden. So hatte die Technologieberatung Forrester Research Anfang des Jahres 2000 vorausgesagt, dass die Online-Käufe amerikanischer Konsumenten im Jahr 2002 rund 52 Milliarden Dollar erreichen würden. Tatsächlich, so ergab die Auswertung einer Forrester-Umfrage im Frühjahr 2003, lagen die Umsätze 2002 bei 76 Milliarden Dollar – also um fast 50 Prozent über den ursprünglichen Erwartungen.[24]

Warum, so könnte man sich fragen, gab es überhaupt das Massensterben der Dot-coms, warum den dramatischen Einbruch an der Technologiebörse Nasdaq?

Turbulenzen, Rückschläge, Zufälle

Himmelhoch jauchzend, zu Tode betrübt: Überreaktionen dieser Art waren in der Wirtschaftsgeschichte geradezu ein Wesensmerkmal von technologischen Revolutionen. Als zum Beispiel im 19. Jahrhundert mit der Eisenbahn ein revolutionär neues Transportmittel nutzbar wurde, sah es in Amerika wie in Europa zeitweise so aus, als seien für das Wirtschaftswachstum die Gesetze der Schwerkraft außer Kraft gesetzt.

Bald schäumte der Optimismus über, es kam, wie es kommen musste: Projekte wie die Northern Pacific Railroad in den USA erwiesen sich als gigantische Fehlinvestitionen – auf Euphorie folgte Ernüchterung, das Investitionsvolumen brach schlagartig ein, die gesamte Wirtschaftsleistung erhielt kräftige Dämpfer. So wichtig die Eisenbahn für die entstehenden Industriegesellschaften war – wirtschaftlich glich ihr Vordringen nicht etwa einem sanften Aufstieg, sondern ständigen Berg- und Talfahrten.[25]

Auch die ITK-Geschichte ist von Einbrüchen und Comebacks geprägt. Immer, wenn es um die Branche schlecht stand, kam gerade rechtzeitig ein neuer technologischer Schub, der eine neue Dynamik entfachte: Mitte der Siebzigerjahre durch die Schaffung des PC, Mitte der Achtziger durch eine Kombination aus schnelleren Mikrochips, besserer Software und nachfragesteigernden Preisverfällen und Anfang der Neunziger schließlich durch die Kreation des World Wide Web.[26]

„Wir erleben tatsächlich eine Revolution", sagt der prominente amerikanische Zukunftsforscher Alvin Toffler. „Aber das Letzte, was es in einer Revolution gibt, ist gradliniger Fortschritt. Das Gegenteil ist zu erwarten: Turbulenzen, Instabilität, Rückschläge, viele Zufälle."[27]

Toffler verweist darauf, dass die ersten Fabrikbesitzer in der industriellen Revolution ihre eigenen Familien als Arbeitskräfte eingesetzt haben – so wie sie es zuvor auf ihren Bauernhöfen getan hatten. Das, so Toffler, funktionierte nicht: „Die Alten kamen mit dem schnellen Tempo der Maschinen nicht zurecht, und den Kindern war die Arbeit so zuwider, dass sie an die Maschinen gekettet werden mussten. Ähnliches passiert heute: Wir wissen nicht, welche Business-Modelle für die Informationsgesellschaft geeignet sind."[28]

Darüber hinaus kann niemand verlässlich abschätzen, wie schnell genau eine neue Technologie adaptiert wird. Hätte sich der Internetverkehr nicht alle neun, sondern alle drei Monate verdoppelt – weitaus mehr Dot-com-Geschäftspläne wären aufgegangen, die extrem hohen Börsenbewertungen vieler Internetfirmen und anderer Technologieunternehmen wären womöglich gerechtfertigt gewesen.[29]

Und der Gewinner ist ... der Verbraucher

Angesichts dieser Ungewissheiten sind starke Schwankungen an den Börsen nur natürlich: In Zeiten rapiden technischen Fortschritts ist es wahrscheinlicher, dass ganze Aktienmärkte oder zumindest ganze Segmente über längere Phasen hinweg zu hoch bewertet sind – oder zu niedrig.[30]

Bei der Nasdaq-Hausse kam zu den Ungewissheiten noch eine Fehleinschätzung hinzu, der Aktienanleger, Analysten und viele Unternehmensgründer gleichermaßen aufsaßen: Sie dachten, dass mit der Produktivität auch die Profitabilität in die Höhe schießen würde.

Diese Annahme war durchaus nahe liegend: In den vergangenen 50 Jahren haben Gewinn- und Produktivitätsentwicklung in den USA stets eng korreliert.[31] Anders im Boom der späten Neunziger: Die Gewinne blieben weit hinter den Börsenkursen zurück. Trotz stark gestiegenen Produktivitätswachstums nahm der Anteil der Unternehmensgewinne an der amerikanischen Wirtschaftsleistung bereits seit 1998 – also deutlich vor dem Ende des Konjunkturbooms – drastisch ab (siehe Grafik 4.4).

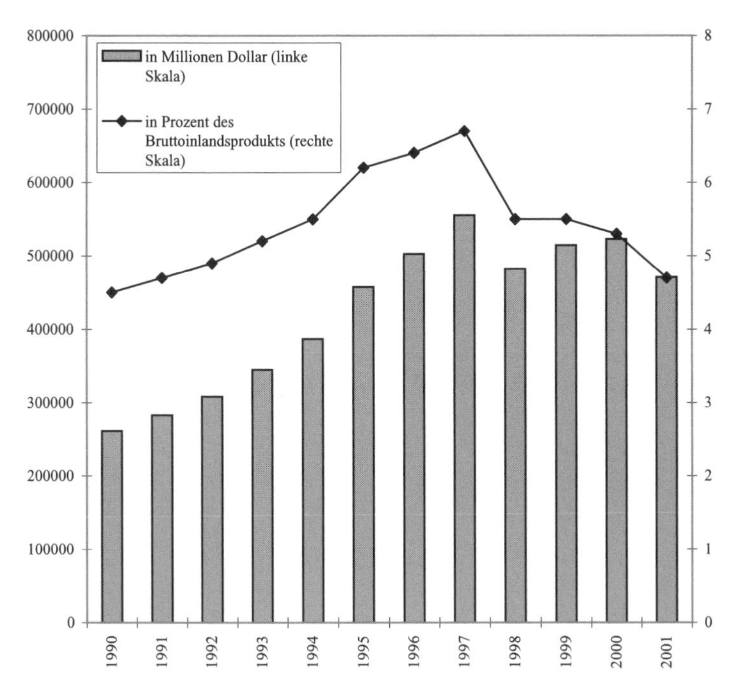

Grafik 4.4: *Gewinne amerikanischer Unternehmen – nach Steuern*

[Quelle: BEA, eigene Berechnungen]

Der Verfall der Gewinne war besonders ausgeprägt in den ITK-Branchen. Aber auch die ITK anwendenden Unternehmen waren betroffen. Das aber kann nur bedeuten: Nicht Aktionäre und andere Unternehmenseigner haben von dem gestiegenen Produktivitätswachstum profitiert – sondern Arbeitnehmer oder (in- und ausländische) Verbraucher.[32]

Tatsächlich haben in den USA offenbar beide Gruppen – Arbeitnehmer wie Verbraucher – kassiert: Anders als noch Anfang der Neunzigerjahre bleiben die Löhne und Gehälter gegen Ende der Dekade nicht länger hinter dem Produktivitätsfortschritt zurück. Grund dürfte nicht zuletzt der enge Arbeitsmarkt gewesen sein, der den Beschäftigten zusehends mehr Verhandlungsmacht einräumte und den Unternehmen die Kontrolle über ihre Kosten nahm.[33]

Auf Dauer vermutlich wichtiger sind die Folgen des IKT-Einsatzes für die Preissetzungsspielräume von Unternehmen. So spricht einiges dafür, dass sich in der New Economy viele Märkte dem Lehrbuchmodell der „vollständigen Konkurrenz" annähern:[34]

■ Märkte werden größer. Buchhändler etwa, die auf ihrem lokalen Markt eine starke Stellung hatten, bekommen nun Konkurrenz von Online-Anbietern wie Amazon.

■ Märkte werden transparenter: Konsumenten können dank des Internets vor dem Kauf von Autos, Versicherungen oder Flugreisen ungleich leichter als früher Preis- und Leistungsvergleiche anstellen.

■ Märkte werden zugänglicher: In der Offline-Welt lässt sich beispielsweise ein neues Presseorgan nur mit einem logistischen Aufwand am Markt platzieren, den in der Regel allein etablierte Verlagshäuser schultern können. Online dagegen sind die so genannten Markteintrittsbarrieren, die etwa der Anbieter eines neuen Newsletters überwinden muss, vergleichsweise minimal.

Der Wettbewerb wird also – zumindest der Tendenz nach – intensiver. Unternehmen werden stärker als früher gezwungen, sinkende Stückkosten in Form von Preisabschlägen an die Verbraucher weiterzureichen. Und sie haben weniger als früher die Möglichkeit, steigende Kosten auf ihre Kunden abzuwälzen. Die Folge: Die Gewinnmargen schrumpfen.

Gut möglich also, dass sich die New Economy für Aktionäre als Fluch erweisen wird – und als Segen für den Verbraucher. Der revolutionären wirtschaftlichen Kraft der neuen Technologien tut das jedoch keinen Abbruch.[35]

Gute Aussichten

Wie geht es weiter? Die meisten amerikanischen Ökonomen haben ihre Produktivitätsprognosen in den vergangenen Jahren leicht zurückgenommen. Nach wie vor herrscht jedoch weitgehend Einigkeit, dass die USA auf absehbare Zeit weiter deutlich höhere Produktivitätszuwächse erzielen können als zwischen 1974 und 1995.[36]

Es gibt wenig Anlass, den Prognosen Vertrauen zu schenken – schließlich kann die Ökonomenzunft bis heute nicht erklären, was den Verfall des Produktivitätswachstums nach 1973 verursacht hat. Auch das Produktivitätswunder nach 1995 kam für die meisten Wirtschaftsexperten überraschend.

Einerseites hängt viel von der Geschwindigkeit des technischen Fortschritts ab. Entscheidend wird insbesondere sein, ob es der Halbleiter-Industrie gelingt, weiterhin im Zwei-Jahres-Rhythmus neue Mikrochip-Generationen zu entwickeln.[37]

Andererseits sprechen Plausibilitätsüberlegungen in der Tat dafür, dass die New Economy den Amerikanern zumindest mittelfristig weiterhin hohe Produktivitätszuwächse bescheren wird:

■ Bei der Implementierung neuer Technologien in Unternehmen kommt es häufig zu einer Störung der Produktion – etwa, weil Arbeitsabläufe neu zu organisieren sind, weil alte und neue Technologien anfangs parallel eingesetzt werden oder weil Schulungsmaßnahmen nötig werden. So hat eine Reihe von deutschen Verlagshäusern in den Neunzigerjahren Pressedatenbanken aufgebaut, gleichzeitig aber die althergebrachten Papierarchive über Jahre hinweg weiterbetrieben. Wenn aber mehr Kapital ausgegeben wird, ohne dass der Output erhöht wird oder andere Inputs zurückgefahren werden, sinkt das Produktivitätswachstum zunächst. Wahrscheinlich ist daher, dass das Produktivitätswachstum gerade in Zeiten stark steigender High-Tech-Investitionen vorübergehend hinter seinem längerfristigen Trend zurückbleibt. Für sich genommen müsste dieser Effekt dafür sorgen, dass die Zuwachsraten in den kommenden Jahren – oder gar Jahrzehnten – noch höher ausfallen als in den vergangenen Jahren.[38]

■ Wachstum im IT-Bereich kann einen Schneeballeffekt auslösen. Grund sind zwei Besonderheiten von Informationstechnologien. Erstens entstehen zwar bei der Herstellung von IT häufig hohe Fixkosten. Sobald ein IT-Produkt jedoch auf dem Markt ist, kostet es so gut wie nichts, es einem weiteren Konsumenten zukommen zu lassen – die so genannten Grenzkosten liegen bei nahe null. Der Grund ist, dass es beim Konsum von (elektronischen) Informationen – etwa in Form von Software oder Datenbanken – im Grundsatz keine Rivalität gibt: Ein Schuh, den Herr A anzieht, kann nicht gleichzeitig von Herrn B angezogen werden. Eine Software dagegen kann von Frau A und Frau B zugleich genutzt werden, ohne dass sich die beiden dabei behindern. Zweitens gibt es bei vielen IT-Produkten „Netzeffekte“: Der Nutzen, den ein Produkt dem Konsumenten bietet, steigt mit der Zahl der Anwender. So wird die Kommunikation via E-Mail für den Einzelnen erst dann zu einer wirklichen Erleichterung des Informationsaustausches, wenn es ihm möglichst viele andere Menschen gleichtun. Zusammengenommen bedeuten diese beiden Charakteristika: Anders als bei herkömmlichen Produkten führt eine steigende Nachfrage nach IT-Produkten nicht typischerweise zu höheren Preisen. Vielmehr resultiert eine höhere Nachfrage, da sie zu höherer Effizienz führt, in fallenden Preisen – was die Nachfrage zusätzlich stimuliert.[39]

■ IT-Produkte sind vielseitig einsetzbar, und mit dem technischen Fortschritt wurden immer mehr Einsatzmöglichkeiten wirtschaftlich – oder überhaupt erst entdeckt. Computer etwa wurden zunächst nur für komplizierte Rechenoperationen verwendet, später erst kam die massenweise Erledigung einfacher Kalkulationen hinzu, schließlich folgten das computergestützte Produktdesign, der Industrie-Roboter, das auf Scanner-Daten basierende Lagerhaltungsmanagement und natürlich das Internet. Ein Ende des IT-Booms würde demnach voraussetzen, das mindestens einer von zwei bereits seit Jahrzehnten intakten Trends abbricht: Entweder verlangsamt sich der technische Fortschritt bei den Datenverarbeitungskapazitäten. Oder es werden keine weiteren Möglichkeiten gefunden, zusätzliche Kapazitäten produktiv zu nutzen.[40]

* * *

Die New Economy und das auf ihr fußende Produktivitätswunder in Amerika sind offenkundig sehr reale Erscheinungen: Sie haben den Dot-com-Crash überlebt und auch, bisher jedenfalls, eine mehrjährige Baisse an den Börsen.

Das Schicksal einzelner IKT-Unternehmen sollte daher nicht mit dem Schicksal des gesamten Sektors verwechselt werden. Und sinkende Gewinnmargen und Börsenkurse sollten nicht dazu verführen, das wirtschaftliche Potenzial zu unterschätzen, das in den neuen Technologien steckt.

Zu fragen bleibt aber, warum dieses Potenzial sich bisher im Wesentlichen nur in den USA gezeigt hat. Warum sind die IKT-Investitionen in Deutschland um so viel geringer als in Amerika? Und warum findet das Computerzeitalter bis heute keinen Niederschlag in den deutschen Produktivitätsstatistiken?

Kapitel 6 wird auf diese Fragen zurückkommen.

Fußnoten

1) Ökonomen unterscheiden zwischen verschiedenen Arten der Produktivität. Hier wird allerdings nur von der Arbeitsproduktivität die Rede sein. Die Begriffe „Arbeitsproduktivität“ und „Produktivität“ werden synonym verwendet.
2) vgl. Steindel und Stiroh (2001), S. 8.
3) Eurostat und eigene Berechnungen.
4) Gordon (2000).
5) Ljungqvist und Sargent (2002), S. 5; vgl. DeLong (2002), S. 4f., und die dort zitierte Literatur.
6) In der Grafik wurden gleitende Fünf-Jahres-Durchschnitte gewählt, weil die jährlichen Zuwachsraten zuweilen erratisch ausschlagen und ihre grafische Darstellung daher mittelfristige Trends verdecken würde.
7) vgl. Deutsche Bundesbank (2002), S. 50.
8) ebenda.
9) vgl. zum Beispiel McGuckin und van Ark (2003), S. 19, und OECD (2003), S. 34.
10) Deutsche Bundesbank (2002), S. 63; siehe auch Kapitel 6.
11) CEA (1997), S. 171, und Schmidley (2003), S. 5.
12) siehe zum Beispiel IWF (2002), S. 18f., und Jorgenson, Ho und Stiroh (2002), S. 12.
13) David (1990), S. 355ff.
14) a.a.O., S. 360.
15) Crafts (2002), S. 2.
16) a.a.O., S. 2, 15.
17) Greenspan (2002), S. 2.
18) Gordon (2002a), S. 8.
19) McKinsey Global Institute (2001).
20) BLS (www.bls.gov).
21) vgl. zum Beispiel IWF (2002), S. 20, und UBS Warburg (2003), S. 3. Robert Gordon verweist dagegen darauf, dass auch im jeweils ersten Jahr nach den Rezessionen von 1974, 1982 und 1991 die Produktivität um jeweils mehr als vier Prozent zugelegt hat – nur, um in den zwei nachfolgenden Jahren auf durchschnittlich 1,2 Prozent zurückzufallen. Bleibt dieses Muster erhalten, müsste die „Produktivitätsblase“ (Gordon) der zurückliegenden Quartale noch im Jahr 2003 platzen. Gordon (2002a), S. 8f. Bis zum Sommer 2003 waren jedoch keine Anzeichen dafür zu erkennen.
22) Information Technology Association of America (www.itaa.org) und Business Week (2002).
23) BEA (www.bea.gov).
24) Wirtschaftwoche (2000) und Shop.org (www.shop.org). Der aktuelleren Umfrage zufolge ist für 2003 eine erneute Zunahme um 23 Prozent auf 96 Milliarden Dollar zu erwarten.
25) Field (1980). Ein entscheidender Unterschied zwischen der Eisenbahn und den IKT ist, dass Computer oder Software binnen weniger Jahre abgeschrieben werden; Überinvestitionen haben daher weniger nachhaltige Folgen.
26) Wall Street Journal (2002) und Forbes (2003).
27) Wirtschaftswoche (2001).
28) ebenda.
29) vgl. Malkiel (2003), S. 75, und Lewis (2002).
30) DeLong (2002a), S. 294f.
31) King (2002), S. 7f.
32) a.a.O., S. 14f.
33) a.a.O., S. 9.
34) vgl. zum Beispiel Summers und DeLong (2002). Die Argumentation lässt sich generell auch auf die IKT-herstellenden Branchen selbst übertragen. Allerdings gibt es, wie in der Offline-Welt auch, Ausnahmen. So können so genannte Verbundvorteile entstehen. In diesem Fall profitieren die Kunden eines bestimmten Anbieters umso mehr

von dem jeweiligen Produkt, je mehr Kunden der Anbieter hat; Resultat ist dann eine Tendenz zur Monopolisierung. Zu denken ist hier etwa an das Betriebssystem Windows von Microsoft und das Online-Auktionshaus eBay.
35) vgl. Summers und DeLong (2002).
36) vgl. zum Beispiel Feldstein (2003), S. 3.
37) Jorgenson, Ho und Stiroh (2002), S. 18ff.
38) vgl. David (1990), S. 357f., Feldstein (2003), S. 4, Greenspan (2002), S. 3, und IWF (2001), S. 103ff.
39) vgl. Summers und DeLong (2002a).
40) DeLong (2002), S. 33ff.

Kapitel 5: Die deutsche Misere – ein selbst gewähltes Schicksal

„Der Staat ist nicht die Lösung für unser Problem, er ist das Problem." Mit diesem Slogan zog Ronald Reagan 1980 durch den Präsidentschaftswahlkampf. Wie kein zweiter Satz repräsentiert er den wirtschaftspolitischen Paradigmenwechsel, der sich seit Mitte der Siebzigerjahre in den USA angedeutet hatte.

Ein halbes Jahrhundert lang war es zuvor der Markt gewesen, der als das Problem galt: Wie in Europa auch hatte die Politik in Amerika aus der Großen Depression den Schluss gezogen, dass Märkte bei all ihren Vorzügen dazu neigen, Krisen, Elend und Ungerechtigkeit zu erzeugen. Der Staat sollte es richten, mit harter oder doch wenigstens zupackender Hand.

Vor allem in den Dreißigerjahren und von Mitte der Sechzigerjahre an weitete der amerikanische Staat seine Übergriffe auf die Wirtschaft aus. Ihren Höhepunkt erreichten die Interventionen unter Richard Nixon. Der republikanische Präsident (1969–1974) überzog das Land mit einer Welle neuer Regulierungen.[1]

Und er versuchte gar, inflationäre Entwicklungen mit Preis- und Lohnkontrollen aufzuhalten – mit der Folge, dass es zu Versorgungsengpässen kam. Die Inflation wurde nicht beseitigt, nur unterdrückt, und als schließlich die Zentralbank unter ihrem neuen Vorsitzenden Paul Volcker von 1979 an mit einer rigorosen Hochzinspolitik die Zeiten zweistelliger Inflationsraten beendete, war die schwere, aber reinigende Doppelrezession von 1980/82 die Folge.

Beginnend in der Präsidentschaft von Jimmy Carter (1977–1981) und dann, erheblich beschleunigt, unter Ronald Reagan (1981–1989) wurde eine Kehrtwende vollzogen. Das amerikanische Wirtschaftssystem wurde umfassend liberalisiert:

■ Die Steuern wurden gesenkt. 1978 wurde mit einer Volksabstimmung im Bundesstaat Kalifornien der Gesetzgeber zu Steuersenkungen verpflichtet. Der Erfolg von „Proposition 13“ wirkte landesweit wie ein Dammbruch. Mit den Reaganschen Steuerreformen von 1981 und 1986 wurde der Spitzensteuersatz der Bundeseinkommensteuer von 70 auf 28 Prozent gesenkt. Die geistigen Väter dieser Reform, die so genannten Supply Sider, versprachen sich von den Steuersenkungen verbesserte Leistungsanreize. Am Ende, so die Hoffnung, würden anfängliche Mindereinnahmen durch höheres Wirtschaftswachstum ausgeglichen oder sogar überkompensiert. Dieses Ziel wurde verfehlt, die Budgetdefizite überstiegen Mitte der Achtzigerjahre zeitweise sechs Prozent. Gerade die hohen Defizite sorgten jedoch dafür, dass die Steuersenkungen das zweite, selten explizit genannte Ziel der Supply Sider erreichten: Die ständige Angst vor Löchern im Staatshaushalt hielt über viele Jahre die Spendierfreude der Parlamentarier im Washingtoner Kongress in Schach. So ging der Anteil der Bundesausgaben an der amerikanischen Wirtschaftsleistung zwischen 1983 und 1990 von 23,5 auf 21,8 Prozent zurück. In den Neunzigern sank er weiter – und erreichte im Jahr 2000 mit 18,4 Prozent den niedrigsten Stand seit 1966.[2]

■ Die Gütermärkte wurden dereguliert, Staatsunternehmen privatisiert. 1978 begann die Deregulierung des Personenluftverkehrs und der Stromerzeugung; 1982 setzte das Washingtoner Justizministerium vor Gericht die Zerschlagung des Telefon-Monopolisten AT&T durch, 1987 folgte die Privatisierung der Eisenbahnfracht-Gesellschaft Conrail durch den bis dato größten Börsengang der amerikanischen Geschichte.[3] Manche dieser Maßnahmen wurden, wie die Aufspaltung von AT&T, nur halbherzig umgesetzt. Andere, wie die Öffnung der Stromerzeugung, waren ursprünglich gar nicht als Deregulierungsmaßnahmen gedacht. Wieder andere wurden in blindem Vertrauen auf die Marktkräfte zu weit getrieben.[4] Oder sie folgten, wie die Deregulierung des Strommarkts in Kalifornien, nicht der ökonomischen Vernunft, sondern dem kontraproduktiven Druck von Wirtschafts- und Verbraucher-Lobbies.[5] Klar ist aber auch: Die Deregulierung begann eher als in Kontinentaleuropa, und sie war durchgreifender. So ist der Anteil der US-Wirtschaftsleistung, der von staatlich umfangreich regulierten Branchen erbracht wird, allein zwischen 1977 und 1988 um fast zwei Drittel auf 6,6 Prozent gefallen.[6]

■ Wohlfahrtstaatliche Regelungen wurden zurückgestutzt. Der gesetzliche Mindestlohn wurde seit Anfang der Achtzigerjahre nur noch verzögert an die Inflationsentwicklung angepasst. In Preisen von 2001 gemessen, lag der Mindestlohn Ende der Siebzigerjahre bei mehr als sechs Dollar;[7] heute beträgt er 5,15 Dollar. Zudem können seit der Sozialhilfereform von 1996 Bedürftige im Grundsatz nur noch fünf Jahre lang – und nur zwei Jahre lang am Stück – Sozialhilfe erhalten. Der Trend zu einer immer weiter steigenden Zahl von Sozialhilfeempfängern wurde damit gebrochen: 1994 bezogen noch 14,2 Millionen Menschen in Amerika Sozialhilfe, im September 2002 waren es knapp fünf Millionen – so wenig wie seit 1967 nicht mehr.[8]

■ Die Macht der Gewerkschaften wurde entscheidend geschwächt. Den Anfang machte Präsident Ronald Reagan, als er im August 1981 mehr als 11.000 streikende Fluglotsen feuerte. Als Beschäftigte des öffentlichen Dienstes unterlagen die Lotsen einem Streikverbot – nur war dieses Recht von Reagans Vorgängern nie durchgesetzt worden. Reagans Abschied von der Gewohnheit wirkte wie ein Fanal: Auch die Privatwirtschaft begann, von ihrem bisher nicht ausgeschöpften Recht auf Kündigungen Gebrauch zu machen.[9] Auf bundesstaatlicher Ebene kamen „Right-to-Work"-Gesetze hinzu: Mittlerweile 22 Bundesstaaten garantieren Arbeitnehmern das Recht, selbst zu entscheiden, ob sie einer Gewerkschaft beitreten wollen – ein Bruch mit der Tradition des „Closed Shop", in dem Beschäftigte qua Anstellungsverhältnis beitragszahlende Gewerkschaftsmitglieder werden.[10] Die Folge: Der

Organisationsgrad, der 1940 noch 28 Prozent erreicht hatte, geht seit 1983 stetig zurück – von 20 auf zuletzt 13 Prozent (siehe Grafik 5.1). Und: Arbeitskämpfe werden immer seltener: In den Siebzigerjahren gingen landesweit 260.000 Arbeitstage durch Streiks verloren, in den Neunzigern waren es nur noch 46.000.[11]

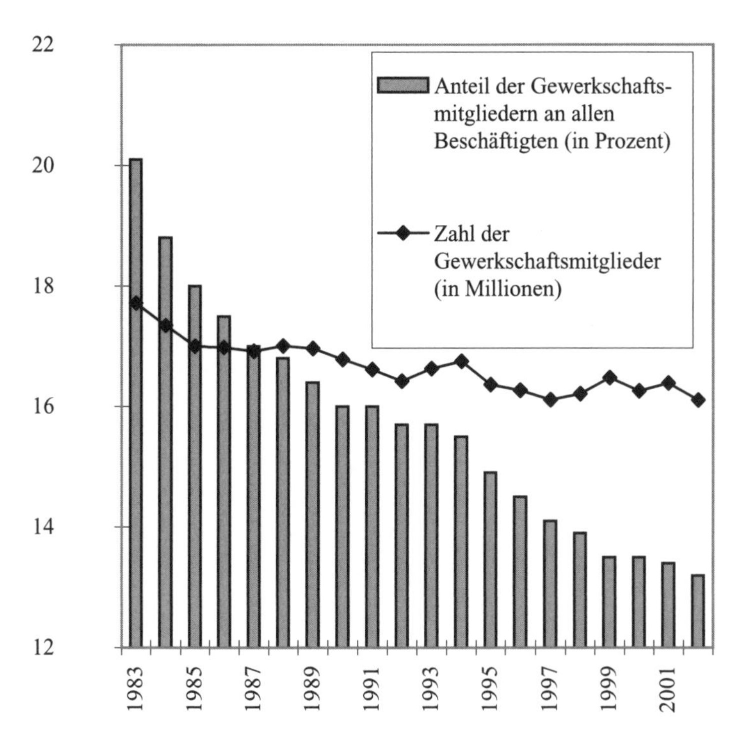

Grafik 5.1: *Gewerkschaftsmitglieder in den USA* *[Quelle: BLS]*

Amerikas Gewerkschaften – Totengräber in eigener Sache

Es waren allerdings nicht allein politische Entscheidungen, die für die Entzügelung des amerikanischen Kapitalismus gesorgt haben. Ein Beispiel dafür ist das Schicksal der amerikanischen Gewerkschaften.

In Deutschland sind die Tarifabschlüsse, die Gewerkschaften mit den Arbeitgeberverbänden vereinbaren, geschützt durch so genannte Allgemeinverbindlichkeitserklärungen: Von Staats wegen und ohne Rücksicht auf die Folgen für Gewinne und Beschäftigung werden die ausgehandelten Konditionen auch Unternehmen und Hundertausenden oder gar Millionen Arbeitnehmern aufgezwungen, die gar nicht an der Vereinbarung beteiligt waren. Aus einem Tarifvertrag wird so ein „Flächentarifvertrag", der in der Sache einer Kartellvereinbarung gleichkommt.[12]

In den USA gibt es einen derlei staatlich sanktionierten Schutz nicht – und deshalb erwiesen sich großzügige Lohnabschlüsse in den Siebzigerjahren als Bumerang: Die traditionellen, gewerkschaftlich organisierte Industriebetriebe vom so genannten Rost-Gürtel an den Großen Seen bekamen zunehmend Konkurrenz aus den alten Südstaaten, wo Arbeitnehmervertretungen nie hatten Fuß fassen können.

Stahlproduzenten wie Nucor haben dort ihre modernen, flexiblen „Mini Mills" gebaut, die Stahl aus geschmolzenem Schrott gewinnen. Auch Autos werden zunehmend in „Dixie" statt in Detroit gebaut: Toyota produziert in Kentucky, Honda in North Carolina, Nissan und General Motors haben Werke in Tennessee. Deutschlands Autohersteller bevorzugen, wenn sie die Wahl haben, offenbar ebenfalls gewerkschaftsfreie Zonen: BMW sitzt in South Carolina, Mercedes-Benz in Alabama.

Nur Inseln der Macht haben sich die Gewerkschaften erhalten können. Dazu zählt vor allem der öffentliche Dienst, wo der Organisationsgrad 37 Prozent beträgt. Ein weiteres Beispiel ist die Transportwirtschaft, wo die Gewerkschaften zum Teil abstrus hohe Löhne durchgesetzt haben. Beim Lufthansa-Partner United Airlines etwa können Piloten bis zu 306.000 Dollar jährlich verdienen. Und die Arbeiter der 29 amerikanischen Pazifikhäfen haben im Jahr 2002 einen neuen Tarifvertrag erstreikt, der selbst für die unterste Lohngruppe Stundenlöhne von bis zu 45 Dollar vorsieht.[13]

Platz 107 für Deutschland

Natürlich ist die Wirklichkeit komplizierter, als sie auf den vorigen Seiten dargestellt worden ist. So gab es auch gegenläufige Entwicklungen. Nach den Reaganschen Reformen wurde der Spitzensteuersatz der Einkommensteuer auf Bundesebene unter George Bush senior 1991 wieder auf 31 Prozent erhöht und unter Bill Clinton 1993 auf 39,6 Prozent – erst die erneuten Steuersenkungen von George W. Bush reduzierten den Spitzensatz von 2003 an wieder auf 35 Prozent.

Und bei aller Deregulierung und Liberalisierung gab es zugleich eine Flut neuer Regulierungen – insbesondere im Umwelt- und Verbraucherschutz sowie im Arbeitsrecht.[14] Allein im Jahr 2001 haben amerikanische Bundesbehörden 4.132 neue Regulierungen erlassen, hat das Cato Institute gezählt, eine wirtschaftsliberale Denkfabrik in Washington; die Gesamtkosten aller Regulierungen für die Wirtschaft taxiert Cato auf nicht weniger als 8,4 Prozent der amerikanischen Wirtschaftsleistung.[15]

Die Gewerkschaftsbewegung schließlich hat aus ihrer geschwächten Position Konsequenzen gezogen. Wenn schon Lohnkonkurrenz im Inland nicht unterbunden werden kann, dann, so die Ratio, sollen Amerikas Arbeitnehmer wenigstens vor Wettbewerb aus dem Ausland geschützt werden. Wichtigste Adressaten vieler Gewerkschaften sind daher heute nicht mehr die Arbeitgeber, sondern die Politiker. Anders als der DGB kämpft sein amerikanisches Pendant, der AFL-CIO, vehement für eine Abschottung der amerikanischen Märkte – zuweilen mit Erfolg, wie die Schutzzölle zeigen, die die Regierung Bush im Frühjahr 2001 der heimischen Stahlindustrie gewährt hat.

Dennoch kann es keinen Zweifel geben: Die Vereinigten Staaten haben heute ein ungleich liberaleres Wirtschaftssystem als Deutschland. Im „Economic Freedom of the World Report", einer einschlägigen Untersuchung des kanadischen Fraser Institute, kommen die USA im Ranking der Länder mit der größten wirtschaftlichen Freiheit auf Platz drei – gleich hinter den Stadtstaaten Hongkong und Singapur (siehe Grafiken 5.2 und 5.3).

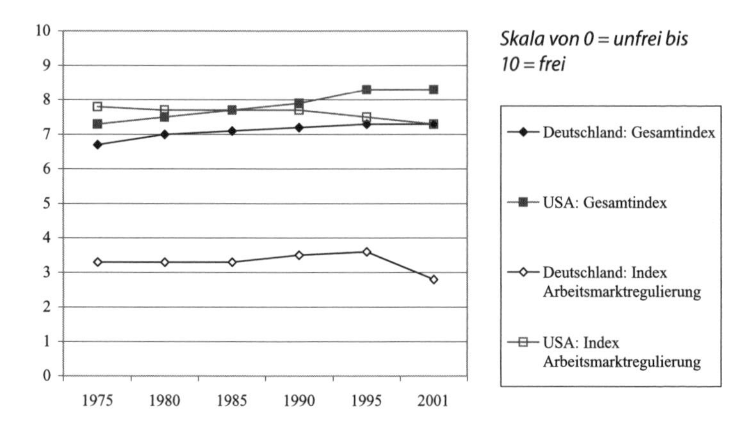

Grafik 5.2: *Wirtschaftliche Freiheit im Vergleich I: Index-Werte*

[Quelle: Gwartney und Lawson (2003), S. 11, 14f.]

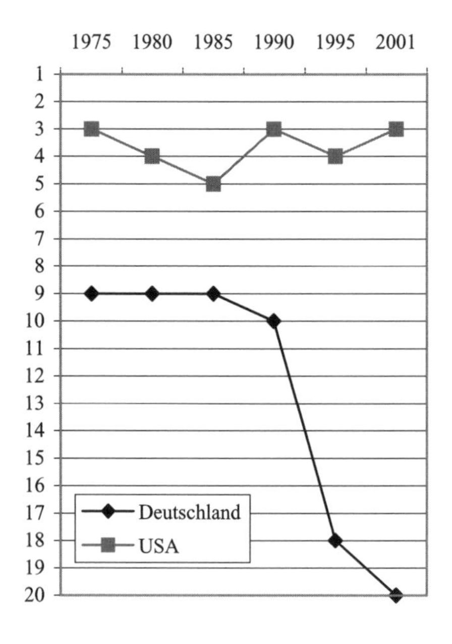

Grafik 5.3: *Wirtschaftliche Freiheit im Vergleich II: Platzierung im internationalen Vergleich*

[Quelle: Gwartney und Lawson (2003), S. 80, 157]

Die Bundesrepublik rangiert demgegenüber auf Platz 20. Zu verdanken haben die Deutschen diese Platzierung allerdings vornehmlich ihrer Rechtstaatlichkeit, ihrem vergleichsweise liberalen Außenhandelsregime und dem wertstabilen Euro. In der Kategorie „Arbeitsmarktregulierungen" kommt Deutschland dagegen auf den letzten Platz. Und in der Kategorie „Größe des Staates", in der unter anderem das Volumen von staatlichem Konsum, Subventionen und Transfers gemessen wird, reicht es nur für Platz 107.[16]

Der Arbeitsmarkt und die Abgabenbelastung sind denn auch die zwei Aspekte, in denen sich das Modell Amerika am markantesten vom Modell Deutschland abhebt:

- Die USA haben einen weniger stark regulierten Arbeitsmarkt als alle anderen größeren Industrieländer: Tarifverhandlungen in Amerikas Privatwirtschaft finden, wenn überhaupt, dezentral auf Unternehmensebene statt. Das Arbeitslosengeld ist knapper bemessen und in der Regel auf 26 Wochen begrenzt. Der Kündigungsschutz ist schwach. Und gesetzliche Vorschriften zu Arbeitszeiten, Lohnfortzahlung im Krankheitsfall oder Urlaubsregelungen sind trotz des Trends zu arbeitsrechtlichen Regulierungen im internationalen Vergleich noch immer auf ein Minimum beschränkt.[17]

- Der amerikanische Staat ist relativ schlank geblieben. In der Abgrenzung der OECD vereinnahmte er nie mehr als 35 Prozent der US-Wirtschaftsleistung für sich. Dagegen betragen in Deutschland die Staatsausgaben relativ zum Bruttoinlandsprodukt seit 1974 mehr als 40 Prozent, in der Spitze erreichten sie gut 47 Prozent.[18]

Auf der Ausgabenseite sind die Unterschiede bei Sozialleistungen besonders auffällig: Ihr Anteil an den gesamten Staatsausgaben stieg in Deutschland zwischen 1980 und 1989 von 45,3 auf 49,5 Prozent und dann bis 1998 auf 59,3 Prozent.[19] In Relation zur Wirtschaftsleistung gibt der deutsche Staat inzwischen fast doppelt so viel für Soziales aus wie der amerikanische (siehe Grafik 5.4).

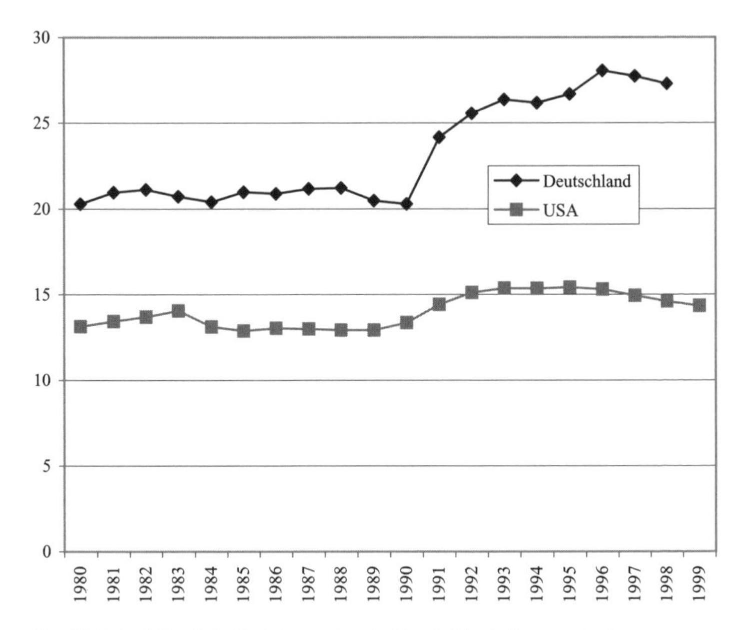

Grafik 5.4: *Öffentliche Sozialausgaben im Vergleich – in Prozent des Bruttoinlandsprodukts* *[Quelle: OECD]*

Auf der Finanzierungsseite wiederum zeigt sich eine dramatisch höhere Abgabenbelastung in Deutschland: Von einem Euro, den ein typischer Arbeitnehmer in Deutschland an zusätzlichen Werten schafft, bleiben ihm – selbst wenn der Arbeitgeber keine Gewinne abzweigt – netto nur 34,4 Cent übrig, die restlichen 65,6 Cent müssen Arbeitgeber und Arbeitnehmer an den Staat abführen; in den USA beträgt diese „Grenzabgabenlast" nur 38,6 Cent (siehe Grafik 5.5).[20]

Ein dritter Aspekt, in dem sich die Modelle Deutschland und Amerika deutlich unterscheiden, ist das Finanzsystem. Anders als in den USA wird ein Gros der Investitionen in Deutschland nach wie vor von Banken statt über den Kapitalmarkt finanziert. Das bedeutet unter anderem, dass persönliche Beziehungen zwischen Schuldnern und Gläubigern in Deutschland eine größere Rolle spielen.

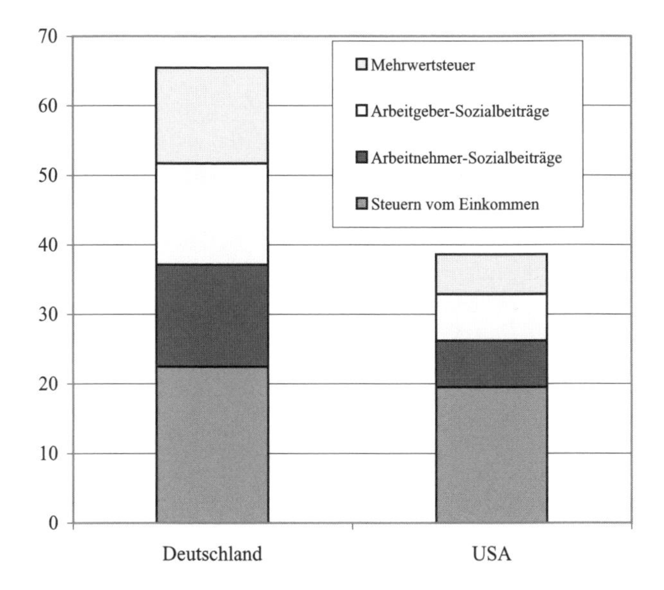

Grafik 5.5: *Grenzbelastung des Faktors Arbeit im Vergleich (in Prozent der Wertschöpfung, 2001; Beispielrechnung für eine Familie mit zwei Arbeitnehmern und zwei Kindern; ein Arbeitnehmer bezieht den Durchschnittsverdienst, der andere ein Drittel davon)* *[Quelle: Sinn (2002), S. 18]*

Ein solches „Insider-System" kann gegenüber dem amerikanischen „Outsider-System" den Vorteil haben, dass mittelständische Unternehmen und langfristig orientierte Investitionsprojekte leichter Zugang zu Kapital erhalten. Allerdings besteht die Gefahr, dass unwirtschaftliche Aktivitäten zu lange weiterfinanziert werden. Dies gilt umso mehr, wenn, wie in Deutschland, ein Großteil des Bankensektors öffentlich-rechtliche Unterstützung genießt und damit nur eingeschränkt gewinnorientiert agiert. Insbesondere in der aktuellen deutschen Wirtschaftskrise werden diese Nachteile des „Insider-Systems" offensichtlich.[21]

Die Einheit? Der Euro? Was sonst?

Man könnte geneigt sein, die genannten Unterschiede für das deutsche Hinterherhinken bei Wirtschaftswachstum und Beschäftigung verantwortlich zu machen.

Ganz so einfach kann die Erklärung aber nicht sein.

Denn: Zwar ging in den vergangenen 25 Jahren die Liberalisierungspolitik in den USA zweifelsohne weiter als in Deutschland. Doch die USA hatten auch Mitte der Siebzigerjahre schon eine freiere Marktwirtschaft als Deutschland; auch 1975 schon zählte Amerika, wie Grafik 5.3 gezeigt hat, zu den Ländern mit der größten wirtschaftlichen Freiheit.[22] Nuancen haben sich seither verändert, in ihrem Kern bestanden die heutigen Modelle Deutschland und Amerika aber damals schon.

Warum aber stand dann das Modell Deutschland, wie Kapitel 1 erläutert, in der zweiten Hälfte der Siebzigerjahre wirtschaftlich gesünder da als die USA? Haben die Unterschiede bei Arbeit, Steuern und Soziales vielleicht gar nichts zu tun mit der Divergenz, die sich seither gezeigt hat?

Möglich wäre das natürlich. Nur müsste es dann etwas gegeben haben, was im Ökonomen-Jargon „asymmetrische Schocks" genannt wird: wirtschaftlich relevante Entwicklungen, die eines der Länder – positiv oder negativ – betroffen haben, das andere aber nicht.

Zwei offensichtliche Schocks dieser Art sind die deutsche Einheit und der Euro. Natürlich hat sich die deutsche Einheit als Bremsklotz erwiesen.

Und Euro-Skeptiker können mit einigem Recht argumentieren,

- dass Deutschland mit einem überbewerteten D-Mark-Kurs in die europäische Währungsunion eingetreten ist,

- dass Deutschland mit dem Euro an den Kapitalmärkten seinen Zinsbonus gegenüber seinen europäischen Nachbarn verloren hat,

- dass Deutschland unter einem für heimische Verhältnisse schädlich hohen einheitlichen Leitzins leidet und

- dass Deutschland unter dem Regime des Stabilitätspakts die Möglichkeiten genommen sind, konjunkturellen Schwächeperioden durch eine aggressivere Finanzpolitik zu begegnen.

Doch die Wiedervereinigung kann nur einen kleinen Teil der Wachstumslücke erklären (siehe Kapitel 2). Und der Euro bietet bei allen etwaigen Nachteilen auch Vorzüge – insbesondere, weil er das Wechselkursrisiko bei Transaktionen innerhalb der Eurozone eliminiert hat. Wie sich die Einheitswährung per Saldo auf die deutsche Wirtschaft auswirkt, lässt sich daher nur schwer abschätzen.

Vor allem aber: So sehr vielleicht Einheit und Euro heute die wirtschaftliche Dynamik in Deutschland hemmen – dafür, dass der Konvergenzprozess im deutsch-amerikanischen Vergleich bereits vor mehr als 20 Jahren abgebrochen ist, können sie nicht verantwortlich sein.

Empirische Studien deuten denn auch darauf hin: Deutschlands Misere ist nicht das Ergebnis von asymmetrischen Schocks, sondern selbst gewähltes Schicksal. So hat eine Untersuchung des Internationalen Währungsfonds (IWF) ergeben: Würden auch nur das Arbeitslosengeld, die Besteuerung von Arbeit und der Kündigungsschutz in der Euro-Zone auf amerikanisches Niveau zurückgestutzt, könnte die Arbeitslosigkeit um mehr als drei Prozentpunkte sinken (siehe Grafik 5.6) und die Wirtschaftsleistung um fünf Prozent steigen. Der Effekt würde sich verdoppeln, wenn zudem auch die Gütermärkte auf US-Niveau herunterreguliert würden.[23]

Die Wohlstandslücke im deutsch-amerikanischen Vergleich würde sich wieder auf das Niveau reduzieren, das um 1980 herum erreicht worden war; die Arbeitslosigkeit in Deutschland könnte auf einen Stand gebracht werden, der zuletzt in den Siebzigerjahren zu verzeichnen gewesen ist. Und dabei sind positive Wachstums- und Beschäftigungseffekte noch gar nicht eingerechnet, die zu erwarten wären, wenn auch die zeitliche Begrenzung von Unterstützungszahlungen oder gesetzliche Restriktionen von zum Beispiel Arbeitszeiten und Zeitverträgen auf US-Niveau zurückgenommen werden würden.

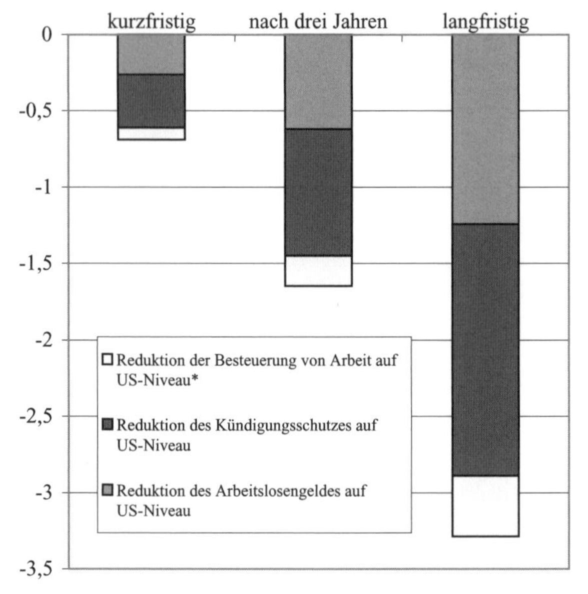

Grafik 5.6: *Effekte von Liberalisierungsmaßnahmen auf die Arbeitslosenquote in der Euro-Zone (in Prozentpunkten; Quelle: IWF (2003), S. 143)*

Fraglich bleibt aber natürlich: Wie kommt es, dass Deutschlands Kuschel-Kapitalismus bis weit in die Siebzigerjahre hinein so offenkundig gut funktioniert hat – und sich erst seither in Sachen Wachstum und Beschäftigung dem amerikanischen Cowboy-Kapitalismus unterlegen zeigt? Diesem Thema ist das nächste Kapitel gewidmet.

Fußnoten

1) Yergin und Stanislaw (2002), S. 46.
2) CEA (2003), S. 370.
3) Yergin und Stanislaw (2002), S. 356ff.
4) a.a.O., S. 362ff. So wurde den amerikanischen Sparkassen erlaubt, Einlagen in risikoreichere Investments zu lenken, ohne dass die staatliche Garantie der Einlagen eingeschränkt wurde – einer der Gründe, warum es Ende der Achtzigerjahre zur so genannten Savings-&-Loans-Krise kam.
5) Wirtschaftswoche (2001a).
6) Alesina und Ardagna (2003), S. 2, und die dort zitierte Literatur.

7) Wall Street Journal (2001).
8) Agency for Children and Families (www.acf.dhhs.gov). Die Erwerbsbeteiligung alleinerziehender Mütter ist um zehn Prozentpunkte gestiegen; die Armutsquote von Familien mit alleinerziehenden Müttern ging um ein Drittel zurück und lag im Jahr 2000 auf dem historischen Rekordtief von 24,7 Prozent, Blank (2002), S. 1115ff. Selbst Befürworter der Reform waren über die weitreichenden Folgen überrascht. Kritiker der Reform verweisen darauf, dass allein die Hochkonjunktur Ende der Neunzigerjahre die Integration von Sozialhilfeempfängern in den Arbeitsmarkt ermöglicht hat, a.a.O., S. 1127ff. Dabei wird jedoch übersehen, dass die Empfängerzahlen früher auch in Aufschwungphasen stetig gestiegen sind.
9) Greenspan (2003), S. 2.
10) National Right to Work Legal Defense Foundation (www.nrtw.org).
11) U.S. Department of Labor (2001), S. 69, BLS (www.bls.gov) und eigene Berechnungen.
12) vgl. zum Beispiel Sinn (2002), S. 25.
13) BLS (www.bls.gov), Forbes (2002) und Pacific Maritim Association (www.pmanet.org).
14) Durch die arbeitsrechtlichen Regulierungen wurden zum Beispiel etabliert: das Recht auf zwölf Wochen unbezahlten Mutterschafts- und Pflege-Urlaub; eine 60-tägige Kündigungsfrist bei Massenentlassungen und Betriebsschließungen und der Schutz von Behinderten und anderen Gruppen vor Diskriminierung am Arbeitsplatz. Eine umfassende, aber nicht vollständige Aufstellung findet sich bei Krueger (2000), S. 302f.; vgl. auch Freeman (2000), S. 13f.
15) Crews (2002).
16) Gwartney und Lawson (2003), S. 14. Die zweite einschlägige Studie dieser Art, der von der konservativen Washingtoner Heritage Foundation und dem Wall Street Journal erstellte „Index of Economic Freedom", kommt zu ähnlichen Ergebnissen; siehe O'Driscoll, Feulner und O'Grady (2003), S. 22ff.
17) vgl. Bertola, Blau und Kahn (2001), S. 163.
18) OECD.
19) OECD und eigene Berechnungen. In absoluten Zahlen: Nach Auskunft der Bundesregierung gab der Staat im Jahr 2001 knapp 664 Milliarden Euro für Sozialleistungen aus – pro Kopf entspricht dies 8.085 Euro, Bundesministerium für Gesundheit und Soziale Sicherung (2002), S. 383ff.
20) vgl. auch SVR (2002), S. 10.
21) vgl. IWF (2003), S. 25ff., OECD (2000), S. 33f., Posen (2003), S. 13ff., und Rajan und Zingales (2003).
22) Der für die USA seit 1975 leicht abnehmende Teil-Index für Arbeitsmarktregulierungen reflektiert vor allem die genannten arbeitsrechtlichen Neuerungen.
23) IWF (2003), S. 129. Zu Ergebnissen ähnlicher Größenordnung kommen die Studien von Garibaldi und Mauro (1999) für den Arbeitsmarkt und Alesina und Ardagna (2003) für die Gütermärkte. Zudem würden nach Einschätzung des IWF konjunkturelle Abschwünge gedämpft, weil flexible Arbeitsmärkte schneller und geschmeidiger auf Zinsänderungen reagieren.

Kapitel 6: Das Philipp-Holzmann-Syndrom – Deutschlands Widerstand gegen den Strukturwandel

Im Jahre 2039 wird es so weit sein: Der letzte Beschäftigte in der letzten deutschen Fabrik macht das Licht aus – Industrieprodukte „Made in Germany“ gehören der Vergangenheit an.

Das jedenfalls würde passieren, wenn sich der Beschäftigungsabbau zwischen 1991 und 2001 ungebremst fortsetzt. Netto 3,2 Millionen Jobs gingen in diesem Zeitraum in der deutschen Industrie verloren.[1] Natürlich lag das nicht zuletzt an dem Niedergang veralteter Industriebetriebe im Osten; daher ist kaum zu erwarten, dass die Jobvernichtung im gleichen Tempo weitergeht.

In Wirklichkeit ist Deutschland ohnehin noch immer ein sehr industriell geprägtes Land: 32,5 Prozent der Beschäftigten arbeiteten im Jahr 2001 in diesem Sektor (siehe Grafik 6.1). Das ist weit mehr als etwa in Frankreich, Großbritannien, den nordischen Ländern und auch den USA. Unter 30 Mitgliedstaaten der OECD kommen nur Portugal, die Tschechische Republik und Ungarn auf einen höheren Industrialisierungsgrad.

Ein Zeichen des Erfolgs? Ein Indikator dafür, dass sich Deutschlands Industrieunternehmen im wachsenden internationalen Wettbewerb behaupten?

Das könnte man meinen. Bei genauerem Hinsehen offenbart sich jedoch ein erschreckendes Bild: Es ist nicht die Stärke

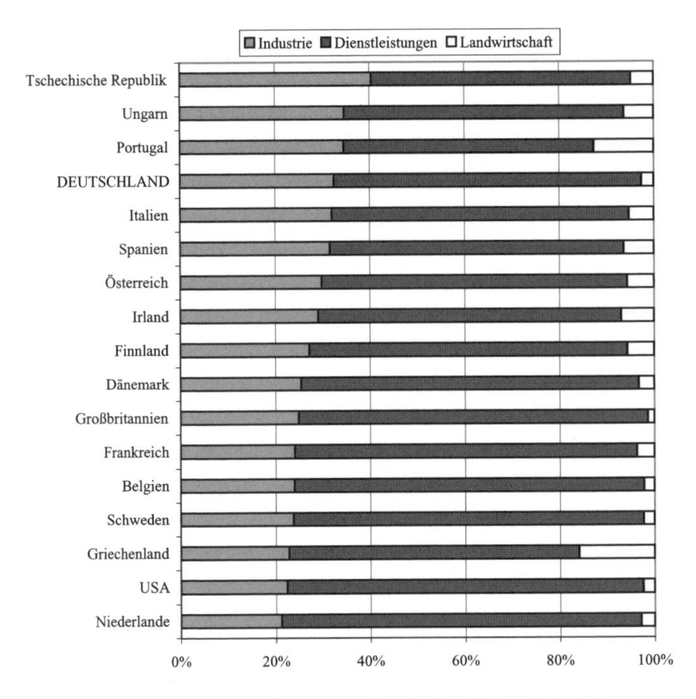

Grafik 6.1: *Sektorale Beschäftigungsstruktur im Vergleich – 2001, in Prozent*

[Quelle: OECD]

der deutschen Industrie, es ist die schwache Entwicklung des Dienstleistungssektors in Deutschland, die die in Grafik 6.1 gezeigte Beschäftigungsstruktur erklärt.

Stockender Strukturwandel

Unter Wirtschaftswissenschaftlern ist es landläufige Meinung, dass Nationen auf ihrem Weg zum Reichtum typischerweise einen sektoralen Strukturwandel durchleben („Drei-Sektoren-Hypothese“): In einem armen Land wird ein hoher Anteil der Beschäftigten in der Landwirtschaft arbeiten. Mit steigender Produktivität im Agrarsektor werden dann Arbeitskräfte freigesetzt – die Voraussetzung für den Beginn einer Industrialisierung. Ein zunehmend kleiner Teil der Beschäftigten verbleibt in der Landwirtschaft, während das Gewicht der Industrie zunächst zunimmt. Eine wachsende Produktivität in der Industrie schließlich setzt abermals Arbeitskräfte frei – was wiederum Voraussetzung ist für die Weiterentwicklung der Volkswirtschaft zur Dienstleistungsgesellschaft.

Grafik 6.1 stützt die Theorie: In relativ armen Industrieländern wie Griechenland und Portugal hat die Landwirtschaft ein ungleich größeres Gewicht als in den reicheren. Und: Die am höchsten entwickelten Länder haben in der Regel auch den relativ größten Servicebereich. Ganz vorne liegen die Holländer, die als Händlernation traditionell stark auf Dienstleistungen ausgerichtet sind. Es folgen die USA, Schweden, Belgien und Großbritannien: Rund drei von vier Beschäftigten in diesen Ländern arbeiten im Dienstleistungssektor.

In Deutschland ist der Anteil der Landwirtschaft, wie zu erwarten, gering. Dass aber der Anteil des Dienstleistungssektors in Deutschland mit knapp 65 Prozent deutlich hinter der führenden Ländergruppe zurückbleibt, ist keineswegs selbstverständlich – und es ist ein Alarmzeichen.

Denn von ihrer Industrie dürfen hochentwickelte Volkswirtschaften keine Jobwunder erwarten: Selbst eine steigende Nachfrage nach Industrieprodukten lässt sich häufig mit konstantem oder gar abnehmendem Beschäftigungsstand bedienen. Gründe sind das hohe Automatisierungspotenzial und das damit einhergehende starke Produktivitätswachstum in diesem Sektor.

So ist die Industrieproduktion zwischen 1978 und 2001 in Deutschland um 44 Prozent und in den USA sogar um 77 Prozent gewachsen.[2] Anders die Beschäftigungs-Bilanz: Bereits in den Achtzigerjahren hatte die westdeutsche Industrie einen leichten Beschäftigungsrückgang zu verzeichnen.

Inzwischen ist auch der Anstieg, den die Statistik für 1991 durch die erstmalige Einbeziehung Ostdeutschlands aufweist, fast vollständig aufgezehrt: Im Jahr 2001 gab es in Gesamtdeutschland nur ein paar Hunderttausend Industriejobs mehr als in den Achtzigern in Westdeutschland allein. In den USA fiel die Entwicklung nur wenig günstiger aus: Hier lag die industrielle Beschäftigung im Jahr 2001 um gerade einmal ein Prozent höher als 1978.[3]

Man könnte meinen, Jeremy Rifkin würde hier bestätigt (siehe Kapitel 3). Und tatsächlich: Wird allein die Industrie betrachtet, dann liegen die Die-Arbeit-geht-uns-aus-Propheten gar nicht so falsch. „Die Fabrik der Zukunft", lautet ein Witz, der unter amerikanischen Ökonomen kursiert, „wird nur einen Mann und einen Hund beschäftigen: Der Mann wird gebraucht, um den Hund zu füttern. Der Job des Hundes ist es, den Mann daran zu hindern, den Computer anzufassen."

Recht haben Rifkin & Co. deswegen aber noch lange nicht. Der schlichte Grund: die schier unendliche Arbeit, die – potenziell jedenfalls – der Dienstleistungssektor bietet.

Oft und gerne werden Dienstleistungen diffamiert: Servicejobs seien hauptsächlich Billigjobs, heißt es beispielsweise. Das Gegenteil ist richtig: In der OECD kommen in der Industrie auf 100 Beschäftigte mit geringer Qualifikation 97 mit mittlerer oder hoher Qualifikation. Im Dienstleistungssektor demgegenüber sind je 100 Geringqualifizierten 229 Mittel- und Hochqualifizierte beschäftigt; im Bereich der unternehmensnahen Dienstleistungen beträgt die Relation sogar 100 zu 417. Und: Mit 19,4 Prozent ist der Anteil der Hochschulabsolventen im Dienstleistungssektor mehr als doppelt so hoch wie in der Industrie (8,3 Prozent).[4]

Zuweilen heißt es auch, selbst eine moderne Volkswirtschaft brauche eine starke industrielle Basis, weil Dienstleistungen nichts Greifbares produzierten und daher nicht tragende Säule einer Wirtschaft seien könnten. Schon Adam Smith, der sonst so scharfsinnige geistige Urvater des Kapitalismus, saß diesem Irrtum auf: Nur die Arbeit im verarbeitenden Gewerbe, schrieb der schottische Moralphilosoph 1776, sei „produktiv". Die Arbeit eines Dienstleisters dagegen „fügt zu nichts einen Wert hinzu".

Warum Smith irrte, lässt sich an einem Beispiel verdeutlichen: Früher arbeitete praktisch jeder, der *für* die Landwirtschaft arbeitete, auch *in* der Landwirtschaft. Heute sind in den modernsten Volkswirtschaften der Welt nur noch wenige Prozent der Erwerbsbevölkerung *in* der Landwirtschaft tätig. Dafür aber gibt es massenweise Dienstleister, die *für* die Landwirtschaft arbeiten: der Wissenschaftler beispielsweise, der gentechnisch verändertes Saatgut entwickelt, oder der Informatiker, der Software schreibt, die Landwirten beim Management ihrer Betriebe hilft.

Mit fortschreitender wirtschaftlicher Entwicklung einer Volkswirtschaft wird also die Beschäftigung innerhalb der Wertschöpfungskette verlagert – weg von den Berufen, die für die eigentliche Produktion zuständig sind, und hin zu den Berufen, die – im weitesten Sinne – die Voraussetzung dafür schaffen, dass die Produktion effizient vonstatten geht.[5]

Ein hoher Anteil von Dienstleistungen an der sektoralen Beschäftigungsstruktur ist daher letztlich ein Kennzeichen einer hochentwickelten Volkswirtschaft. Und: Ein stark wachsender Anteil von Dienstleistungen deutet darauf hin, dass der Strukturwandel, der für den Übergang zur Dienstleistungsgesellschaft vonnöten ist, funktioniert. Genau deswegen ist Grafik 6.1 so beunruhigend: Deutschland hinkt hier offenkundig weit hinterher.

Dieser Eindruck verfestigt sich, wenn die Entwicklung im Zeitverlauf betrachtet wird. So gibt es nur eine einzige Branche innerhalb des Dienstleistungssektors, in dem die Beschäftigung in Deutschland zwischen 1970 und 1993 stärker gewachsen ist als in den USA – und diese eine Branche ist der öffentliche Dienst.[6]

Besonders groß ist der deutsche Rückstand im Bereich hochwertiger, da wissensintensiver Dienstleistungen. In fünf dieser Branchen ist der Umsatz in den USA zwischen 1980 und 1998 zusammengenommen um real 93 Prozent gewachsen (siehe Grafik 6.2). Deutschland kam nur auf einen Zuwachs von 22 Prozent; 1988 wurde die Bundesrepublik von Frankreich überrundet, das es auf ein Wachstum von immerhin 53 Prozent gebracht hat.

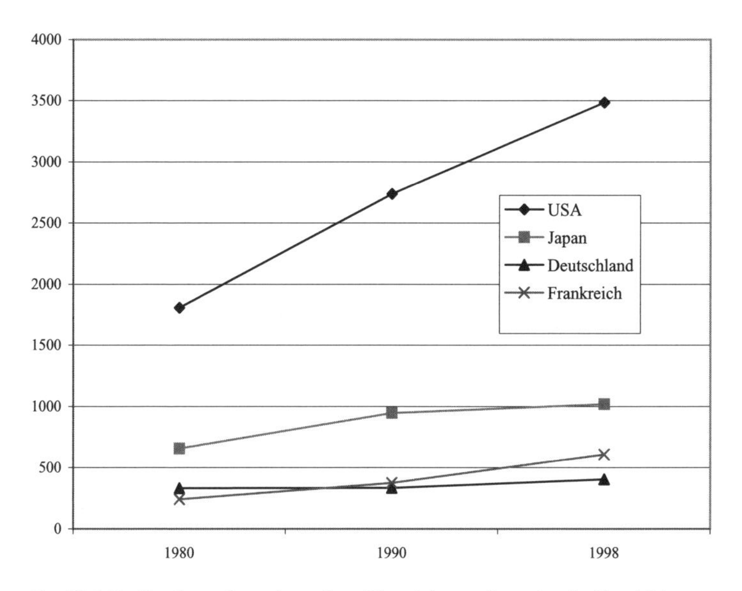

Grafik 6.2: *Umsätze wissensintensiver Dienstleistungsbranchen im Vergleich (Kommunikationsdienstleistungen, Finanzdienstleistungen, unternehmensnahe Dienstleistungen, Bildungsdienstleistungen, Gesundheitsdienstleistungen) in Milliarden Dollar, Preise von 1997* *[Quelle: National Science Board (2002), S. A6-17.]*

Schöpferische Zerstörung

Der Übergang zur Dienstleistungsgesellschaft, die so genannte Tertiarisierung, ist ein nur natürlicher Prozess. Hinzu kamen in den zurückliegenden Jahrzehnten aber Entwicklungen, die keineswegs zwingend oder auch nur absehbar waren:

■ Die Globalisierung: Durch den Abbau von Handelsschranken und sinkende Transport- und Kommunikationskosten verschärfte sich der Wettbewerbsdruck. Insbesondere Produktionsbetriebe in den Industrieländern bekamen zunehmend Konkurrenz aus Schwellen- und Entwicklungsländern. Zudem werden Volkswirtschaften immer abhängiger von konjunkturellen Entwicklungen selbst in fernen Weltregionen.

- Die Beschleunigung des technischen Fortschritts: Die Revolution bei den Informations- und Kommunikationstechnologien treibt schon für sich genommen den Strukturwandel voran. Hinzu kommt, dass sie zu einer Beschleunigung von Innovationsprozessen auch in anderen Branchen wie zum Beispiel der Pharmaindustrie beiträgt.[7]

- Die Abkehr vom „Taylorismus“: Nach der Theorie von Frederick Winslow Taylor, die über Jahrzehnte hinweg in den USA und anderen westlichen Industrieländern gängig war, ist der Mitarbeiter eines Unternehmens nur ein Glied in einer Kette, das nach genauen Vorschriften zu funktionieren hat. Dass es auf Dauer effizienter ist, wenn Mitarbeiter mitdenken und motiviert sind, begann erst zum Konsens zu werden, nachdem japanische Unternehmen in den Siebzigerjahren mit Hilfe moderner Methoden der Arbeitsorganisation wie dem „Total Quality Management“ (TQM) die Weltmärkte aufrollten. Was TQM und allen anderen neuen Managementstrategien gemein ist: Arbeitnehmer haben breitere und wechselnde Aufgabengebiete.[8]

Die Anpassung an diese Trends erfordert jedoch, dass Kapital und Arbeit verstärkt umgeleitet werden – in neue Arbeitsplätze, neue Technologien, neue Unternehmen. Damit aber Neues entstehen kann, muss Altes verschwinden – ein Prozess, den der große österreichische Ökonom Joseph Alois Schumpeter „kreative Zerstörung“ genannt und als entscheidende Quelle von Produktivitäts- und Wohlstandsmehrung erkannt hat.

Wie gut Deutschland für die Trends gerüstet ist und wie es den durch sie entstehenden Anpassungsdruck im Vergleich zu den USA meistert, wird im Folgenden zunächst anhand einiger Beispiele erläutert.

Das Beispiel Mobilität

Wenn angestammte Branchen in einer Region untergehen, dann kann nur ein funktionierender Strukturwandel einen dauerhaften Anstieg der Arbeitslosigkeit verhindern: Entweder muss frisches Kapital zufließen – etwa, weil die gesunkene Nachfrage nach Arbeitskräften auf die Löhne drückt und so Investitionen attraktiver macht. Oder Arbeitslose stehen, weil Lohnersatzleistungen knapp bemessen sind und nur befristet vergeben werden, unter dem Druck, abzuwandern.[9]

Dieser Anpassungsprozess funktioniert in den USA offenkundig erheblich reibungsloser als in Deutschland oder Europa als Ganzes. So zogen im Jahr 2000 in Deutschland gerade einmal 1,14 Millionen Menschen in ein anderes Bundesland um. Dies entspricht 1,38 Prozent der Bevölkerung. In den USA lag der Anteil der Menschen, die in einen anderen Bundesstaat zogen, dagegen in den Neunzigerjahren bei im Durchschnitt 2,65 Prozent pro Jahr – also fast doppelt so hoch.[10]

Besonders Gruppen die – wie Geringverdiener und junge Menschen – die überdurchschnittlich von Arbeitslosigkeit betroffen sind, reisen in Amerika den Jobs hinterher: Unter den Geringverdienern liegt der Anteil der „Umzieher“ bei mehr als vier Prozent. Und: In Boom-Städten wie Atlanta, Austin, Denver, Phoenix und San Francisco ist die Zahl der 20- bis 34-jährigen Einwohner in den Neunzigerjahren um jeweils über 50 Prozent gestiegen, in Las Vegas hat sie sich sogar fast verdoppelt. In alten Industriestädten wie Buffalo, Cleveland und Pittsburgh dagegen ging die Zahl der jungen Erwachsenen teilweise drastisch zurück.[11]

Diese hohe Mobilität dürfte erheblich dazu beitragen, regionale Unterschiede bei der Arbeitslosigkeit auszugleichen. In der Tat belief sich die Spanne zwischen dem US-Bundesstaat mit der geringsten Arbeitslosigkeit und jenem mit der höchsten im Jahr 2002 auf gerade einmal 4,6 Prozentpunkte; in 43 der 50 Staaten lag die Arbeitslosenquote in dem engen Band von 4,0 bis 6,5 Prozent.[12]

Ganz anders Europa: Trotz der mit dem Binnenmarkt eingeführten Freizügigkeit variierte die Arbeitslosigkeit in der EU im Jahr 2001 zwischen zwei Prozent (Berkshire, England) und fast 25 Prozent (Kalabrien, Italien). Auch zwischen den deutschen Bundesländern sind die Differenzen größer als in den USA: In Westdeutschland lag die Spanne im Juni 2003 bei 7,3 Prozentpunkten, in Gesamtdeutschland gar bei 14,3 Punkten.[13]

Das Beispiel Bildung

Gerade in der angelsächsischen Welt wurde Deutschland lange darum beneidet: das System der dualen Berufsausbildung, das eine breite Schicht von Industriearbeitern (und Handwerkern) mit mittlerer Qualifikation und hoher Spezialisierung hervorbrachte.

Auch Deutschlands Universitäten bilden einen relativ stark spezialisierten Nachwuchs aus. Im Vergleich dazu kommt das amerikanische College-Studium einem „Studium generale" nahe. Eine wirkliche Spezialisierung setzt hier erst im Graduierten-Studium ein, das zu Abschlüssen wie dem „Master" oder einer Promotion führt. Und ein duales Berufsausbildungssystem gibt es in Amerika praktisch nicht, Regulierungen fehlen. Angehenden Kaufhausdetektiven und Disko-Türstehern abzuverlangen, „vor Aufnahme ihrer Tätigkeit umfangreiche Qualifikationen" in einer „Sachkundeprüfung" nachzuweisen, wie es Nordrhein-Westfalen tut, ist eher unamerikanisch.[14]

Deshalb hatte der damalige IG-Metall-Vorsitzende Klaus Zwickel gar nicht so Unrecht, als er vor einigen Jahren sagte, Deutsche hätten einen „Beruf", Amerikaner dagegen nur einen „Job".[15] Und auch Dieter Philipp, der Präsident des Zentralverbands des Deutschen Handwerks (ZDH), liegt nicht völlig falsch, wenn er behauptet, dass „ohne die Handswerksordnung bei uns amerikanische Verhältnisse einzögen, bei denen jeder alles macht, aber keiner etwas richtig kann".[16]

In der Industriegesellschaft jedenfalls hat das deutsche Bildungssystem dabei geholfen, „Made in Germany" zu einem Qualitätssiegel zu machen. Und es hat zu den starken Produktivitätsgewinnen der ersten Nachkriegsjahrzehnte beigetragen, die ihrerseits kräftige Lohn- und Gehaltssteigerungen erlaubten.

Im Grunde war es auch nur logisch, das System durch einen starken Kündigungsschutz und hohe Lohnersatzleistungen zu flankieren. Schließlich muss, wer sich stark spezialisiert, mit relativ starken und langanhaltenden Einkommenseinbußen rechnen, wenn er oder sie arbeitslos wird.[17]

Was aber, wenn der technische Fortschritt sich beschleunigt und daher ständig neue Fertigkeiten gefragt werden? Was, wenn die moderne Arbeitsorganisation zusehends Vielseitigkeit verlangt?

Dann natürlich ist der Generalist, wie ihn das amerikanische System hervorbringt, im Vorteil: Jener, der in seiner Ausbildung eher das Lernen gelernt hat statt sich Fakten und Formeln einzuhämmern; der wiederverwertbare Fähigkeiten hat und daher in vielen Berufen, Unternehmen und Branchen einsetzbar ist, und der genau deswegen nicht darauf angewiesen ist, von einem starken Kündigungsschutz und hohen Lohnersatzleistungen beschützt zu werden.[18]

Und dann kann darüber hinaus ein hochreguliertes Bildungssystem wegen seiner Schwerfälligkeit zur Bürde werden. Mit Zahlen untermauern lässt sich diese Behauptung nur schwer. Daher an dieser Stelle nur ein Beispiel: An der „Internationalen Berufsolympiade" im kanadischen Montreal, bei der sich 1999 talentierte junge Facharbeiter aus aller Welt maßen, nahmen zwar deutsche Friseure und Köche, Schweißer und Werkzeugmacher teil. In der Disziplin Computer-Programmieren war Deutschland dagegen nicht vertreten – weil es, wie aus der Delegationsleitung verlautete, dafür in Deutschland keinen staatlich anerkannten Ausbildungsgang gebe.[19]

Das Beispiel Pleiten

Konkurse sind immer auch Leidensgeschichten – vor allem für die Arbeitnehmer, die dabei ihren Job verlieren. Zu Recht wird daher beklagt, wenn in einer Rezession eigentlich profitable Unternehmen Pleite gehen.

Konkurse generell durch staatliche Interventionen zu verhindern kann aber kontraproduktiv sein. Ein Paradebeispiel ist der Fall Philipp Holzmann. Als der Baukonzern im Herbst 1999 vor der Pleite stand, riefen die Beschäftigten nach Hilfe aus Berlin. Warum auch nicht? Welcher Arbeitnehmer will nicht seinen aktuellen Arbeitsplatz behalten? Wer zieht schon gerne in eine andere Stadt, wer will schon völlig neue Fertigkeiten lernen müssen?

Dennoch wäre schon unter normalen Umständen die Bereitschaft von Bundeskanzler Schröder, die bedrohten Arbeitsplätze bei Holzmann mit Bürgschaften des Bundes zu retten, fragwürdig gewesen. Ob mit oder ohne Holzmann: In Deutschland wird die gleiche Zahl von Straßen, Brücken und Bürogebäuden gebaut werden – die Beschäftigung im Bausektor wird dieselbe sein, weil sie von der Nachfrage abhängt und nicht von der Zahl der Bauunternehmen.

Im konkreten Fall kam aber noch hinzu, dass es in der deutschen Bauwirtschaft gravierende Überkapazitäten gab (und gibt).[20] Das bedeutet: In dieser Branche werden Arbeitsplätze verschwinden – die Frage ist allein, wo? Die Schröder-Intervention bedeutete daher nur: Statt Holzmann-Arbeiter traf es, ehe im Jahr 2002 die Sanierungsversuche des Konzerns endgültig scheiterten, die Beschäftigten von kleinen und mittelständischen Unternehmen, die effizienter als Holzmann waren und vielleicht überlebensfähig gewesen wären.[21]

Die Holzmann-Episode deutet es an: Wenn nicht rein ***konjunkturelle*** Faktoren, sondern ***strukturelle*** Anpassungen an die Marktkräfte oder den technischen Fortschritt der Hintergrund sind, dann ist eine hohe Zahl von Konkursen letztlich ein positives

Zeichen: ein Indikator nämlich dafür, dass der Strukturwandel funktioniert.

Das Verschwinden unproduktiver Unternehmen vom Markt ist denn auch einer von vier potenziellen Wegen, auf denen Produktivitätswachstum entstehen kann. Die Produktivität einer Volkswirtschaft nimmt zu,

- wenn existierende Betriebe ihre Effizienz erhöhen,
- wenn sich Marktanteile von relativ unproduktiven zu relativ produktiven Unternehmen verschieben,
- wenn neugegründete Unternehmen sich als überdurchschnittlich produktiv erweisen und
- wenn unterdurchschnittlich produktive Unternehmen untergehen.

Sowohl bei Markteintritten wie bei Marktaustritten ist die Dynamik in Deutschland deutlich geringer als in den USA. In der westdeutschen Privatwirtschaft kamen zwischen 1989 und 1994 auf jeweils 10.000 Unternehmen jährlich 735 Marktaustritte, in den USA dagegen 1.012.[22]

Ähnlich bei den Neugründungen: Auf 10.000 Unternehmen kamen in Westdeutschland 906 Start-ups pro Jahr, in den USA hingegen 1.240.[23] Verwundern kann das nicht, werden doch Gründern in Deutschland noch immer mehr Steine in den Weg gelegt als andernorts. Einen Beleg dafür liefert eine Studie, in der ein Ökonomen-Quartett für 85 Länder den zeitlichen und finanziellen Aufwand untersucht hat, den gesetzliche Regulierungen Unternehmensgründern auferlegen. Ergebnis: In Deutschland sind die Hürden um ein Vielfaches höher als in den USA (und anderen angelsächsischen sowie den nordischen Ländern): In Amerika kosten die Prozeduren im Durchschnitt das Äquivalent von 1,7 Prozent eines jährlichen Pro-Kopf-Einkommens, in Deutschland dagegen 32,5 Prozent.[24]

Werden die Quellen des Produktivitätswachstums untersucht, so ergibt sich denn auch für Amerika ein ganz anderes Bild als für Deutschland. So trug der Marktaustritt von Unternehmen des produzierenden Gewerbes in den USA zwischen 1992 und 1997 fast 46 Prozent zum Produktivitätswachstum bei (siehe Grafik 6.3).[25] Der Beitrag von Neugründungen war ebenfalls erheblich – und negativ. Der mutmaßliche Grund: Wenn eine große Zahl von Start-ups auf den Markt kommt, wird das Produktivitätswachstum gedämpft, weil die Neuen anfangs relativ klein sind und, anders als die Etablierten, keine Größenvorteile realisieren können.[26]

In Deutschland dagegen ging das Produktivitätswachstum praktisch vollständig auf innerbetriebliche Effizienzsteigerungen zurück; Neugründungen hatten nur einen minimalen Effekt.

Pleiten spielten ebenfalls nur eine sehr kleine Rolle; unter dem Strich war ihr Beitrag zum Produktivitätswachstum sogar nega-

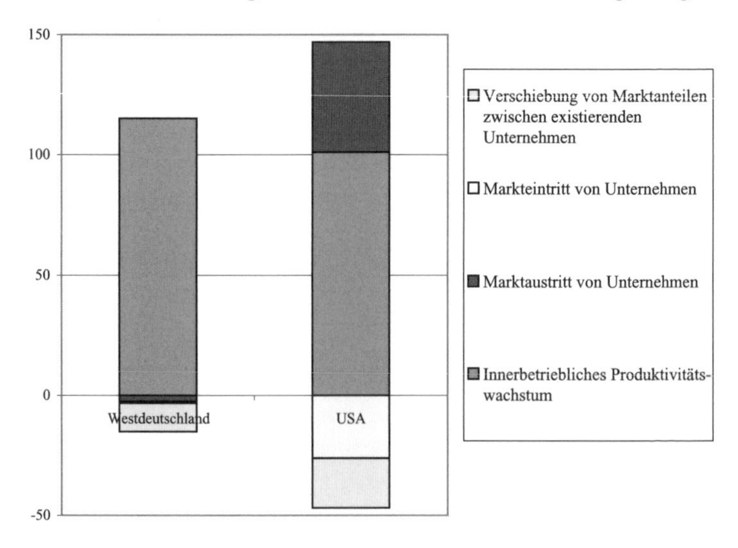

Grafik 6.3: *Quellen des Produktivitätswachstums im Vergleich – Beiträge der Faktoren in Prozent des gesamten Zuwachses im verarbeitenden Gewerbe, 1992-1997*

[Quelle: Scarpetta, Hemmings, Tressel und Woo (2002), S. 40]

tiv – ein Hinweis darauf, dass in Deutschland nicht nur wenige, sondern im Zweifel auch noch die falschen Unternehmen vom Markt verschwinden. Philipp Holzmann lässt grüßen.

Das Beispiel High Tech

Die New Economy lebt – doch nicht in Deutschland. Kapitel 4 hat gezeigt: Die Revolution bei den Informations- und Kommunikationstechnologien hat, anders als in den USA, zumindest bisher nicht zu einer Erhöhung des Produktivitätswachstums geführt.

Einer der Gründe ist, dass die IKT-Branchen selbst kleiner sind als in Amerika: Deutschland hat in diesem Sektor fast keine großen Produzenten, die auf den Weltmärkten nachhaltig erfolgreich sind. Das zeigt etwa ein Blick auf die „Info Tech 100", ein Ranking, in dem das amerikanische Wirtschaftsmagazin „Business Week" die 100 weltweit bedeutsamsten IT-Unternehmen aufführt. 43 der Unternehmen kommen aus den USA; das einzige deutsche Unternehmen auf der Liste ist SAP.[27]

Nicht nur bei den Informations- und Kommunikationstechnologien, sondern bei der High-Tech-Produktion generell gerät Deutschland zusehends ins Hintertreffen. Allein zwischen 1990 und 1998 ist Deutschlands Anteil am weltweiten High-Tech-Markt um ein Fünftel geschrumpft (siehe Tabelle 6.1).

So kommt das Bundesforschungsministerium in einem Bericht „Zur technologischen Leistungsfähigkeit Deutschlands" zu einem bedrückenden Urteil:

„Deutschland verliert, wenn auch nicht ganz so krass wie Japan, auf den internationalen Technologiemärkten an ... Boden. Die Spezialisierungsvorteile Deutschlands bei forschungsintensiven Waren haben sich in den 90er-Jahren weiter verringert. Damit wird der seit den 80er-Jahren anhaltende Trend fortgesetzt. (...) In den 90er-Jahren hat sich herausgestellt, dass das deutsche Außenhandelsportfolio immer ‚Automobil-

lastiger' geworden ist. Würde man – als Gedankenexperiment – den Automobilsektor aus der Außenhandelsbilanz herausrechnen, dann wäre Deutschland nicht mehr als ein Land zu bezeichnen, das im internationalen Handel auf forschungsintensive Produktionen spezialisiert ist."[28]

Tabelle 6.1: Forschung und High-Tech-Produktion in Deutschland und den USA

	DEUTSCHLAND	USA
1. Ausgaben für Forschung und Entwicklung (FuE), 2000, kaufkraftbereinigt		
Gesamtausgaben in Milliarden Dollar	55,4	282,3
... pro Kopf	673	987
... in Prozent des Bruttoinlandsprodukts	2,53	2,82
Unternehmensfinanzierte FuE in Mrd. Dollar	30,3	165,5
Darunter		
... in der Elektronikindustrie	3,7	17,7
... in der Computer- und Bürogeräteindustrie	0,7	10,3
... in der Pharmaindustrie	2,3	12,9
... im Dienstleistungssektor	2,8	57,1
2. Forscher		
Forschendes Personal in Tausend[a)]	258	1.261
Forscher je Tausend Beschäftigte	6,7	8,6
Anteil an den von 1991 bis 2002 vergebenen naturwissenschaftlichen Nobelpreisen[b)]	3,7	69,5
3. High-Tech-Produktion, 1998[c)]		
Umsatz in Milliarden Dollar[d)]	114,5	765,1
... realer Zuwachs gegenüber 1990 in %	+ 45	+ 115
Weltmarktanteil 1998, in Prozent	5,4	36,0
... Veränderung gegenüber 1990 in %-Punkten	- 1,4	+ 5,4

[a)] Vollzeitäquivalente; [b)] Chemie, Medizin, Physik; nach Hochschulstandort zum Zeitpunkt der Preisvergabe; [c)] Computer und Bürogeräte, Kommunikationstechnologie, Pharma, Luft- und Raumfahrt; [d)] in Preisen von 1997.

Quelle: OECD (2002b), S. 327, OECD (2002c), S. 14, 18f., 21, 34, 37ff., National Science Board (2002), S. 6-6, A6-3, Nobelkomitee (www.nobel.se), U.S. Census Bureau (www.census.gov) und eigene Berechnungen

Offenkundig also bindet ein Mangel an schöpferischer Zerstörung in Deutschland Kapital und Arbeitskräfte in Unternehmen und Branchen, die bereits ausgereifte Technologien herstellen – und daher ein vergleichsweise geringes Wachstumspotenzial haben.

Von Bedeutung ist aber auch die Frage, warum die deutschen *Anwender* ungleich weniger in Informations- und Kommunikationstechnologien investieren als die amerikanischen – und warum es ihnen nicht gelingt, den IKT-Einsatz in gesamtwirtschaftliches Produktivitätswachstum umzumünzen.

Ein Unternehmen wird nicht einfach durch den Kauf neuer Technologien produktiver – entscheidend ist vielmehr, dass sie effizient eingesetzt werden. Häufig ist eine Änderung des Produktionsprozesses, der Arbeitsabläufe oder gar der kompletten Arbeitsorganisation notwendig.

Das war schon bei der Elektrifizierung so: Damals führte die neue Technologie dazu, dass die traditionellen, mehrstöckigen, in Innenstädten angesiedelten Fabriken ersetzt wurden durch einstöckige Fabriken, die, weil sie mehr Platz verschlangen, an den Stadträndern gebaut wurden.[29]

Heute ist es ähnlich: Der IKT-Einsatz hat in den Neunzigerjahren auch in den USA nur in jenen Unternehmen und Branchen zu Produktivitätsgewinnen geführt, in denen die Investitionen einhergingen mit umfassenden Restrukturierungen.[30] Ob diese Restrukturierungen überhaupt vorgenommen werden können, hängt aber natürlich entscheidend von den Rahmenbedingungen ab, die der Gesetzgeber Unternehmen auferlegt.

So ist, wie in Kapitel 4 berichtet, ein erheblicher Teil des gesamtwirtschaftlichen Produktivitätswachstums im Amerika der Neunzigerjahre auf Effizienzgewinne im Einzelhandel zurückzuführen. US-Ketten wie Wal-Mart und Home Depot hatten mit massivem IT-Einsatz begonnen, ihre Logistik zu optimieren, die Lagerhaltung herunterzufahren und das Kaufverhalten der Kunden detailliert zu beobachten.

Richtig lohnend ist dies aber nur, wenn Größenvorteile ausgenutzt werden können – wie es in den USA der Fall ist. Dort gibt es nur minimale Vorschriften zum Ladenschluss, auch das Baurecht ist freizügig. Die Folge: Home-Depot-Märkte sind häufig an sieben Tagen in der Woche rund um die Uhr geöffnet, neue Läden sind mindestens 12.000 Quadratmeter groß – eine Fläche, die der Größe von zwei Fußballfeldern entspricht.[31]

Eine wichtige Rolle spielen auch Arbeitsmarktregulierungen. Denn mit dem Einsatz neuer Technologien wird einerseits ein Teil der bestehenden Arbeitsplätze obsolet, während an anderer Stelle neue entstehen. Die Rendite, die der Einsatz neuer Technologien einbringt, wird daher umso größer sein, je einfacher es Arbeitgebern gemacht wird, Beschäftigte zu entlassen oder zumindest zu versetzen. Auf der anderen Seite kann ein striktes Arbeitsrecht dazu führen, dass High-Tech-Investitionen von vornherein unterbleiben: Warum eine neue Technologie einführen, die es erlaubt, mit weniger Beschäftigten auszukommen, wenn man die, die überflüssig werden, nicht loswerden kann?[32] (Dieser Aspekt wird in Kapitel 19 nochmals aufgegriffen werden.)

Eurosklerose – 20 Jahre danach

Die Beispiele machen offenbar: Das Modell Deutschland ist nicht darauf ausgerichtet, sich an geänderte – und sich ständig aufs Neue ändernde – Rahmenbedingungen rasch und offensiv anzupassen. Rigiditäten, wie sie durch staatliche Regulierungen entstehen, oder institutionelle Arrangements wie Deutschlands Kombination aus Spezialistentum und sozialer Absicherung: Früher mögen sie keine Verwerfungen erzeugt haben oder sogar vorteilhaft gewesen sein – in Zeiten erhöhten Anpassungsdrucks erweisen sie sich jedoch als Bremsklotz.

Es ist demnach weniger das Modell Deutschland per se, das ein Problem ist – es ist seine geringe Reaktionsfähigkeit, seine mangelnde Eignung, negative „Schocks“ zu absorbieren und positive gewinnbringend auszunutzen.

Diese Erkenntnis ist alles andere als neu: Bereits Anfang der Achtzigerjahre warnte Herbert Giersch vor „Eurosklerose“. Der langjährige Präsident des Kieler Instituts für Weltwirtschaft meinte damit, dass die „institutionelle[n] Starrheiten und Zwänge, die dem rheinischen Kapitalismus eigen sind“ ungeeignet seien für das „Zeitalter Schumpeters“, das Giersch weitsichtig heraufziehen sah.[33]

Eine ganze Reihe von empirischen Studien zeigt denn auch: Es ist vor allem die überlegene Anpassungsfähigkeit des amerikanischen Cowboy-Kapitalismus, die die ungleich günstigere Beschäftigungsentwicklung im Amerika der Achtziger- und Neunzigerjahre erklärt. Eine dieser Untersuchungen etwa weist für den Zeitraum 1970 bis 1995 nach: Allein der flexiblere US-Arbeitsmarkt ist für mindestens die Hälfte der Divergenz zwischen der Arbeitslosenquote in den USA und den Arbeitslosenquoten in anderen Industrieländern verantwortlich.[34]

Natürlich läuft der Strukturwandel auch in den USA nicht reibungslos: Holzmänner gibt es auch dort. Da ist zum Beispiel die Stahlindustrie, in der die aggressiven Gewerkschaften der traditionellen Hüttenwerke es geschafft haben, bis heute die überfällige Konsolidierung der Branche zu verhindern. Da ist Amtrak, das den Personenverkehr dominierende Eisenbahnunternehmen, das in der heutigen Form nur überleben kann, weil es pro Fahrgast und Meile eine Subvention von 30 US-Cent bekommt. Und da sind schließlich die Fluggesellschaften, die kollektiv in elf der vergangenen 22 Jahre rote Zahlen schrieben.[35]

Ein besonderes Problem in diesem Zusammenhang ist „Chapter 11“ des amerikanischen Konkursrechts: 1979 eingeführt, erlaubt es diese Klausel heruntergewirtschafteten Unternehmen,

Gläubigerschutz mit dem Ziel zu beantragen, Zeit für eine Sanierung zu gewinnen. Ein hehres Ziel, nur offenkundig bleibt unternehmerisches Missmanagement gar zu häufig unbestraft. So gibt es mittlerweile 41 amerikanische Großunternehmen, die bereits zweimal oder noch öfter Konkurs angemeldet haben. Leidtragende sind – ähnlich wie im Fall Philipp Holzmann – gesunde Wettbewerber, die einen Kostennachteil erleiden, weil sie weiterhin ihre Verbindlichkeiten bedienen.[36]

Dennoch kann es kaum Zweifel geben, dass sich Amerikas Unternehmen – vom Staat relativ unbehindert, aber auch relativ wenig protegiert – früher und radikaler daran gemacht haben, sich auf die sich ändernden wirtschaftlichen Rahmenbedingungen einzustellen.[37]

Wie stark dabei die „schöpferische Zerstörung" im Vergleich zu Deutschland gewirkt hat, lässt sich an der Bewertung der Börsianer ablesen: Von den 20 deutschen Aktiengesellschaften, die Ende 1967 die größte Marktkapitalisierung hatten, waren im Jahr 2002 nicht weniger als 15 immer noch unter den Top 20. Eines der Unternehmen – die AEG – existiert nicht mehr, die anderen vier zählen immer noch zu den Top 60.[38]

Von den 20 amerikanischen Unternehmen dagegen, die vor 35 Jahren die höchste Marktkapitalisierung aufwiesen, zählten Anfang des Jahres 2003 gerade einmal noch sieben zu den 60 größten.

Klangvolle Namen wie Kodak, Polaroid oder Xerox tauchen in der aktuellen Top-60-Liste nicht mehr auf – dafür aber viele Unternehmen, die es vor 35 Jahren noch gar nicht gab, darunter Amgen, Dell, Home Depot, Intel, Microsoft, Oracle und Qualcomm.[39]

Wal-Mart immerhin gab es 1967 bereits. Die Einzelhandelskette hatte damals 24 Geschäfte mit einem Jahresumsatz von zusammen 12,6 Millionen Dollar. Heute ist Wal-Mart Amerikas umsatzstärkstes Unternehmen. Die Einnahmen erreichen bis zu 1,43 Milliarden Dollar – *am Tag.*[40]

Fußnoten

1) OECD (2002a), S. 28f.
2) SVR (2002), S. 400f.
3) OECD (2002a), S. 28f.
4) OECD (2000a), S. 96, und eigene Berechnungen. Die Angaben beziehen sich auf das Jahr 1998.
5) vgl. Börsch-Supan (2000), S. 4.
6) Gries und Birk (1999), S. 303.
7) OECD (2000), S. 47.
8) vgl. Howard (2002), S. 83ff., und Cohen, Dickens und Posen (2001), S. 220.
9) vgl. IWF (2003), S. 137.
10) StBA (2002), S. 76, und Schachter (2001), S. 2.
11) Schachter (2001), S. 3, und Washington Post (2003).
12) BLS (www.bls.gov) und eigene Berechnungen.
13) Bundesanstalt für Arbeit (www.arbeitsamt.de) und IWF (2003), S. 136.
14) vgl. Industrie- und Handelskammer Nord Westfalen (www.ihk-muenster.de).
15) Handelsblatt (1998).
16) Süddeutsche Zeitung (2003a).
17) vgl. Wasmer (2003), S. 3ff., 24ff.
18) ebenda und Krueger und Kumar (2002).
19) Wirtschaftswoche (1999) und eigene Recherchen.
20) SVR (2002), S. 100.
21) vgl. zum Beispiel Gerken, Raddatz und Schick (2002), S. 4.
22) Scarpetta, Hemmings, Tressel und Woo (2002), S. 43.
23) ebenda.
24) Djankov, La Porta, Lopez-de-Silanes und Shleifer (2002).
25) Eine Analyse mit einer alternativen Berechnungsmethode kommt auf etwas andere, aber in der Größenordnung sehr ähnliche Zahlen. Scarpetta, Hemmings, Tressel und Woo (2002), S. 40.
26) a.a.O. (2002), S. 12f.
27) Business Week (www.businessweek.com)
28) Bundesministerium für Bildung und Forschung (2003), S. 110.
29) David (1990).
30) Baily (2003), S. 9.
31) a.a.O., S. 7, Feldstein (2003), S. 5f., und Home Depot (www.homedepot.com).
32) Feldstein (2003), S. 5, Greenspan (2000), S. 2, und Hubbard (2002), S. 3.
33) Giersch (1999), S. 19f.; vgl. SVR (2002), S. 9, 215.
34) Bertola, Blau und Kahn (2001). Siehe auch Blanchard und Wolfers (2000) und Ljungqvist und Sargent (2002).
35) Air Transport Association (www.airlines.org), Barringer und Pierce (2000) und New York Times Magazine (2002).
36) BankruptcyData.Com (www.bankruptcydata.com) und Lynn M. LoPucki (lopucki.law.ucla.edu).
37) vgl. zum Beispiel Blinder und Yellen (2001), S. 94f., und Roach (1998).
38) Deutsches Aktieninstitut. Aufgrund von Fusionen und Übernahmen trägt ein Teil der Unternehmen heute einen anderen Namen als damals.
39) Cox und Alm (1999), S. 122, US60 (www.us60.com) und Angaben auf den Websites der genannten Unternehmen.
40) Fortune (www.fortune.com) und Wal-Mart (www.walmart.com).

Kapitel 7: Amerikas Goldene Neunziger – war alles nur Hype?

Arbeitslosigkeit und Inflation in Amerika fielen und fielen. Der Bundeshaushalt schrieb schwarze Zahlen. Die Aktien erklommen einen Rekordstand nach dem anderen. Selbst die Schwellenländerkrise (1997–1999) konnte der Wirtschaft nichts anhaben.

Der Aufschwung, der im März 1991 in den USA begann, war ein Boom der Superlative. Auf den Monat genau zehn Jahre hielt er an, so lange wie kein anderer seit Beginn der Aufzeichnungen 1854. Zwischen 1995 und 2001 hat Amerika 63 Prozent zum Wachstum der Leistung der Weltwirtschaft beigetragen, Europa dagegen nur acht Prozent.[1]

Dann, ziemlich jäh, war alles vorbei. Erfolgsgeschichten eben noch gefeierter Unternehmen erwiesen sich als Luftschlösser oder gar Lügengebilde. Die Kurse von Technologie-Aktien, jahrelang die Lieblinge der Anleger, stürzten ab, zum Teil ins Bodenlose. Eben noch überschwängliche Unternehmen strichen ihre Investitionen zusammen. Im Staatshaushalt gähnen wieder Löcher. Die Arbeitslosigkeit steigt, zwischen Februar 2001 und Juni 2003 sind in den USA 2,6 Millionen Jobs verloren gegangen. Und die Inflation ist zwar niedrig – aber so niedrig, dass Deflationsängste herrschen.[2]

War also alles nur „Hype", alles nur aufgebauscht von den Medien?

Unbezahlte Rechnungen

Die zurückliegende Rezession in den USA begann im März 2001 und endete acht Monate später, im November. Sie war die mildeste in den zurückliegenden 30 Jahren und auch eine der kürzesten.[3] Dass der folgende Aufschwung zunächst schwach ausfällt, war gerade deshalb zu erwarten: Die starken Zuwachsraten, die häufig zu Beginn von konjunkturellen Aufschwungphasen zu beobachten sind, kommen üblicherweise dadurch zustande, dass volkswirtschaftliche Größen sich von den Rückschlägen der zurückliegenden Krise erholen. Doch in der US-Rezession von 2001 ist der private Verbrauch, der allein rund 70 Prozent der gesamtwirtschaftlichen Nachfrage ausmacht, weiter gewachsen – dass er danach mit geringeren Raten zulegt als nach früheren Krisen, ist nur natürlich.

Dennoch ist der Mangel an Dynamik, den Amerikas Privatwirtschaft im Jahr 2002 und in der ersten Hälfte des Jahres 2003 zeigte, alarmierend: Die Regierung von Präsident George W. Bush hat die Steuern deutlich gesenkt. Zusätzlich angeschoben wird die Wirtschaft von historisch niedrigen Zinsen; im Juni 2003 hat Amerikas Zentralbank, die Federal Reserve, ihren Leitzins auf ein Prozent gesenkt, das niedrigste Niveau seit 1958. Doch trotz aller fiskalischer und monetärer Stimulanzien war es im ersten Halbjahr 2003 nicht die Privatwirtschaft, die für das Gros des Wirtschaftswachstums verantwortlich war – sondern steigende Staatsausgaben.[4]

Beängstigend ist dieser Mangel an Eigendynamik vor allem deshalb, weil die USA hohe Wachstumsraten brauchen. Denn unterausgelastete Kapazitäten drücken auf die ohnehin schon niedrige Inflationsrate. Hält die Unterauslastung an, droht eine deflationäre Spirale. Dies dürfte, vom Sommer 2003 aus betrachtet, das größte Risiko für die US-Wirtschaft in den Jahren 2004 und 2005 sein.[5]

Dabei könnte die Unterauslastung sogar noch steigen, wenn es zu einem erneuten Abschwung kommen sollte. Ausgeschlossen ist ein solcher neue Rückschlag keineswegs. Der auslösende Impuls könnte zum Beispiel vom Immobilienmarkt kommen. Angetrieben von stark steigenden Börsenkursen hatte Amerikas Markt für Wohnhäuser und Eigentumswohnungen in den Neunzigerjahren geboomt. Doch während die Börsenhausse im Frühjahr 2000 zu Ende ging, prosperierte der Häusermarkt weiter, nicht zuletzt dank der niedrigen Zinsen. Ob der Markt überhitzt ist – darüber streiten die Experten. Sollte es aber auch hier zu einem Crash kommen, wären die wirtschaftlichen Konsequenzen potenziell dramatisch: Historisch sind Zusammenbrüche auf dem Häusermarkt seltener als an den Aktienmärkten. Dafür dauern sie typischerweise doppelt so lange – und sie richten wirtschaftlich einen doppelt so großen Schaden an.[6]

Ein weiterer Risikofaktor ist Amerikas Leistungsbilanzdefizit. Vereinfacht gesagt, entsteht ein solches Defizit, wenn eine Nation mehr konsumiert und investiert, als sie selbst erwirtschaftet – und sich deshalb Geld aus dem Ausland leihen muss.

Amerika hat ein gigantisches Leistungsbilanzdefizit. In den ersten Monaten des Jahres 2003 betrug es Tag für Tag 1,5 Milliarden Dollar. Insgesamt kamen im ersten Quartal 136 Milliarden Dollar zusammen. Zum Vergleich: Die privaten Kapitalzuflüsse in die 29 wichtigsten Schwellenländer betrugen im ganzen Jahr 2002 gut 112 Milliarden Dollar.[7]

Auf lange Sicht kann natürlich niemand mehr konsumieren und investieren, als erwirtschaftet wird – ein Privathaushalt nicht, ein Unternehmen nicht und auch eine Volkswirtschaft nicht. Denn die Schulden müssen früher oder später zurückgezahlt werden.

Leistungsbilanzdefizite werden daher über kurz oder lang korrigiert. Die Folge einer solchen Korrektur ist erfahrungsgemäß, dass das Wachstum der Wirtschaftsleistung über drei bis vier Jahre hinweg hinter ihrem längerfristigen Potenzial zurückbleibt. Typischerweise setzt die Korrektur in großen Industrieländern ein, wenn das Defizit fünf Prozent der heimischen

Wirtschaftsleistung erreicht – ein Wert, den die USA im ersten Halbjahr 2003 bereits deutlich überschritten haben dürften.[8]

Das Ende der Dividende

Der Zusammenbruch des Ostblocks hat den Neunzigerjahre-Boom in den USA sicher nicht verursacht – aber ihn zusätzlich angeheizt. Das Ende des Kalten Kriegs erlaubte den Amerikanern eine drastische Rückführung ihrer Verteidigungsausgaben. Von 6,2 Prozent der amerikanischen Wirtschaftsleistung im Jahr 1986 sank der Pentagon-Etat auf 3,0 Prozent in den Haushaltsjahren 1999 bis 2001 – eine wesentliche Voraussetzung dafür, dass der Washingtoner Bundeshaushalt von 1998 an einen Überschuss auswies.[9]

Nach der Revolution bei den Informations- und Kommunikationstechnologien ist diese so genannte Friedensdividende womöglich der zweitwichtigste positive „Schock" in den Neunzigern gewesen. Denn: Je geringer die Budgetdefizite, umso kleiner ist die staatliche Nachfrage auf den Kapitalmärkten – und umso niedriger sind die langfristigen Zinsen, die Unternehmen für ihre Investitionen und Haushalte für ihre Hypotheken- und Verbraucherkredite zahlen.

Empirische Untersuchungen deuten darauf hin, dass dieser Effekt beträchtlich ist. Eine Studie von Thomas Laubach, einem Ökonomen der Federal Reserve, zeigt: Die langfristigen Zinsen in den USA fallen um einen Viertelprozentpunkt, wenn die erwarteten Budgetdefizite in Relation zur Wirtschaftsleistung um einen Prozentpunkt sinken.[10] Der Abbau der Defizite in den Neunzigerjahren könnte demnach die Zinsen am langen Ende um eine Größenordnung von 100 bis 200 Basispunkten verringert haben – ein enormer Stimulus für eine moderne Volkswirtschaft.

Mit dem 11. September kam die Wende. Der ursprüngliche Plan der Bush-Regierung, es Ronald Reagan gleichzutun und mit Steuersenkungen Ausgabendisziplin zu erzwingen, geht seither nicht mehr auf (vgl. Kapitel 5). Der Pentagon-Etat dürfte in den Haushaltsjahren 2003 bis 2005 nach Schätzungen der Regierung durchschnittlich 3,6 Prozent erreichen. Hinzu kommen stark steigende öffentliche Ausgaben für die innere Sicherheit.

Resultat sind Budgetdefizite in einer Höhe, die zuletzt Anfang der Neunzigerjahre zu verzeichnen waren (siehe Grafik 7.1). Wären die Ausgaben des amerikanischen Bundes seit dem Jahr 2001 nur im Gleichschritt mit der Inflation gestiegen: Das Budgetdefizit würde im Haushaltsjahr 2004 rund 170 Milliarden Dollar betragen – und nicht, wie von der Regierung erwartet, 475 Milliarden Dollar.[11]

Steigende langfristige Zinsen scheinen vor diesem Hintergrund unvermeidlich. Dies allein schon dürfte sich dämpfend auf die

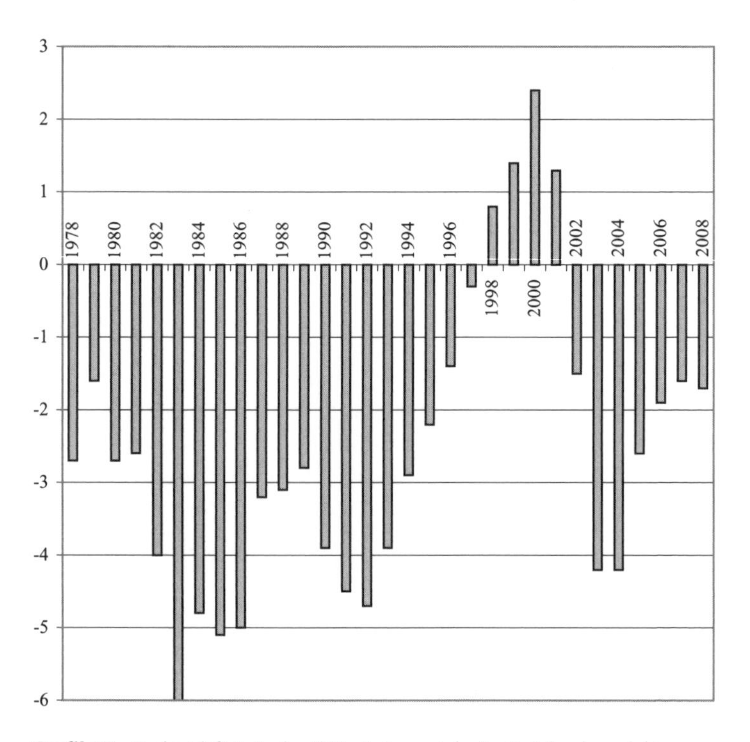

Grafik 7.1: *Budgetdefizite in den USA – in Prozent des Bruttoinlandsprodukts; 2003–2008: OMB-Prognose von Juli 2003* *[Quelle: CEA (2003), S. 370, OMB (2003), S. 2]*

privaten Investitionen – und damit längerfristig womöglich auch auf das Produktivitätswachstum – auswirken.

Hinzu kommt: In den späten Neunzigerjahren wurden mit dem damals schon beträchtlichen Defizit im Wesentlichen private Investitionen finanziert – Ausgaben also, von denen in der Regel erwartet werden kann, dass sie die potenzielle Wirtschaftsleistung erhöhen. Ein so verwendetes Defizit kann unter Umständen über lange Zeit nachhaltig sein – schließlich steigt mit den Schulden auch die Fähigkeit des Schuldners, sie zu begleichen.

Anders sieht es aus, wenn, wie es mittlerweile der Fall ist, mit einem Leistungsbilanzdefizit größtenteils nur Löcher im Staatshaushalt gestopft werden: Geld, das für Panzer ausgegeben wird, schafft kurzfristig Nachfrage – es erhöht das Leistungspotenzial einer Volkswirtschaft aber nicht; und Geld, das für Sicherheitspersonal an Flughäfen oder die Kontrolle von Containerhäfen verwendet wird, schmälert das Leistungspotenzial im Zweifel sogar.[12]

Die graue Bombe

Amerika vergreist. Heute ist jeder sechste Amerikaner über 60 Jahre alt, im Jahr 2040 wird es jeder vierte sein. „Social Security", das umlagefinanzierte staatliche Rentensystem, ist daher auf Crashkurs: Entweder werden die Arbeitnehmer der Zukunft unter einer riesigen Abgabenlast erdrückt – oder die Rentner der Zukunft bekommen nur einen kleinen Teil dessen zurück, was sie heute in Form von Sozialabgaben einzahlen.

Wie groß das Problem ist, haben die Ökonomen Jagadeesh Gokhale und Kent Smetters in einer Studie errechnet. Ergebnis: Abgezinst auf ihren heutigen Wert, dürften alle künftigen Ausgaben die zu erwartenden Einnahmen um sieben Billionen Dollar übersteigen. Wird „Medicare", die staatliche Krankenversicherung für Senioren, einbezogen, wächst die Unterfinanzierung gar auf 43,6 Billionen Dollar: 43.600.000.000.000 Dollar![13]

Nachhaltig wäre das System unter diesen Bedingungen nach den Berechnungen von Gokhale und Smetters nur, wenn die Sozialbeiträge, die Arbeitnehmer und Arbeitgeber zu gleichen Teilen finanzieren, umgehend und dauerhaft von 15,3 auf 31,9 Prozent erhöht würden. Die Alternative bestünde darin, die Leistungen für die Senioren um 45 Prozent zu kürzen – und zwar sofort und für alle Zeiten.[14]

Und: Es muss schnell etwas geschehen. Jedes Jahr, das ungenutzt verstreicht, macht die letztlich unausweichliche Anpassung nur noch schmerzhafter. Bereits im Jahr 2008, so Gokhale und Smetters, läge zum Beispiel die notwendige Beitragsanhebung um zusätzliche 1,6 Prozentpunkte höher.[15]

In der Zeit danach würden Reformen noch schwieriger. Dann nämlich werden die geburtenstarken Jahrgänge der ersten beiden Nachkriegsdekaden, die so genannten Baby Boomer, beginnen, sich in den Ruhestand zu verabschieden. Das wird einen Zangengriff verursachen: Mit jedem Jahr schrumpft die Zahl der Beitragszahler um einen großen Jahrgang – während die Zahl der Rentner um einen großen Jahrgang wächst.

Deutsche Verhältnisse?

Leistungsbilanz- und Budgetdefizit, deflationäre Risiken, ein möglicher Crash am Immobilienmarkt, schließlich die demographische Alterung: Kurz-, mittel- wie langfristig haben sich Amerikas Wachstumsaussichten erheblich eingetrübt. Es würde überraschen, wenn es der US-Wirtschaft gelänge, wie in den späten Neunzigern noch einmal über Jahre hinweg mit Raten von mehr als vier Prozent zu wachsen. Die Neunzigerjahre – sie werden den Amerikanern womöglich lange als die gute alte Zeit in Erinnerung bleiben.

Das heißt aber nicht, dass Amerika deutsche Verhältnisse bevorstehen würden. Besonders eindeutig ist dies in langfristiger Perspektive. Die Vergreisung hier zu Lande wird, da die Geburtenrate deutlich niedriger liegt und weniger Einwanderer ins Land gelassen werden, erheblich stärker sein (siehe Grafik 7.2).

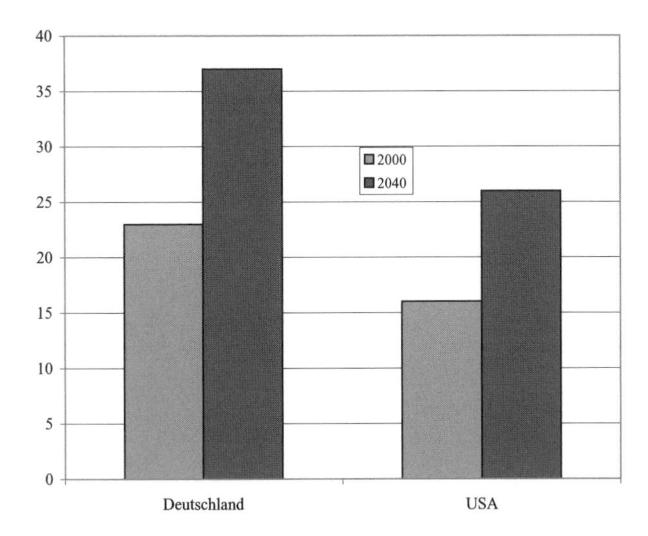

Grafik 7.2: *Demographische Entwicklung im Vergleich (Anteile der über 60-jährigen an der Gesamtbevölkerung, in Prozent)* *[Quelle: Jackson (2003) Seite 6.]*

Außerdem erwerben heutige Beitragszahler in Deutschland, anders als in den USA, mehr als nur Anspruch auf eine Grundversorgung – entsprechend größer wird die Kostenexplosion ausfallen. So bezogen in den USA im Jahr 2000 Haushalte mit über 60-jährigen Vorständen 35 Prozent ihrer verfügbaren Einkommen vom Staat, in Deutschland waren es dagegen 61 Prozent. Im mittleren Fünftel der Einkommensskala lag der Anteil in den USA bei 54 Prozent, in Deutschland bei 84 Prozent. So bedrohlich also die graue Bombe für die USA ist – in Deutschland hat sie weitaus größere Sprengkraft.[16]

Außerdem war eben nicht alles nur Hype. Der Anstieg des Produktivitätswachstums seit 1996 allein hat den Amerikanern bis zum Jahr 2002 einen Zuwachs der Wirtschaftsleistung um insgesamt gut acht Prozent beschert – pro Jahr und Kopf der Bevölkerung entspricht dies einem zusätzlichen Einkommen in Höhe von rund 3.000 Dollar. Dieses Geld ist mit der Krise nicht verschwunden, im Gegenteil: Wie in Kapitel 4 beschrieben, deutet viel darauf hin, dass sich das hohe Produktivitätswachstum fortsetzen wird.

Ähnliches gilt für den Arbeitsmarkt. Die Arbeitslosigkeit erreichte im Sommer 2003 mit Werten von gut sechs Prozent ein Niveau, das Deutschland und viele andere westliche Industrieländer selbst in Hochkonjunkturen nicht erreichen. Und so bedauernswert der Verlust von 2,6 Millionen Jobs im Zuge der jüngsten Krise ist: Er macht Amerikas Beschäftigungsboom nicht ungeschehen. In den USA sind in den Achtziger- und Neunzigerjahren netto 2,1 Millionen Arbeitsplätze entstanden – und zwar pro Jahr.

Anders gerechnet: Um Amerikas Beschäftigungsbilanz seit 1991 ähnlich schlecht aussehen zu lassen wie die deutsche, müssten in den USA nicht 2,6 Millionen Arbeitsplätze verschwinden. Sondern fast zehnmal so viele.

Fußnoten

1) NBER (www.nber.org) und Roach (2003), S. 1. Die Angaben sind nicht kaufkraftbereinigt.
2) vgl. Business Cycle Dating Committee (2003), S. 2ff.
3) Business Cycle Dating Committee (2003), S. 2ff., und IWF (2002a), S. 5.
4) BEA (www.bea.gov).
5) vgl. Bernanke (2003), S. 4ff.
6) vgl. IWF (2003), S. 61ff.
7) BEA (www.bea.gov) und Institute of International Finance (www.iif.com).
8) Freund (2000), S. 8, und BEA (www.bea.gov).
9) CEA (2003), S. 370.
10) Laubach (2003).
11) Die Zahlen in diesem und dem vorigen Absatz ergeben sich aus den Prognosen der Regierung vom Juli 2003; vgl. OMB (2003).
12) Ausgaben für militärische Forschung und Entwicklung allerdings können erhebliche „Spill-over-Effekte" erzeugen. Das wohl berühmteste Beispiel für einen Fall, in dem Pentagon-Gelder sich positiv auf die Produktivität ausgewirkt haben, ist das Internet, das das US-Militär ursprünglich als internes Kommunikationsmittel entwickeln ließ.
13) Gokhale und Smetters, S. 2f., 23ff. Die Angaben beziehen sich auf das Haushaltsjahr 2002. Den Bechnungen liegen folgende Annahmen zugrunde: ein jährliches Wachstum des Pro-Kopf-Einkommens von 1,7 Prozent, ein jährliches Wachstum der Medicare-Ausgaben von 2,7 Prozent und ein Zinssatz von 3,6 Prozent.
14) ebenda.
15) Gokhale und Smetters, S. 34ff.
16) Jackson (2003), S. 14.

Kapitel 8: Ein Elend auf der Suche nach Rechtfertigung

Deutschland hinkt hinterher: Ob das Pro-Kopf-Einkommen betrachtet wird, die Beschäftigung oder die Entwicklung der Produktivität – in allen Bereichen stellt der Vergleich mit den USA der Bundesrepublik ein schlechtes Zeugnis aus. Aber vielleicht ist die Situation ja gar nicht so bedrückend, wie es die Statistiken glauben machen.

So sind die Deutschen im Vergleich zu den USA wohlhabender, als es die amtlichen Zahlenreichen zeigen – schließlich hat hier zu Lande die Schattenwirtschaft größeres Gewicht. Nach Berechnungen des Linzer Wirtschaftswissenschaftlers Friedrich Schneider belief sich die Größe der Untergrund-Ökonomie in Deutschland 2001/2002 auf 16,3 Prozent der offiziell ausgewiesenen Wirtschaftsleistung, in den USA dagegen nur auf 8,7 Prozent.[1]

Außerdem kann kaum Zweifel bestehen: Die Kluft zwischen den Lebensstandards in Deutschland und Amerika ist kleiner, als es das deutlich höhere Pro-Kopf-Einkommen in den USA suggeriert.[2]

Teils ist die Natur dafür verantwortlich: In Amerika herrscht ein extremeres Klima als in Deutschland. Ein größerer Teil der Wirtschaftsleistung muss daher in den USA für die Abwehr und Reparatur von Schäden ausgegeben werden, die zum Beispiel Tornados anrichten. Und die höheren Ausgaben für Energie in den USA erklären sich unter anderem damit, dass sehr hohe und sehr niedrige Außentemperaturen einen höheren Verbrauch von Energie für Heizungen und Klimaanlagen erzwingen.

Außerdem geben die Amerikaner mehr Geld aus für die Abwehr und Eindämmung von Kriminalität. Seit Mitte der Siebzigerjahre ist die Zahl der Gefängnisinsassen drastisch angestiegen. Ende des Jahres 1980 saß in den USA eine halbe Million Menschen ein, mittlerweile sind es mehr als zwei Millionen. In keinem Land der Welt befindet sich ein so hoher Anteil der Bevölkerung hinter Gittern.[3] (Die Folgen für den Arbeitsmarkt werden in Kapitel 15 diskutiert.)

Allein für ihre Gefängnisse bezahlten die Amerikaner im Haushaltsjahr 1999 rund 49 Milliarden Dollar. Die Polizei kostete weitere 65 Milliarden, die Justiz 32 Milliarden. Je Einwohner ergeben sich Kosten in Höhe von 521 Dollar.[4] Hinzuzurechnen sind indirekte Kosten. Dazu zählt zum Beispiel die Wirtschaftsleistung, die dem Land durch das massenweise Wegsperren eigentlich erwerbsfähiger Bürger entgeht.

Haushalte und Unternehmen geben ebenfalls mehr für ihre Sicherheit aus als in Deutschland. Beispielsweise leben mehr als vier Millionen Amerikaner in so genannten Gated Communities – Wohnsiedlungen, die von Zäunen oder Mauern umgeben und nicht frei zugänglich sind. Ursprünglich vor allem bei der gehobenen weißen Mittelschicht beliebt, wohnen mittlerweile auch viele Geringverdiener und Angehörige ethnischer Minderheiten derart abgeschirmt. Im texanischen Houston erreicht der Anteil der Haushalte, die in Gated Communities lebt, bereits 22 Prozent.[5]

Die im Vergleich hohen Ausgaben für den Kampf gegen die Kriminalität und die Launen der Natur bedeuten: Die Amerikaner haben entsprechend weniger Geld zur Verfügung, um andere Bedürfnisse zu befriedigen. Die Unterschiede zwischen den Lebensstandards in Deutschland und Amerika sind daher kleiner, als es ein Vergleich der Pro-Kopf-Einkommen andeutet.

Glück versus Geld

Die in den vorangegangenen Kapiteln präsentierten Statistiken sind noch in anderer Hinsicht irreführend: In ihnen wird nicht alles gezählt, was zählt – und nicht alles, was gezählt wird, zählt wirklich.

Zur Berechnung des Pro-Kopf-Einkommens etwa wird das Bruttoinlandsprodukt (BIP) verwendet, und das entspricht, grob gesagt, dem Marktwert der in einem Jahr erstellten Güter und Dienstleistungen – nicht weniger, aber eben auch nicht mehr. Hausarbeit etwa, die von einer Putzfrau oder einem Kindermädchen erbracht wird, fließt in die BIP-Berechnung ein. Hausarbeit dagegen, die eine Hausfrau leistet, bleibt in der volkswirtschaftlichen Gesamtrechnung außen vor.

Außerdem macht Geld allein, natürlich, nicht glücklich. Empirische Untersuchungen zeigen zum Beispiel, dass persönliche Beziehungen für das Wohlbefinden wichtiger sind als schnöder Mammon.[6]

Auch Politiker sollten daher selbstverständlich nicht nur BIP und Pro-Kopf-Einkommen im Sinn haben. „Für uns ist Lebensqualität mehr als Lebensstandard, mehr als Konsum- oder Einkommensniveau", sagte Bundeskanzler Schröder völlig zu Recht in der ersten Regierungserklärung nach seiner Wiederwahl im Herbst 2002.[7] So wächst selbstverständlich die Lebensqualität, wenn dank des medizinischen Fortschritts die Lebenserwartung steigt; in die volkswirtschaftliche Gesamtrechnung geht derlei aber in keiner Weise ein.

Und: Nicht nur ist der Lebensstandard hier zu Lande größer als es ein Vergleich der Pro-Kopf-Einkommen nahe legt – die Lebensqualität in Deutschland ist auch größer, als es ein Vergleich der materiellen Lebensstandards suggeriert.

So lässt sich, wie in den Kapiteln 4 und 6 erläutert, ein nicht unerheblicher Teil des Wachstums von Beschäftigung und Produktivität in den USA auf den Trend zu großen Supermärkten, Warenhäusern und Shopping-Malls in den Vorstädten zurückführen. Dieser Trend begünstigt nicht nur die wirtschaftliche Effizienz des Einzelhandels selbst. Er macht auch den Verbrauchern das Leben angenehmer – jedenfalls soweit häufiges Einkaufen als Last empfunden wird.

Doch die höhere Effizienz kostet ein Stück Lebensqualität: Der Einzelhandel ist weitgehend aus den amerikanischen Innenstädten verschwunden. Das in Europa so beliebte Bummeln in Fußgängerzonen, das Flanieren auf Boulevards – in den USA gehört es weitgehend der Vergangenheit an.[8]

So bedauernswert das für die Amerikaner sein mag – Deutschlands niederschmetternde Beschäftigungs- und Wachstumsbilanz kann es nicht rechtfertigen. Selbst wenn es amerikanischen Behörden und Gesetzgebern gelungen wäre, das Wachstum von Wal-Mart, Home Depot & Co. mit Ladenschlussgesetzen und Baugenehmigungsverfahren nach deutschem Muster zu strangulieren: Die USA hätten in den vergangenen 25 Jahren dennoch bei weitem mehr Wachstum und Beschäftigung geschaffen als Deutschland (siehe Kapitel 12).

Freizeit versus Arbeit

Lieber ein bisschen mehr Freizeit genießen als ein bisschen mehr Einkommen – warum nicht?

Weil der Preis dafür höher ist als auf den ersten Blick sichtbar. Dies deshalb, weil nicht nur der Arbeitnehmer auf Lohn oder Gehalt verzichtet: Da weniger Arbeitseinkommen mit Steuern und Abgaben belegt werden können, müssen parallel entweder Transferleistungen und andere Staatsausgaben beschnitten werden. Oder Staat und Sozialversicherungen müssen versuchen, die Einnahmeausfälle durch umso höhere Abgabensätze auszugleichen. Zusätzlich ist, weil Leistungsanreize geschwächt werden, in diesem Fall mit negativen Wachstumseffekten zu rechnen, die über die direkten Folgen der Arbeitszeitverkürzung hinausgehen.[9]

Dennoch: Es muss nicht unbedingt ein schlechtes Zeichen sein, wenn, wie in Kapitel 3 gezeigt, ein Drittel der deutschen Bevölkerung im erwerbsfähigen Alter nicht berufstätig ist. Andersherum ist es nicht unbedingt ein gutes Zeichen, wenn in den USA ein größerer und tendenziell weiter wachsender Teil der Bevölkerung arbeitet: Theoretisch nämlich könnte dies zum Beispiel daran liegen, dass immer mehr Frauen sich zum Arbeiten genötigt sehen, um den Kaufkraftschwund der Arbeitseinkommen ihrer Ehemänner auszugleichen. (Diese These wird in Kapitel 13 ausführlicher aufgegriffen.)

Wie die große Kluft des Beschäftigungsstands im deutsch-amerikanischen Vergleich zu bewerten ist, hängt daher letztlich davon ab, ob und inwieweit sie freiwillig zustande gekommen ist. Sicher ist die Unterbeschäftigung in Deutschland nicht allein das Ergebnis freiwilliger Entscheidungen – angesichts von sechs Millionen offen oder verdeckt arbeitslosen Menschen wäre eine solche Annahme lächerlich. Doch ist die Kluft nicht gänzlich unfreiwillig entstanden – sonst würden sechs Wochen Urlaub im Jahr in Deutschlands wirtschaftspolitischer Debatte nicht als eine Art unveräußerliches Grundrecht betrachtet, während sich viele Amerikaner wie selbstverständlich mit der Hälfte (oder weniger) begnügen.

Genauere Aussagen sind schwer zu treffen, verlässliche Schätzungen gibt es, soweit erkennbar, nicht. In einem europäisch-amerikanischen Vergleich geht Robert Gordon, ein Ökonomieprofessor von der amerikanischen Northwestern University, davon aus, dass die Kluft zu einem Drittel freiwilliger Natur ist – nennt diese Zahl aber selbst „eine wilde Schätzung“.[10]

Ob es in Wirklichkeit ein Drittel ist oder eher ein Zehntel oder die Hälfte: Klar ist, dass sich die Lebensqualität zwischen Deutschland und Amerika weiter annähert, wenn statt des bloßen Lebensstandards auch der Faktor Freizeit berücksichtigt wird.

Wachstum versus Gerechtigkeit

Das Pro-Kopf-Einkommen in den USA dürfte nach Schätzungen von Eurostat im Jahr 2003 kaufkraftbereinigt um 37 Prozent höher sein als in Deutschland.[11] Diese Differenz ist derart groß, dass – Kriminalität hin, Klima her – von einem deutlich höheren Lebensstandard in den USA auszugehen ist. Und die Unterschiede beim Lebensstandard dürften groß genug sein, dass – Fußgängerzonen hin, Freizeit her – kaum pauschal angenommen werden kann, in Deutschland herrschte dieselbe Lebensqualität wie in den USA (siehe auch Kapitel 9). Und angesichts der in Kapitel 2 demonstrierten anhaltenden Divergenz bei der Entwicklung der Pro-Kopf-Einkommen ist davon auszugehen, dass das Gefälle zunehmend steiler wird.

Außerdem besagen die genannten Relativierungen nur, dass ein und dasselbe Pro-Kopf-Einkommen in Deutschland mit einem höheren Lebensstandard und einer höheren Lebensqualität einhergehen würde. Daran, dass es den USA gelingt, ein höheres Pro-Kopf-Einkommen zu erwirtschaften, ändern sie nichts.

Bisher noch gar nicht berücksichtigt worden sind allerdings zwei Faktoren, die womöglich alle amerikanischen Vorsprünge ausgleichen oder gar überkompensieren: die Gerechtigkeit und die soziale Sicherheit.

Das Pro-Kopf-Einkommen ist ein arithmetisches Mittel, und auch Lebensstandard und -qualität wurden bis hierher als Durchschnittsgrößen interpretiert. Derlei Durchschnitte haben aber natürlich nur eine begrenzte Aussagekraft. Wie begrenzt, das macht beispielsweise ein Vergleich zwischen Ungarn und Saudi-Arabien deutlich, zwei Ländern mit kaufkraftbereinigt ungefähr gleich hohem Pro-Kopf-Einkommen. Das Risiko, dass ein Kind noch im Säuglingsalter stirbt, ist in Saudi-Arabien doppelt so groß wie in Ungarn; in Ungarn sind nur ein Prozent der Erwachsenen Analphabeten, in Saudi-Arabien dagegen können jeder sechste Mann und gar jede dritte Frau nicht lesen und schreiben.[12]

Auf Deutschland und Amerika übertragen heißt das: Verdeckt womöglich der ansehnliche Anstieg des amerikanischen Pro-Kopf-Einkommens, dass Chancen, Einkommen und Vermögen in den USA in einer Weise verteilt sind, die mit einer wohldefinierten Auffassung von Gerechtigkeit nicht in Einklang gebracht werden kann? Hat vielleicht ein großer Teil der amerikanischen Bevölkerung gar nicht an den Zuwächsen partizipiert? Sind die Reichen immer reicher und die Armen immer ärmer geworden? Kann Deutschland von sich sagen, dass hier mehr Gerechtigkeit produziert wird und die Unterlegenheit bei Wirtschafts- und Beschäftigungswachstum daher hinnehmbar ist?

Darüber hinaus hat, wie Kanzler Schröder es formuliert, „Lebensqualität ... sehr viel ... mit Freiheit zu tun, und zwar Freiheit von Angst und Not."[13] Fraglos wollen Menschen soziale Sicherheit: Sicherheit vor allem wohl davor, unfreiwillig Abstriche von einem einmal erreichten Maß an Lebensqualität machen zu müssen. Haben also, auf der einen Seite, die Amerikaner eine hohe, aber stets bedrohte Lebensqualität? Können, auf der anderen Seite, die Deutschen darauf verweisen, dass ihr Land eine zwar geringere, dafür aber besser abgesicherte Lebensqualität bietet?

Gerechtigkeit und soziale Sicherheit – diesen beiden Themen und den mit ihnen verbundenen, gerade aufgeworfenen Fragen sind weite Teile der folgenden Kapitel gewidmet.

Fußnoten

1) Schneider (2003), S. 7.
2) vgl. Gordon (2002), S. 11.
3) BJS (www.ojp.usdoj.gov/bjs) und International Centre for Prison Studies (www.kcl.ac.uk/depsta/rel/icps).
4) BJS (www.ojp.usdoj.gov/bjs)
5) Sanchez und Lang (2002).
6) Blanchflower und Oswald (2000) zum Beispiel belegen: Statistisch betrachtet, zeigt sich ein geschiedener Amerikaner in Umfragen nur dann genauso glücklich wie ein verheirateter Mitbürger mit ansonsten identischen Lebensverhältnissen, wenn er ein um 100.000 Dollar höheres Jahreseinkommen hat.
7) Regierungserklärung vom 29. Oktober 2002, zitiert nach www.bundesregierung.de.
8) Gordon (2002), S. 12.

9) Ein weiteres gewichtiges Gegenargument: So sehr ein Katalog an arbeitsrechtlichen Mindeststandards als Schutz vor Ausbeutung mit einer freiheitlichen Grundordnung vereinbar ist, so problematisch ist es, wenn ein Kollektiv sich das Recht herausnimmt, Individuen die Aufteilung von Arbeit und Freizeit genau und verbindlich vorzuschreiben. Dies gilt umso mehr, wenn die Entscheidungen des Kollektivs Menschen trifft, die kein Vertretungsmandat erteilt haben. Man denke an die Rolle der deutschen Gewerkschaften bei der Vereinbarung von Flächentarifverträgen.
10) Gordon (2002), S. 10.
11) Eurostat.
12) Weltbank (2002), S. 19f., 99f., 123f. Alle Angaben beziehen sich auf das Jahr 2000.
13) Regierungserklärung vom 29. Oktober 2002, zitiert nach www.bundesregierung.de.

Teil II:

Un-Sozialstaat USA: Mythen, Halbwahrheiten – und die Realität

„Wir werden glücklich sein, sollten sie uns nur noch 40 Stunden die Woche arbeiten lassen, wenn wir, was immer zuerst eintritt, 82 sind oder inkontinent."[1]

Derlei über die Amerikaner zu schreiben, verkauft sich gut – in den USA selbst und mehr noch in Deutschland. Das Buch, aus dem der Satz stammt, kommt aus Amerika, heißt „Stupid White Men" und war der „Spiegel"-Bestseller-Liste zufolge im Jahr 2003 über Monate hinweg das meistgekaufte Sachbuch in Deutschland.

Keine Frage, die Vorstellung vom Un-Sozialstaat USA ist keine deutsche, keine europäische Kreation. Sie stammt aus amerikanischen Federn und Filmen. Dass in Amerika der Lebensstandard sinkt, dass zahllose Menschen zwei oder mehr Jobs haben, dass sich Armut ausbreitet und die Mittelschicht verschwindet: Alles dies wird auch glauben, wer zum Beispiel regelmäßig die einflussreiche „New York Times" liest. Zwar wird die „Times" oft und wohl zu Recht als beste Zeitung der Welt bezeichnet. Doch das heißt nicht, dass alles, was in ihr zu lesen steht, ein unverzerrtes und vollständiges Abbild der Realität ist – oder auch nur den Versuch unternimmt, es zu sein.

Im Folgenden werden acht der gängigsten Vorurteile über die angeblich so schlechte soziale Lage in Amerika aufgegriffen und auf ihren Wahrheitsgehalt untersucht. So viel vorab: Die meisten, so wird sich zeigen, sind schlicht Mythen oder Halbwahrheiten. Und die, die es nicht sind, haben in ihrem Kern andere Ursachen, als gemeinhin angenommen wird.

Fußnote

1 Moore (2001), S. xvi.

Kapitel 9: „Der Lebensstandard sinkt"

Es geht den Bach runter: Noch vor gut zehn Jahren war in Amerika vom „Zeitalter der verminderten Erwartungen" die Rede.[1] Oder von der „Generation X", der ersten Generation, die einen geringeren Lebensstandard haben werde als ihre Elterngeneration.

Ein Indikator, auf den die Pessimisten besonders gerne verwiesen, ist die Entwicklung der Stundenlöhne. Die erscheint in der Tat niederschmetternd. So ist der durchschnittliche Stundenlohn in den Fünfziger- und Sechzigerjahren kräftig angestiegen. Seit Mitte der Siebzigerjahre hingegen war er, wenn die Geldentwertung berücksichtigt wird, rückläufig (siehe Grafik 9.1).

Erst der Boom der Neunzigerjahre verlieh dem Durchschnittslohn wieder Auftrieb. Mit 14,77 Dollar lag er im Jahr 2002 inflationsbereinigt aber noch immer fast fünf Prozent unter seinem Rekordhoch.

Vernachlässigt wird bei einer Betrachtung der Stundenlöhne allerdings:

- Die Steuerbelastung ist seit 1978 erheblich gesunken. Die Nettolöhne haben sich also besser entwickelt als die als Bruttogrößen ausgewiesenen Stundenlöhne.

- Krankenversicherungen und andere freiwillige Sozialleistungen der Arbeitgeber („Benefits") spielen bei der Entlohnung eine zunehmend große Rolle.[2] Einer Umfrage der amerikanischen Handelskammer unter 372 US-Arbeitgebern zufolge werden für jeden Dollar Lohn inzwischen zusätzlich „Benefits" im Wert von knapp 33 Cents gezahlt.[3]

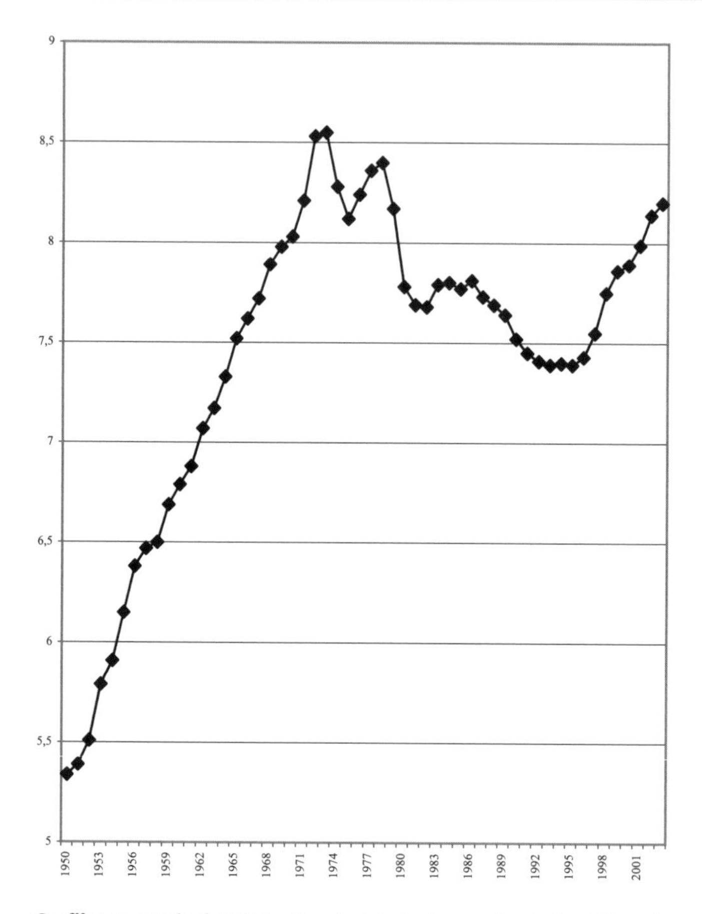

Grafik 9.1: *Durchschnittlicher Stundenlohn in der amerikanischen Privatwirtschaft – in Dollar (Preisen von 1982); 2003: Februar* *[Quelle: BLS]*

■ Ein immer größerer Teil der Haushaltseinkommen wird nicht durch Erwerbsarbeit erzielt, sondern durch Dividenden, Kursgewinne und Zinsen. Im Jahr 2001 etwa besaßen 52 Prozent der amerikanischen Haushalte direkt oder indirekt – über Fonds oder Rentensparplänen – Aktien. Selbst im untersten Einkommens-Fünftel lag der Anteil noch bei 12,4 Prozent. In Deutschland, zum Vergleich, betrug der Anteil der Aktienbesitzer im Jahr 2002 rund 18 Prozent der Bevölkerung über 14 Jahre.[4]

Außerdem arbeitet Amerika mehr als früher: Mehr Frauen sind erwerbstätig, und mehr Menschen arbeiten in Voll- statt Teilzeitjobs. Um den materiellen Lebensstandard der durchschnittlichen amerikanischen Familie abzuschätzen, ist es daher sinnvoller, einen Blick auf das insgesamt erzielte Haushaltseinkommen zu werfen.

Löhne versus Einkommen

Eine gängige Form, in der amerikanische Statistiker das Einkommen von Haushalten messen, ist das „Money Income“, im Folgenden der Einfachheit halber Bruttoeinkommen genannt. In ihm sind neben Löhnen und Gehältern auch andere Zahlungen wie Zinsen, Dividenden, Mieteinnahmen oder staatliche Transfers enthalten.

Ein Blick auf die reale, also inflationsbereinigte, Entwicklung des Bruttoeinkommens seit 1978 zeigt: Das Einkommen des amerikanischen Durchschnittshaushalts erlitt in den Rezessionen Anfang der Achtziger und Anfang der Neunziger Rückschläge, von denen es sich jahrelang nicht erholen sollte (siehe Grafik 9.2). Diese Rückschläge wurden am Ende jedoch deutlich überkompensiert durch starke Zuwächse in den folgenden konjunkturellen Aufschwüngen. Alles in allem ist ein eindeutiger Aufwärtstrend zu erkennen.[5]

Natürlich könnte ein steigendes Durchschnittseinkommen verdecken, dass Geringverdiener vom Aufwärtstrend abgekoppelt sind. Dies ist allerdings nicht der Fall. Deutlich wird das, wenn beispielsweise das so genannte 20. Perzentil in der Einkommensskala betrachtet wird. Das 20. Perzentil ist mit jenen Haushalten besetzt, die weniger verdienen als die 80 Prozent einkommensstärksten Haushalte, aber mehr als die 19 Prozent mit dem geringsten Einkommen; es stellt also die Obergrenze des untersten Einkommens-Fünftels dar.

Wie Grafik 9.2 zeigt, entwickelte sich diese Obergrenze weitgehend im Gleichschritt mit dem Durchschnittseinkommen.

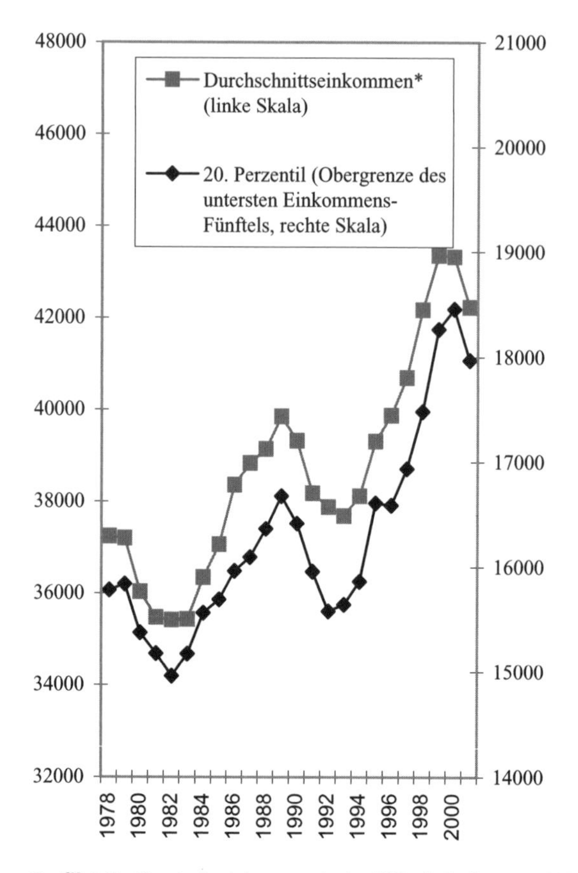

Grafik 9.2: *Haushaltseinkommen in den USA – in Preisen von 2001*

[Quelle: U.S. Census Bureau (2002a) S. 15, 19]

Insgesamt konnte das 20. Perzentil zwischen 1978 und 2001 sogar einen etwas größeren realen Zuwachs verzeichnen (plus 13,9 Prozent) als der Durchschnittshaushalt (plus 13,4 Prozent).

Die Entwicklung des tatsächlich verfügbaren Einkommens pro Kopf dürfte noch deutlich besser ausfallen als die des Brutto-Haushaltseinkommens. Denn im Money Income spiegeln sich – wie bei den Löhnen – die gesunkene Steuerbelastung, der Zuwachs bei den freiwilligen Sozialleistungen und Kursgewinne nicht wider.

Zudem ist die Größe eines Haushalts im statistischen Durchschnitt seit 1978 von 2,9 auf 2,6 Personen gesunken – ein Haushaltseinkommen muss also heute auf weniger Personen verteilt werden. *Pro Kopf* ist das reale Bruttoeinkommen eines durchschnittlichen amerikanischen Haushalts denn auch nicht um 13,4 Prozent gestiegen – sondern um 25,2 Prozent.[6]

Einkommen versus Konsum

Natürlich ist – wie der Stundenlohn – letztlich auch das Einkommen nur ein grober Indikator für Lebensstandard und Lebensqualität. Andere Indikatoren bestätigen jedoch den Eindruck, der bei der Betrachtung der Einkommensentwicklung entsteht (siehe Tabelle 9.1).

So weist der Human Development Index, ein umfassender Maßstab der Vereinten Nationen zur Messung für Lebensqualität, für die USA den weltweit siebthöchsten Wert aus. Alle anderen großen Industrieländer liegen in der Weltrangliste dahinter: Japan kommt auf Platz 9, Großbritannien und Frankreich auf die Plätze 13 und 17, Deutschland auf Platz 18 und Italien auf Platz 21.[7]

Unterdessen steigt die Ausstattung amerikanischer Haushalte mit Konsumgütern stetig.[8] Vielfach erreicht sie, wie Tabelle 9.1 zeigt, ein deutlich höheres Niveau als in Deutschland.

Selbst Amerikas Geringverdiener sind beachtlich ausgestattet. 56,8 Prozent der Haushalte im untersten Einkommens-Fünftel hatte 2001 mindestens ein Auto. 40,6 Prozent lebten in den eigenen vier Wänden, bei den ärmsten 20 Prozent in den USA ist der Immobilienbesitz also so verbreitet wie in Deutschland insgesamt.[9]

Tabelle 9.1: Indikatoren für Lebensstandard und Lebensqualität in Deutschland und den USA

	DEUTSCHLAND	USA
1. Human Development Index (HDI)		
Index-Wert, 2000	0,921	0,937
Platz in der HDI-Weltrangliste, 2000	18	7
2. Lebenserwartung in Jahren		
... eines neugeborenen Jungen, 2000	74,4	73,9
... eines 30-jährigen Mannes, 2000	45,7	45,7
... eines 50-jährigen Mannes, 2000	27,2	27,7
... eines 70-jährigen Mannes, 2000	12,1	12,8
3. Ernährung pro Kopf		
Kalorienverbrauch, 1999	3.411	3.754
Obst- und Gemüsekonsum, Kilogramm, 1999	185,4	242,8
Alkoholkonsum, Liter, über 15-Jährige, 1998	10,6	8,3
Tabakkonsum, Gramm, über 15-Jährige, 1999	2.262	1.633
3. Behausung		
Anteil der Besitzer von Wohneigentum in %[a)]	40,5	68,0
Durchschnittl. Größe von Wohneinheiten, qm[b)]	87,4	163,8
4. Ausstattung mit Konsumgütern		
Kühlschrank, in %, 2001	99,3	99,8
Gefrierschrank, in %, 2001	73,3	32,0
Geschirrspülmaschine, in % 2001	51,3	53,0
Mikrowellengerät, in %, 2001	58,2	86,1
Waschmaschine, in %, 2001	95,1	78,6
Wäschetrockner, in %, 2001	33,3	73,6
Fernsehgerät, in %, 2000	95,9	98,2
Videorekorder, in %, 2000	65,9	85,1
Kabelanschluss, in %, 2000	54,2	68,0
Telefonanschlüsse je 1.000 Einwohner, 2001	635	665
Mobilfunkteilnehmer je 1.000 Einwohner, 2001	683	444
Personalcomputer, je 1.000 Einwohner, 2001	336	623
Internetnutzer, je 1.000 Einwohner, 2001	364	500

[a)] Deutschland 1998, USA erstes Quartal 2003; [b)] Deutschland 1998, USA 1997.

Quellen: OECD (OECD Healta Data 2002 CD-ROM), Statistisches Bundesamt (2002a), S. 26f., 203f., Statistisches Bundesamt (www.destatis.de), United Nations Development Programme (2003), S. 237, United Nations Economic Commission for Europe (www.unece.org), U.S. Census Bureau (2002), S. 605, 699, und U.S. Census Bureau (www.census.gov).

Überhaupt dürfte der Konsum, mengenmäßig betrachtet, deutlich stärker zugenommen haben, als es die Entwicklung der Einkommen nahe legen würde. Der schlichte Grund: Insbesondere der technische Fortschritt und die Deregulierung von Märkten in den vergangenen 25 Jahren haben dafür gesorgt, dass die Preise vieler Konsumgüter relativ zum Einkommen gefallen sind.

So haben die US-Ökonomen Richard Alm und Michael Cox ausgerechnet:

- Für einen Drei-Minuten-Anruf von Küste zu Küste musste ein amerikanischer Durchschnittsverdiener 1980 elf Minuten arbeiten, Ende der Neunzigerjahre dagegen nur noch zwei.

- Der Preis für 100 Kilowattstunden Strom fiel im gleichen Zeitraum von 45 auf 38 Minuten.

- Für eine Flugreise mussten Ende der Neunziger je 100 Meilen nur noch 62 statt 87 Minuten gearbeitet werden.

Am dramatischsten war der Preisverfall bei den Informationstechnologien: Der Preis für eine gegebene Rechenleistung von Computern ging um 99,8 Prozent zurück.[10]

* * *

Letztlich lässt sich darüber streiten, wie die Entwicklung des Lebensstandards in den USA seit 1978 zu beurteilen ist. Legt man beispielsweise die Fünfziger- und Sechzigerjahre als Maßstab an, dann ist die Bilanz sicher nicht begeisternd.

Nicht streiten allerdings lässt sich darüber, ob der Lebensstandard von John-Normalverbraucher in Amerika in den vergangenen 25 Jahren weiter gewachsen ist. Er ist.

Fußnoten

1) So lautete der Titel eines Buches des prominenten Princeton-Ökonomen Paul Krugman.
2) Cox und Alm (1999), S. 65. Weil freiwillige Sozialleistungen steuerlich begünstigt werden, haben US-Unternehmen ein Interesse daran, einen hohen Anteil der Mitarbeiterentlohnung in Form von „Benefits" zu bezahlen. Arbeitnehmer wiederum profitieren unter anderem dadurch, dass eine vom Arbeitgeber vermittelte und mitfinanzierte Krankenversicherung erheblich günstiger ist als sonst üblich. Vgl. OECD (2002d), S. 87f.
3) U.S. Chamber of Commerce (2002), S. 8. 99 Prozent der befragten Unternehmen bieten ihren Vollzeitbeschäftigten eine Krankenversicherung an, 95 Prozent offerieren Vollzeitmitarbeitern Rentensparpläne.
4) Aizcorbe, Kennickell und Moore (2003), S. 16, und Deutsches Aktieninstitut (www.dai.de).
5) Von Bedeutung ist hier, dass ein Median und kein arithmetisches Mittel betrachtet wird. Ein arithmetisches Durchschnittseinkommen kann allein dadurch steigen, dass Reiche noch reicher werden, während alle anderen Einkommen stagnieren. Bei einem Median ist dies definitionsgemäß nicht möglich – schließlich ist der Median jener Wert, der von jeweils 50 Prozent der Grundgesamtheit über- beziehungsweise unterschritten wird.
6) U.S. Census Bureau (2002), S. 8, U.S. Census Bureau (2002a), S. 15, und eigene Berechnungen.
7) United Nations Development Programme (2003), S. 237.
8) Ein ausführlicher Vergleich der Ausstattung im Jahr 1970 und der Ausstattung Mitte der Neunzigerjahre findet sich bei Cox und Alm (1999), S. 7.
9) Aizcorbe, Kennickell und Moore (2003), S. 19.
10) Cox und Alm (1999), S. 43.

Kapitel 10: „Alles nur auf Pump gekauft"

Visa, Mastercard & Co. kennen keine Gnade: Beinahe täglich flattern den Amerikanern Briefe ins Haus, in denen Kreditkartenfirmen ihre Produkte preisen. Und zu der Zeit, da Familien beim Abendessen oder vor dem Fernseher sitzen, kommen die Anrufe, in denen Telefonisten wissen lassen, dass „American Express Sie für die Business Gold Card auserwählt" hat.

Die Amerikaner sind längst – so ein einschlägiger Buchtitel – zu einer „Credit Card Nation" geworden. Was in Deutschland der Überziehungskredit bei Girokonten ist, ist in Amerika die Kreditkarte – allerdings in ungleich größerem Maßstab. Der durchschnittliche Haushalt in den USA besitzt mehr als vierzehn Kreditkarten, auf denen sich ein Schuldenstand von zusammengenommen rund 8.000 Dollar angesammelt hat.[1]

Die gängigen Vorurteile sind alle richtig: Ja, die Amerikaner sind ein hochverschuldetes Volk. Ja, der einfache Zugang zu immer mehr Kreditkarten, das aggressive Marketing der Kartenbranche und die hohen Zinsen auf Kreditkartenschulden dürften dazu beigetragen haben, viele Amerikaner in eine Schuldenfalle zu treiben. Und ja, die Amerikaner sparen wenig.

Nur: Sind Amerikas Familien wirklich *so* sparunwillig wie meist dargestellt? Sind sie wirklich *zu* hoch verschuldet? Und: Ist der steigende Lebensstandard nur ein vorübergehendes, weil schuldfinanziertes Phänomen? Ist gar, wie in der deutschen Presse zu erfahren ist, „der Wohlstand in den Vereinigten Staaten... *größtenteils* auf Pump finanziert"?[2]

Die Sparquote – ein verzerrter Maßstab

Bei den G7-Treffen der Finanzminister gehört es zum Ritual: Am Ende wird ein Kommuniqué herausgegeben, das für jeden der sieben Kassenwarte eine Hausaufgabe parat hält.

Amerikas Finanzminister wird bei dieser Gelegenheit seit Jahren aufgefordert, die eigenen Bürger zum Sparen anzuhalten. So oft und gebetsmühlenartig wurde schon auf „das alte Problem mit der geringen Sparquote" (Bundesfinanzminister Hans Eichel)[3] verwiesen, dass längst schon nicht mehr in Frage gestellt wird, ob überhaupt ein Problem existiert.

Warum auch, die offizielle Statistik scheint eine eindeutige Sprache zu sprechen: Im Verhältnis zum verfügbaren Einkommen der amerikanischen Haushalte betrugen die Ersparnisse zwischen 1983 und 1992 durchschnittlich 8,4 Prozent. Im Jahr 2002 lag die so definierte Sparquote dagegen nur noch bei 3,7 Prozent; zwischenzeitlich, im Oktober 2001, war sogar ein Rekordtief von 0,3 Prozent erreicht worden.[4]

Nur: Die Sparquote ist, wie die beiden amerikanischen Zentralbank-Ökonomen Richard Peach und Charles Steindel schreiben, „ein sehr verzerrter Maßstab".[5] Das verfügbare Einkommen nämlich ist eine statistische Größe, in der zum Beispiel Kursgewinne aus der Aktienanlage nicht berücksichtigt werden.[6] Während des großen Börsenbooms in den Neunzigerjahren jedoch wurden Kursgewinne zu einem erheblichen Bestandteil des tatsächlichen Nettoeinkommens. Wenn aber das Einkommen höher gelegen hat als von den Statistiken gemessen, dann müssen bei gegebenem Konsum auch die Ersparnisse größer gewesen sein als von der Sparquote ausgewiesen.

Ein großer Teil der Kursgewinne stand natürlich nur auf dem Papier und ist in der mehrjährigen Börsenbaisse seit dem Frühjahr 2000 pulverisiert worden. Doch selbst wenn nur die realisierten Kursgewinne berücksichtigt würden, hätte die Sparquote 1999 um mehr als sieben Prozentpunkte über dem ausgewiesenen Wert gelegen. Die Ersparnisbildung hätte gegenüber dem langjährigen Durchschnitt nur geringfügig niedriger gelegen.[7]

Verschuldet - na und?

Die Verschuldung amerikanischer Haushalte hat sich nominal binnen zehn Jahren mehr als verdoppelt. Im Jahr 2002 erreichte sie ein Niveau von 1,73 Billionen Dollar – ein Betrag, der größer ist als die jährliche Wirtschaftsleistung von Frankreich oder Großbritannien.[8]

Ein wachsender Schuldenberg ist jedoch nicht per se problematisch. Entscheidend ist vielmehr, ob die Fähigkeit leidet, das nötige Geld für Zinsen und Tilgung aufzubringen. Oder, mit anderen Worten: Was zählt, ist, wie sich Schuldenstand und der zu leistende Schuldendienst relativ zu Einkommen und Vermögen entwickeln.[9]

Im Verhältnis zum verfügbaren Einkommen ist der Schuldenstand amerikanischer Haushalte deutlich gestiegen – von rund 60 Prozent in den Siebzigerjahren auf 90 Prozent im Jahr 2000. Aber: Die Vermögen der Amerikaner sind zugleich stärker gewachsen als ihre Schulden, die Nettovermögen sind also gestiegen. Sowohl die amerikanische Durchschnittsfamilie als auch Gering- und Topverdiener konnten zwischen 1989 und 2001 Zuwächse des Nettovermögens von mehr als 50 Prozent verzeichnen (siehe Grafik 10.1) – ein Umstand, der mit der Behauptung eines „größtenteils auf Pump" finanzierten Wohlstands nicht vereinbart werden kann.[10]

In die gleiche Richtung deutet auch der deutsch-amerikanische Vergleich in Grafik 10.2. Die hier präsentierten Zahlen leiden zwar unter einer stark eingeschränkten Vergleichbarkeit.[11] Feststellen lässt sich aber: Vermögensbesitz und Verschuldung stehen hüben wie drüben ungefähr im gleichen Verhältnis; gemessen am jeweils verfügbaren Einkommen stellt sich die Finanzkraft des Durchschnittshaushalts in Amerika ähnlich dar wie in Deutschland.

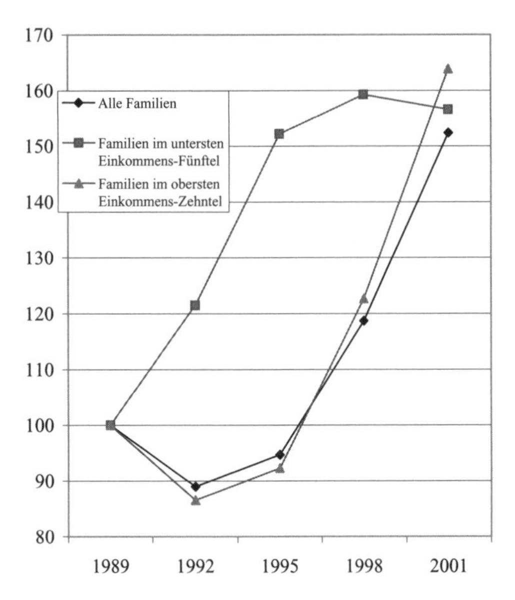

Grafik 10.1: *Nettovermögen amerikanischer Haushalte – inflationsbereinigt, 1989 = 100* *[Quelle: Federal Reserve Board und eigene Berechnungen]*

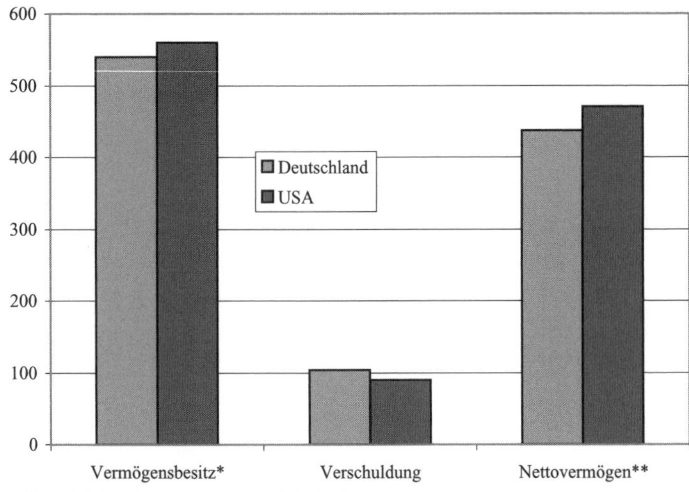

Grafik 10.2: *Vermögen und Verschuldung im Vergleich – in Prozent der verfügbaren Einkommen, 2000* *[Quelle: Babeau und Sbano (2003) und eigene Berechnungen]*

Zinsen statt Mieten

Noch weiter hellt sich das Bild auf, wenn statt des Schulden*stands* der Schulden*dienst* betrachtet wird – die eigentlich relevante Größe, wenn die Nachhaltigkeit der finanziellen Lage von Haushalten beurteilt werden soll.

So haben amerikanische Immobilienbesitzer in den vergangenen Jahren fallende Hypothekenzinsen scharenweise zur Umschuldung genutzt. Dieses „Refinancing“ erlaubt es, durch eine Aufstockung der Kreditsumme eine Einmalzahlung zu erhalten, gleichzeitig aber die monatliche Belastung zu senken. In diesen Fällen steigt also der Schulden*stand*, während der zu leistende Schulden*dienst* sinkt.[12]

Dennoch ist der Schuldendienst amerikanischer Haushalte den offiziellen Statistiken zufolge in den vergangenen Jahren leicht gestiegen: 1993 noch lag er bei unter zwölf Prozent des verfügbaren Einkommens. In den Jahren 2001 und 2002 dagegen überschritt er erstmals seit 1986 wieder die 14-Prozent-Marke.[13]

Dieser Trend allerdings ist, soweit er sich nicht deutlich verstärkt, nicht weiter problematisch. Denn mit steigenden Einkommen sinkt der Anteil, den Haushalte für die Befriedigung ihrer Grundbedürfnisse aufwenden müssen. Gaben amerikanische Haushalte in den Siebzigerjahren noch rund 37 Prozent ihres Einkommens für kurzlebige Konsumgüter wie Nahrungsmittel aus, waren es in den Neunzigerjahren nur noch 30 Prozent.[14] Das bedeutet: Mehr Geld denn je steht für andere Zwecke zur Verfügung – für den Kauf von Luxusgütern zum Beispiel oder eben für die Bedienung von Schulden.

Außerdem spiegelt der steigende Schuldendienst den Trend zum Eigenheim wider. 1990 waren knapp 64 Prozent der amerikanischen Haushalte Eigentümer von Immobilien, im ersten Quartal des Jahres 2003 dagegen wurde der historische Höchststand von 68 Prozent erreicht.[15]

Mieten aber zählen anders als Hypothekenkredite nicht zur Verschuldung. Die Statistik weist also die steigenden Aufwendungen für Zins und Tilgung aus – nicht aber die Entlastung, die sich aus dem Wegfall von Mietzahlungen ergibt. Die Summe von Schuldendienst und Mietzahlen befindet sich denn auch keineswegs auf einem historisch außergewöhnlich hohen Niveau: Wie Grafik 10.3 zeigt, lag sie in 2001 noch fast einen Prozentpunkt unter dem Niveau, das 1987 erreicht worden war.

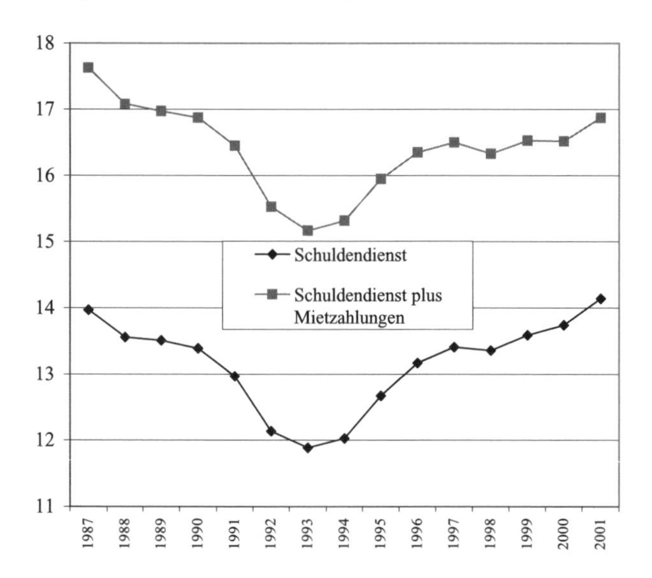

***Grafik 10.3:** Schuldendienst amerikanischer Haushalte – Angaben in Prozent des verfügbaren Einkommens* *[Quelle: BEA, Federal Reserve Board, und eigene Berechnungen]*

Die Kreditkarten-Nation

Wer nur aufs große Ganze schaut, sieht womöglich vor lauter Wald die Bäume nicht mehr. So auch hier: Eine moderate Entwicklung der Verschuldung aller Haushalte insgesamt könnte verdecken, dass sich die finanzielle Situation für einen erheblichen Teil der Bevölkerung dramatisch zuspitzt. Nur: Dies müsste sich darin zeigen, dass zunehmend viele Haushalte ihre Schulden nicht mehr bedienen können. Das aber ist, wenn konjunkturelle Schwankungen berücksichtigt werden, nicht der Fall.

Einerseits beantragen immer mehr private Haushalte Gläubigerschutz, seit der amerikanische Gesetzgeber 1979 mit dem „Bankruptcy Reform Act" die Voraussetzungen dafür lockerte: 1980 wurden weniger als 300.000 Privatkonkurse beantragt, 2001 dagegen annähernd 1,5 Millionen.[16] Andererseits ist im mehrjährigen Durchschnitt der Anteil der Verbraucherkredite, die von Schuldnern nicht mehr bedient werden, seit 1980 konstant. Bei den Hypothekenkrediten nehmen die Ausfälle sogar seit mehr als 20 Jahren tendenziell ab. Beide Trends sind auch in der jüngsten Rezession nicht gebrochen worden.[17]

Einer der möglichen Gründe: Der Anteil der Haushalte, der sich – etwa im Zuge von Häuserkäufen – verschuldet, wächst. Das aber bedeutet: Hinter der offiziell ausgewiesenen, steigenden Gesamtbelastung kann eine sinkende Belastung *je Haushalt* stecken. Wird dieser Effekt berücksichtigt, dann lag die Belastung durch Hypothekenkredite zuletzt ungefähr auf ihrem langjährigen Durchschnittswert. Die offizielle Statistik dagegen weist für das vierte Quartal 2002 den höchsten Stand seit Beginn der statistischen Aufzeichnungen im Jahr 1980 auf.[18]

Ähnliches gilt für die Entwicklung bei den Verbraucherkrediten, zu denen neben Verbindlichkeiten aus Ratenkäufen und Leasingverträgen auch Kreditkartenschulden zählen. 1990 beglichen Konsumenten in den USA noch 81 Prozent ihrer Käufe in bar oder per Scheck – inzwischen ist der Anteil auf 61 Prozent gefallen. Der Rest entfällt vor allem auf Kreditkarten. Wie bei den Hypothekenkrediten verteilen sich also auch hier die Schulden offenbar auf mehr Köpfe als früher.[19]

Hinzu kommt: Die wachsende Popularität der Kreditkarte sorgt für sich genommen schon für eine höhere Gesamtverschuldung. Dies deshalb, weil in den USA nicht jeder einzelne Rechnungsbetrag vom Girokonto abgebucht wird. Stattdessen begleichen die Kreditkarten-Kunden monatliche Abrechnungen. Das aber bedeutet, dass sie von den Karten-Anbietern ständig sehr kurzfristige Kredite aufnehmen. In den Statistiken tauchen diese Kredite als Schulden auf – obwohl sie bei pünktlicher Tilgung zinsfrei sind.

Auf Sand gebaut?

Viele Amerikaner werden sich mittelfristig vermutlich mit geringeren Zuwächsen ihres Verbrauchs zufrieden geben müssen, wollen sie nicht doch noch in eine Schuldenkrise rutschen. Solange es zum Beispiel kein neues Kursfeuerwerk an den Börsen gibt, werden die herkömmlichen, durch die offizielle Sparquote erfassten Ersparnisse wachsen müssen. Die Ökonomen der amerikanischen Investmentbank Goldman Sachs etwa schätzen, dass sie von 3,7 Prozent im Jahr 2002 auf sechs bis zehn Prozent des verfügbaren Einkommens zu steigen haben.[20]

Auch würde schon eine Stabilisierung des Zinsniveaus ausreichen, um das Konsumwachstum zu dämpfen: Sobald der Abwärtstrend der Zinsen zum Halten kommt, muss das Wachstum der Neuverschuldung zurückgehen – ansonsten würde der zu leistende Schuldendienst steigen. Der weiter oben beschriebene Zinseffekt wird also früher oder später von einem Stimulus zu einer Bremse des Konsums mutieren.

Dass der künftige *Zuwachs* des Lebensstandards in den USA kaum so hoch ausfallen dürfte wie in den vergangenen Jahren, heißt aber nicht, dass sein heute erreichtes *Niveau* bedroht ist – schließlich ist der typische amerikanische Haushalt vom Ruin weit entfernt.

Ihren Konsum werden die Amerikaner nur dann nicht aufrechterhalten können, wenn die weitere Entwicklung von Konjunktur (und Börsenkursen) deutlich hinter allen Erwartungen zurückbleibt. Darauf deuten auch die Erfahrungen aus der Vergangenheit hin: Nur in wirtschaftlich extrem schlechten Zeiten geht der Verbrauch der Amerikaner zurück.[21]

Der Wohlstand der Amerikaner mag also in den kommenden Jahren langsamer wachsen. Doch das Niveau, das er heute erreicht hat, ist nicht auf Sand gebaut.

Fußnoten

1) Cardweb.com (www.cardweb.com).
2) Der Spiegel (2003); Hervorhebung des Autors.
3) Meldung der Nachrichtenagentur Reuters vom März 2003.
4) BEA (www.bea.gov) und Peach und Steindel (2000), S. 1.
5) Peach und Steindel (2000), S. 1.
6) Sehr wohl berücksichtigt, also vom Einkommen abgezogen, werden dagegen die Steuern, die auf realisierte Kursgewinne zu zahlen sind.
7) Peach und Steindel (2000), S. 2.
8) Federal Reserve Board (www.federalreserve.gov) und IWF (www.imf.org).
9) vgl. DeKaser (2003), S. 1.
10) Aizcorbe, Kennickell und Murphy (2003), S. 21, Peach und Steindel (2000), S. 4., und UBS Warburg (2002), S. 6.
11) So weist die Deutsche Bundesbank (2002a), S. 31, darauf hin, dass in Deutschland – anders als in den USA – auch Einzelunternehmen zum Haushaltssektor gezählt werden. Das bedeutet, dass die deutsche Verschuldung im Vergleich zu den USA zu hoch ausgewiesen wird. Gleiches gilt aber natürlich auch für den Vermögensbesitz. Weitere Abgrenzungsprobleme nennen Babeau und Sbano (2003), S. 33ff.
12) DeKaser (2003), S. 1, und Peach und Steindel (2000), S. 4.
13) Federal Reserve Board (www.federalreserve.gov). An der Verlässlichkeit dieser Zahlen und dem Trend, den sie suggerieren, darf gezweifelt werden. So lässt der „Survey of Consumer Finances“, der alle drei Jahre von der amerikanischen Zentralbank auf Basis von Umfragen durchgeführt wird, auf einen gegenläufigen Trend schließen. Danach ist nämlich der Schuldendienst im Jahr 2001 im Durchschnitt mit 12,3 Prozent so niedrig wie seit 1989 nicht mehr. Aizcorbe, Kennickell und Moore (2003), S. 1.
14) UBS Warburg (2002), S. 6.
15) U.S. Census Bureau (www.census.gov).
16) BankruptcyData.Com (www.bankruptcydata.com).
17) American Bankers‘ Association (www.aba.com), Mortgage Bankers‘ Association (www.mbaa.org) und UBS Warburg (2002), S. 6.
18) DeKaser (2003), S. 1, und Federal Reserve Board (www.federalreserve.gov).
19) Natcher (2002), S. 1.
20) Hatzius (2003), S. 6.
21) In den vergangenen 55 Jahren war die reale Wirtschaftsleistung in insgesamt 34 Quartalen rückläufig; die Verbrauchsausgaben demgegenüber sanken preisbereinigt nur in 19 Quartalen. Dudley (2003), S. 5.

Kapitel 11: „Immer mehr Arme“

„And his hungers burn ...“ Spätestens seit Elvis Presley mit „In the Ghetto“ über den Äther schmachtete, hat sich in Europa die Vorstellung festgesetzt: Ein großer Teil der Bevölkerung in Amerika ist dauerhaft vom Zuwachs des Wohlstands abgekoppelt, eine Unterschicht in verwahrlosten Innenstadtbezirken fristet ein Dasein, wie es sonst nur in Ländern der Dritten Welt vorzufinden ist.

Völlig falsch ist dieses Bild nicht. Es fragt sich aber: Wie nachhaltig ist das Problem, wird es größer oder kleiner? Und: Was sind die Ursachen?

Der Durchschnitts-Portugiese – ein Armer in Amerika

In Deutschland wird Armut in aller Regel relativ definiert: Nicht, wer über zu wenig Mittel verfügt, um seine Grundbedürfnisse zu befriedigen, wird als arm betrachtet – sondern jeder, dessen Einkommen gegenüber dem Bevölkerungsdurchschnitt zurückbleibt.

Gängig ist, das Median-Einkommen zum Maßstab zu machen – also jenes Niveau, das von 50 Prozent der Haushalte überschritten wird. Konkret wird als arm definiert, wer ein verfügbares Einkommen hat, das weniger als die Hälfte des Medians beträgt. Nach dieser Definition gibt es in den USA tatsächlich sehr viele Arme: Die Armutsquote dort beträgt 17 Prozent, in Deutschland dagegen 7,5 Prozent.[1]

Nur, dieses Kriterium ist in Wirklichkeit kein Maßstab für Armut – sondern eines zur Messung von Ungleichheit. Der Grund ist schlicht: Mit dem Durchschnittseinkommen steigt zwangsläufig auch die Armutsschwelle. So hat eine Familie, die heute in Deutschland an der Grenze zur relativen Armut liegt, ungefähr ein Einkommensniveau wie eine westdeutsche Familie mit durchschnittlichem Einkommen Mitte der Sechzigerjahre.[2]

Beim internationalen Vergleich kommt ein weiteres Problem hinzu. Wenn zum Beispiel angenommen wird, dass das Median-Einkommen in den USA um 30 Prozent höher liegt als in Deutschland, dann bedeutet das rechnerisch: Bei Haushalten, die zwischen 50 und 65 Prozent des deutschen Durchschnittsniveaus erreichen, hängt es vom Heimatland ab, ob sie als arm definiert werden oder nicht: Leben sie in den USA, dann sind sie es, ist Deutschland ihre Heimat, dann sind sie es nicht.[3]

Oder, um ein krasseres Beispiel zu nennen: Der Median-Haushalt in Portugal hat kaufkraftbereinigt ungefähr ein Einkommen, das in den USA an der Armutsschwelle liegen würde – ohne dass irgendjemand behauptete, jeder zweite portugiesische Haushalt friste ein Dasein in Armut.[4]

Viel spricht daher dafür, Armut – generell, aber vor allem bei internationalen Vergleichen – nicht relativ, sondern absolut zu definieren. Also zu messen, wie viele Menschen mit einem Einkommen auskommen müssen, dass nicht hinreichend ist, um eine Befriedigung grundlegender Bedürfnisse zu garantieren.

Die Boote und die Flut

Die USA haben seit Mitte der Sechzigerjahre ein Kriterium zur Messung von absoluter Armut. Vereinfacht gesagt: Eine Familie gilt als arm, wenn sie zum Leben insgesamt weniger als das Dreifache dessen hat, was ein Haushalt ihrer Art typischerweise für Nahrungsmittel ausgibt.

Die so ermittelte Armutsschwelle wird anhand des Verbraucherpreisindex CPI jährlich an die Preisentwicklung angepasst. Wer heute als arm eingestuft wird, hat also real nicht mehr Einkommen zur Verfügung als ein Armer vor zehn, 20 oder 40 Jahren. Im Jahr 2002 lag die Armutsschwelle für einen Alleinstehenden bei durchschnittlich 9.182 Dollar; für einen vierköpfigen Haushalt betrug sie 18.390 Dollar.[5]

Die Zahl der Armen in Amerika ist demnach in den zurückliegenden Jahrzehnten tatsächlich erheblich gestiegen – von 23,0 Millionen 1973 bis auf 39,3 Millionen 1993. Danach ging die Zahl der Armen zurück; im Jahr 2001 waren 32,9 Millionen Menschen in Amerika arm.

Um abzuschätzen, wie erfolgreich sich ein Land im Kampf gegen Armut erweist, kommt es allerdings mehr auf die Armutsquote an – also die Zahl der Armen relativ zur Einwohnerzahl. In den Sechzigerjahren ist diese Armutsquote in den USA drastisch gefallen. Zwischen 1959 und 1973, binnen nur 14 Jahren also, halbierte sie sich von 22,4 auf 11,1 Prozent (siehe Grafik 11.1). Die meisten Experten sahen damals John F. Kennedy bestätigt. Der hatte behauptet, kräftiges Wirtschaftswachstum sei das beste Mittel zur Armutsbekämpfung: „A rising tide lifts all boats". – Eine steigende Flut hebt die Boote an.

Nach 1973 allerdings ist kein klarer Zusammenhang zwischen Wirtschaftswachstum und Armutsquote zu erkennen. Zwischenzeitlich – in den Jahren 1983 und 1993 – erreichte der Anteil der in armen Familien lebenden Menschen sogar wieder mehr als 15 Prozent.

„Zum ersten Mal in der Geschichte der menschlichen Rasse ist eine große Nation in der Lage und willens, die Armut auszumerzen", hatte Kennedy-Nachfolger Lyndon B. Johnson 1964 versprochen. Zwei Jahrzehnte später jedoch war offensichtlich, dass „im Krieg gegen die Armut die Armut gewann" (Ronald Reagan).

Erst im zurückliegenden Rekordboom ist wieder eine Korrelation zwischen Wachstum und Armut zu beobachten gewesen.

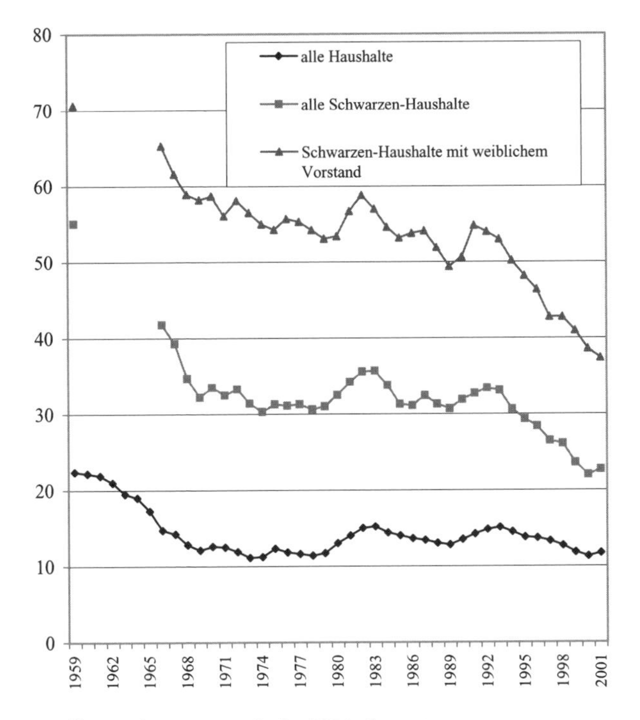

Grafik 11.1: *Armutsquoten in den USA in Prozent* *[Quelle: U.S. Census Bureau (2002b), S. 21ff.]*

Auf dem Höhepunkt des Konjunkturzyklus, im Jahr 2000, sank die Armutsquote auf 11,3 Prozent – und damit erstmals wieder auf ein Niveau in der Nähe des Rekordtiefs aus dem Jahr 1973.[6]

Auch die in den Siebziger- und Achtzigerjahren zu beobachtende Ghettoisierung der Armut brach in den Neunzigern ab: Die Zahl der weißen Bewohner von Armutsvierteln sank um 29 Prozent auf 1,9 Millionen, die Zahl der schwarzen Ghettobewohner gar um 36 Prozent auf 3,1 Millionen.[7]

Eingewanderte Armut

Die Zahl der Armen und die Höhe der Armutsquote erklärt sich nicht zuletzt durch den Einwanderungsboom in den vergangenen 30 Jahren. Denn anders als die Europäer lassen die Amerikaner bis heute nicht vornehmlich hochqualifizierte Immigranten ins Land, sondern in großem Stil auch Geringqualifizierte, insbesondere aus Lateinamerika.

Das Gros der Einwandererfamilien schafft es binnen relativ kurzer Zeit, zum Einkommensniveau des Durchschnittsamerikaners aufsteigen (siehe Kapitel 23). Richtig ist aber auch: Viele Einwanderer verbringen ihre ersten Jahre in den USA in Armut. Die Zahl der Einwanderer aus Lateinamerika in den USA wuchs zwischen 1973 und 2001 von 10,8 auf 37,3 Millionen. Parallel dazu stieg ihr Anteil unter den Armen in Amerika von zehn auf 24 Prozent.[8]

Ein zweiter Effekt kommt noch hinzu: Die massenhafte Einwanderung aus Lateinamerika erhöht den Konkurrenzdruck unter Geringqualifizierten. Oder, anders ausgedrückt: Die Löhne amerikanischer Geringqualifizierter hätten sich ohne den Einwanderungsboom in den zurückliegenden Jahrzehnten positiver entwickelt. Dieser Effekt lässt sich nur schwer quantifizieren. Es darf aber vermutet werden: Das effektivste Programm zur Armutsbekämpfung wäre schlicht gewesen, die Grenzen dicht zu machen.

So aber ist Armut in der Tat ein fortwährendes Problem in den USA. Nur in den Sechzigern und in den Neunzigern – zwei Dekaden mit besonders hohem Wirtschaftswachstum – hat Kennedys „steigende Flut" die Boote vieler Armer angehoben.

Eine genauere Betrachtung zeigt allerdings: Armut in Amerika ist zwar als gesellschaftliches Phänomen eine Konstante, nicht jedoch für das Gros der konkret Betroffenen. Außerdem: Die Entwicklung im Zeitverlauf ist günstiger, als es ein Blick auf die offizielle Armutsquote nahe legt. Und schließlich stellt sich die Frage: Was ist stärker zur Verantwortung zu ziehen – fehlende oder überzogene soziale Absicherung?

Drehtür statt Falltür

Das Risiko, arm zu werden und es zu bleiben, lässt sich nur abschätzen, wenn die Schicksale von Betroffenen über eine längere Zeit hinweg in einer so genannten Längsschnittstudie verfolgt werden. Die einzige halbwegs aktuelle amtliche Studie dieser Art stammt vom U.S. Census Bureau und beleuchtet den Zeitraum Oktober 1992 bis Dezember 1995.[9]

Danach fielen nicht weniger als 30,3 Prozent der amerikanischen Bevölkerung während des Untersuchungszeitraums für mindestens zwei aufeinander folgende Monate unter die Armutsgrenze. Offenkundig ist also ein sehr großer Teil der Bevölkerung einem Armutsrisiko ausgesetzt. So betrachtet, unterzeichnet die offizielle Armutsquote das Problem.[10]

Auf der anderen Seite zeigte sich:[11]

- Fast jedem Zweiten, der für zwei aufeinander folgende Monate unter die Grenze rutschte, gelang binnen der nächsten zwei Monate der Sprung zurück über die Schwelle. Nach einem Jahr haben sich drei von vier Betroffenen aus der Armut befreit.

- Nur 5,3 Prozent derjenigen, deren Einkommen zu irgendeiner Zeit im Jahr 1994 unter der Armutsschwelle lag, waren während der gesamten 24 Monate der Jahre 1993 und 1994 arm.

Für die allermeisten Betroffenen also ist Armut eine kurzfristige Angelegenheit, kein dauerhaftes Schicksal. Oder, in den Worten der Autorin der Studie: Armut in Amerika erweist sich „als eine Falltür für wenige und eine Drehtür für viele“.

Kurze Phasen der Einkommensarmut aber lassen sich relativ leicht überbrücken – durch den Abbau von Ersparnissen etwa oder die Aufnahme von Schulden. Geringverdienende Haushalte in den USA konsumieren denn auch weit mehr, als es ihre Einkommenssituation nahe legen würde: Für jeden Dollar Nettoeinkommen gibt das einkommensschwächste Fünftel unter den Haushalten 2,38 Dollar aus.[12] (Mehr zu diesem Phänomen folgt in Kapitel 17.)

Steuern vom Staat

Die offiziell ausgewiesene Armutsquote steht seit langem in der Kritik. Dem Statistiker Nicholas Eberstadt etwa gilt sie als „Amerikas schlechtester statistischer Indikator".[13] So wird bemängelt, dass Armut an einem landesweiten Durchschnitt von Verbraucherpreisen gemessen wird. Damit wird unterschlagen, dass das Preisniveau regional drastische Unterschiede aufweist – und dass viele Arme in Gegenden mit besonders niedrigem Preisniveau leben, zum Beispiel nahe der mexikanischen Grenze in Arizona, New Mexico und Texas.

Außerdem wird bei der Berechnung der Armutsschwelle der Preis für einen Warenkorb von Gütern und Dienstleistungen verwendet, der das Verbrauchsmuster eines Durchschnittsbürgers widerspiegelt – dass Arme zum Beispiel typischerweise einen besonders hohen Anteil ihres Einkommens für Bekleidung ausgeben, bleibt außen vor.

Darüber hinaus überzeichnet der Verbraucherpreis-Index CPI die tatsächliche Entwicklung der Preise erheblich. Ein als „Boskin-Kommission" bekannt gewordener Expertenausschuss zum Beispiel hat die Kluft auf einen Prozentpunkt pro Jahr veranschlagt. Das würde, sofern korrekt, bedeuten: Menschen, die heute an der Armutsschwelle leben, haben eine um fast 35 Prozent höhere Kaufkraft als noch 1973. Ein Blick in die Haushalte bekräftigt dies: Ob Waschmaschine oder Kühlschrank, Farbfernseher oder Air-Conditioning-Anlage – mit vielen langlebigen Konsumgütern sind Amerikas Armen-Haushalte heute besser ausgestattet, als es Anfang der Siebzigerjahre ein Durchschnitts-Haushalt war.[14]

Weit wichtiger als diese Detailkritik: Das für die Berechnung der Armut verwendete Kriterium für Einkommen gibt ein sehr unvollständiges Bild der tatsächlichen wirtschaftlichen Lage der Betroffenen wieder. So werden zwar neben Erwerbseinkommen auch Transferszahlungen wie das Arbeitslosengeld und die Sozialhilfe einbezogen. Nicht berücksichtigt werden jedoch, unter anderem, Sachleistungen.[15]

Dies ist deshalb von Bedeutung, weil die Transferszahlungen in den vergangenen Jahrzehnten zurückgefahren wurden, während das Volumen der Sachleistungen stark anstieg:[16]

- Die Leistungen der amerikanischen Sozialhilfe, im Volksmund „Welfare“ genannt, haben sich auf der einen Seite allein zwischen 1960 und 1973 real mehr als vervierfacht. Danach waren sie jedoch rückläufig – trotz einer zunächst weiter steigenden Zahl der Empfänger.

- Auf der anderen Seite wurde der staatliche Krankenversicherungsschutz für Haushalte mit geringem Einkommen („Medicaid“) deutlich großzügiger ausgestaltet. Mietbeihilfen und Lebensmittelmarken werden ebenfalls in zunehmend großem Umfang unters Volk gebracht.

Eine solche Umleitung von Ressourcen bewirkt natürlich, dass die Armutsquote künstlich hoch gehalten und die Wirklichkeit zusehends verzerrt dargestellt wird. Und hinzu kommt noch: Die Staatsausgaben für Familien mit geringem Einkommen sind zwischen 1978 und 1996 um real fast 90 Prozent gestiegen.[17] Der Rückbau der Transferszahlungen wurde also von dem Zuwachs bei den Sachleistungen weit überkompensiert. Einen Niederschlag in der Armutsstatistik findet dies jedoch in keiner Weise.

Und schließlich: Neben Sachleistungen bleiben auch Steuern bei der Berechnung der Armutsquote außen vor. Geringverdiener in Amerika aber zahlen nicht nur keine Steuern, sie bekommen welche vom Staat zurück – in Form des „Earned Income Tax Credit“ (EITC).

Der EITC ist eine so genannte negative Einkommensteuer: Wer weniger als einen bestimmten Betrag verdient, erhält einen Prozentsatz seines Einkommens als Zuschuss vom Finanzamt; in der Spitze erreicht diese Subvention 40 Prozent. In Anspruch genommen werden kann sie von Alleinstehenden mit einem Jahreseinkommen bis zu 11.060 Dollar; für Familien mit zwei oder mehr minderjährigen Kindern liegt die Obergrenze bei 33.178 Dollar.[18]

Die Idee geht auf den Ökonomie-Nobelpreisträger Milton Friedman zurück – und sie hat „Charme". Friedman selbst beschreibt die Vorzüge des Arrangements so:

„Es gewährt Hilfe in der Form, die dem Einzelnen am meisten nützt, nämlich Barem. (...) Es legt explizit die Kosten offen, die die Gesellschaft trägt. (...) Wie jede andere Maßnahme zur Armutsbekämpfung reduziert es die Anreize der Begünstigten, sich selbst zu helfen. Aber es beseitigt den Anreiz nicht vollständig ... Ein zusätzlich verdienter Dollar heißt stets mehr verfügbares Geld zum Ausgeben."[19]

Das Kernargument für die negative Einkommensteuer ist, dass sie, wie von Friedman betont, die Leistungsbereitschaft nicht lähmt – anders als es häufig bei herkömmlichen Transferzahlungen der Fall ist. Die Konstruktion der deutschen Sozialhilfe zum Beispiel sorgt in einem gewissen Einkommensbereich für eine Grenzbelastung von 100 Prozent: Für jeden Euro, den sich ein Sozialhilfeempfänger durch Erwerbsarbeit verdient, bekommt er einen Euro weniger vom Sozialamt. Arbeit wird in solchen Fällen also nicht besser belohnt als Nichtstun.[20]

Nicht so bei der negativen Einkommensteuer: Wer mehr arbeitet, hat auch netto mehr in der Tasche. Bei einer Familie mit zwei oder mehr Kindern reduziert ein zusätzlich verdienter Dollar den EITC um maximal 21 Cent.[21] Empirische Untersuchungen haben denn auch ergeben, dass der EITC in Amerika das beste Mittel ist, um Einkommen zugunsten von Geringverdienern umzuverteilen.[22]

1975 eingeführt, ist der EITC zunehmend zum zentralen Instrument in Amerikas Kampf gegen die Armut geworden. Vor allem in der Clinton-Ära wurde er großzügiger ausgestaltet. 1990 konnte die Subvention bis zu 953 Dollar pro Jahr betragen, im Jahr 2002 belief sich die Höchstsumme auf 4.140 Dollar.[23]

Das amerikanische Finanzministerium erwartet, dass im Jahr 2004 fast 21 Millionen amerikanische Steuerzahler den EITC in Anspruch nehmen werden. Fast vier Millionen Menschen, so das Ministerium, werden durch die Subvention über die Armutsschwelle gehievt.[24]

Der EITC lindert das Armutsproblem in Amerika also erheblich – er schafft es aber nicht aus der Welt. Zu fragen bleibt: Wie kommt es, dass ein nicht unerheblicher Teil der Bevölkerung, wenn überhaupt, dann nur mit Hilfe staatlicher Unterstützung, ein Einkommen oberhalb der Armutsschwelle erreicht? Und: Warum erweist sich Armut für eine kleine Minderheit sehr wohl als Fall- statt als Drehtür?

Ebony hat es schwerer

Der Name zählt. „Ebony“ oder „Tyrone“ zu heißen macht in Amerika das Leben schwer. Simpler Grund: Diese Namen und andere wie „Aisha“ oder „Kenya“ sind unter den Schwarzen besonders beliebt – die Weißen dagegen nennen ihre Kinder heutzutage lieber „Kristen“ oder „Brad“.

Auf dem Arbeitsmarkt spielt das offenkundig eine wichtige Rolle. So hat ein Experiment der Ökonomen Marianne Bertrand und Sendhil Mullainathan gezeigt: Bei identischem Lebenslauf haben Kristen & Co. im Vergleich zu Ebony und den ihren eine um 50 Prozent höhere Chance, auf Grundlage einer schriftlichen Bewerbung zum Bewerbungsgespräch eingeladen zu werden.[25]

Die Benachteiligung, die bei dem Experiment zutage trat, dürfte es eigentlich nicht geben – sie ist in Amerika schlicht verboten.

Und doch existiert sie: Schwarze in Amerika werden wirtschaftlich diskriminiert, keine Frage.

Durchaus fraglich ist dagegen, inwieweit es nur Diskriminierung ist, die die Schwarzen zurückwirft. So hat alle Benachteiligung einen großen Teil der schwarzen Familien nicht davon abhalten können, im Laufe der vergangenen Jahrzehnte in die Mittel- oder gar Oberschicht aufzurücken.

Der durchschnittliche schwarze Vollzeitbeschäftigte verdiente 1960 fast 40 Prozent weniger als sein weißes Pendant, heute beträgt der Abstand noch 25 Prozent. 1967 lag das Einkommen von 30 Prozent der verheirateten schwarzen Paare unterhalb der Armutsschwelle. 2001 dagegen betrug der Anteil 8,2 Prozent.[26]

Und der Anteil der Schwarzen-Haushalte mit einem Bruttojahreseinkommen von real mehr als 75.000 Dollar ist zwischen 1978 und 2001 von 5,7 auf 12,4 Prozent gestiegen; jeder zweite Schwarzen-Haushalt, der von einem verheirateten Paar geführt wurde, kam 2001 auf mehr als 50.000 Dollar.[27]

Längst hat sich auch eine schwarze Elite herausgebildet – in Sport und Unterhaltungsbranche sowieso und zunehmend auch in Politik und Wirtschaft. Bei einer ganzen Reihe namhafter amerikanischer Großunternehmen und Banken sitzen Schwarze im Chefsessel – so etwa Richard Parsons bei AOL Time Warner, Stanley O'Neal bei Merrill Lynch, Kenneth Chenault bei American Express und Franklin Raines bei Fannie Mae. Und in der Citigroup gehört mit Thomas Jones ein Mann zum engsten Führungszirkel, der Ende der Sechzigerjahre militante Aufstände schwarzer Studenten anführte.

Wenn also Diskriminierung wirklich eine so zentrale Rolle spielt, warum hindert sie ganz offenkundig nur einen Teil dieser ethnischen Minderheit am Fortkommen?

Und: Wenn Diskriminierung so weit verbreitet ist, warum ist dann die hohe Arbeitslosigkeit unter Schwarzen ein relativ junges Phänomen? Zwischen 1890 und 1930 lag die Arbeitslosenquote unter Weißen durchschnittlich nur minimal, um 0,08 Prozentpunkte nämlich, unter der für Nicht-Weiße – und das in einer Zeit, als Rassentrennung die Norm war, der Ku-Klux-Klan Angst und Schrecken verbreitete und Lynchmorde an Schwarzen keine Seltenheit waren. Noch in den Fünfzigerjahren lag die Beschäftigungsquote unter Schwarzen höher als unter Weißen.[28]

Warum also hinkt ein Teil der Schwarzen heute deutlicher hinterher als noch vor Jahrzehnten? Möglich ist natürlich, dass offene Diskriminierung ersetzt und überkompensiert wurde durch Formen verdeckter Diskriminierung – siehe das Bewerber-Beispiel oben. Denkbar ist auch, dass ein gegebenes Ausmaß an Diskriminierung heute größere wirtschaftliche Auswirkungen hat als früher.[29] So ist es zum Beispiel möglich, dass Arbeitgeber sich deshalb scheuen, Schwarze einzustellen, weil sie heutzutage bei Entlassungen häufig mit Anti-Diskriminierungs-Klagen überzogen werden. Aber kann das alles sein?

Daniel Patrick Moynihan und die „Neger-Familie“

Er war der größte Intellektuelle unter Amerikas Politikern und der größte Politiker unter Amerikas Intellektuellen: Der im März 2003 verstorbene Daniel Patrick Moynihan war Harvard-Professor, Botschafter in Indien und bei den Vereinten Nationen und schließlich 24 Jahre lang als Senator Vertreter des Bundesstaats New York im Washingtoner Kongress. Er war Zeit seines Lebens Demokrat und ein Vordenker der so genannten Neokonservativen – jener Gruppe von ursprünglich sozialdemokratisch orientierten Akademikern und Anwälten, die früh vor kontraproduktiven Auswüchsen des Wohlfahrtstaats warnten.[30]

Das erste Mal rückte Moynihan 1965 ins Rampenlicht. Damals war er Abteilungsleiter im Bundesarbeitsministerium und produzierte den Bericht „The negro family: the case for national action". Nicht so sehr Vernachlässigung oder Diskriminierung sei die Grund für die grassierende Armut unter schwarzen Großstädtern, behauptete die heute als „Moynihan-Report" bekannte Untersuchung – sondern vielmehr der Niedergang der schwarzen Familie. Der damals gängigen Diktion folgend, schrieb Moynihan:

„Wenn dieser Schaden nicht behoben wird, werden alle Anstrengungen, Diskriminierung und Armut und Ungerechtigkeit zu beseitigen, wenig erreichen. (...) Die Familienstruktur von Unterschichts-Negern ist höchst instabil und nähert sich in vielen urbanen Zentren einem kompletten Zusammenbruch."[31]

Fast ein Viertel aller Schwarzen-Haushalte würde von alleinerziehenden Müttern geführt, argumentierte Moynihan. Unter den Weißen habe der Anteil unehelich geborener Kinder 1963 bei gerade einmal drei Prozent gelegen, unter den Schwarzen dagegen bei fast 24 Prozent.

Damals, auf dem Höhepunkt der Bürgerrechtsbewegung, löste der Report natürlich umgehend einen Sturm der Entrüstung aus, Moynihan wurde als Rassist beschimpft. Heute gilt die Untersuchung als wegweisend, selbst weit links im politischen Spektrum Amerikas finden ihre Thesen Unterstützung[32] – wohl auch deshalb, weil das Problem, das Moynihan entdeckt hat, seither nur noch größer geworden ist.

1950 waren zwei Drittel aller erwachsenen Frauen, gleich welcher Hautfarbe, verheiratet. Im Jahr 2002 dagegen lebten immer noch 55 Prozent aller weißen Frauen über 15 Jahren in einer Ehe – aber nur 31 Prozent aller schwarzen Frauen. Zehn Prozent der weißen Haushalte mit Kindern unter 18 Jahren werden von alleinerziehenden Müttern geführt, aber 28 Prozent der schwarzen. Zum Vergleich: In Deutschland beträgt der Anteil knapp acht Prozent.[33]

Diese Atomisierung vor allem der schwarzen Familie ist heute ein zentraler Grund für den Fortbestand von Armut in Amerika:

■ Vor 40 Jahren hatte nur jede vierte Familie, die in Armut lebte, einen alleinstehenden weiblichen Haushaltsvorstand – seit nunmehr bereits 25 Jahren dagegen schwankt der Anteil um die 50-Prozent-Marke.[34]

■ Familien mit verheirateten Paaren gelingt die Rückkehr über die Armutsschwelle im Durchschnitt nach 3,9 Monaten, Familien mit alleinstehendem weiblichen Haushaltsvorstand dagegen erst nach 7,2 Monaten.[35]

■ Familien mit alleinstehendem weiblichen Haushaltsvorstand sind selbst dann weit häufiger arm als andere, wenn mindestens ein Familienmitglied erwerbstätig ist (siehe Grafik 11.2).[36]

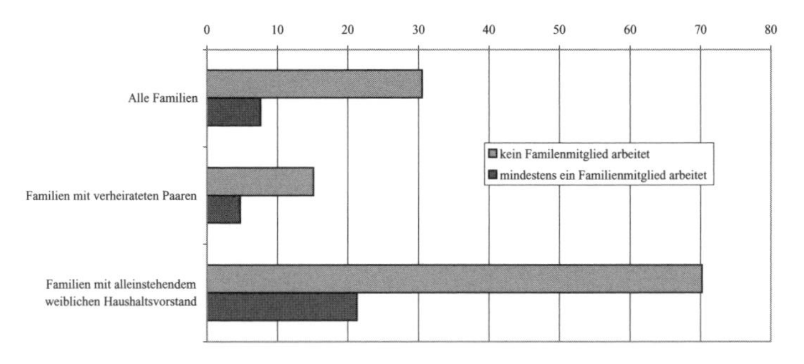

Grafik 11.2: *Armutsquoten nach Familientyp in den USA in Prozent, 2001*

[Quelle: U.S. Census Bureau (2002b), S. 8]

Warum die Atomisierung der Familie hauptsächlich ein schwarzes Phänomen ist – darüber soll hier nicht weiter spekuliert werden.[37] Von Interesse aber ist, inwieweit das „Modell Amerika" eine Rolle gespielt hat.

Königinnen der Sozialhilfe?

16 Jahre nach dem Moynihan-Report kam in Amerika ein Buch auf den Markt, das sich als ebenso kontrovers erweisen sollte – und als ebenso einflussreich: „Wealth & Poverty".

George Gilder, auch er ein neokonservativer Vordenker, beklagte darin die „familiäre Anarchie", die sich vor allem im schwarzen Amerika ausgebreitet habe. Das hatte auch Moynihan getan. Doch Gilder ging noch einen entscheidenden Schritt weiter: Er machte den amerikanischen Sozialstaat verantwortlich.[38]

So abstrus sich diese Behauptung anhören mag: Es spricht durchaus einiges für sie.

Die Amerikaner kennen die Sozialhilfe seit 1950 in Form der „Aid for Families with Dependent Children" (AFDC).[39] Insbesondere im Zuge des 1965 von Präsident Johnson ausgerufenen „War on Poverty" ist sie stark ausgedehnt worden. Wie bereits erwähnt, haben sich die Ausgaben für „Welfare" zwischen 1960 und 1973 real mehr als vervierfacht. Die Zahl der Empfänger hat sich im gleichen Zeitraum von drei auf fast elf Millionen erhöht; bis 1994 wuchs die Zahl weiter bis auf 14,2 Millionen.[40]

In den USA sind die Sozialhilfeempfänger lange als Schmarotzer empfunden worden. Ronald Reagan etwa verdankte seinen Erfolg bei den Präsidentschaftswahlen 1980 nicht zuletzt den „Angry white men": traditionell eher demokratisch gesinnten weißen Industriearbeitern, bei denen Reagans Kampagne gegen die „Welfare Queens" auf fruchtbaren Boden fiel.

Die Wirklichkeit sieht anders aus, als Reagan unterstellte: Die „Königinnen" sind geradezu Opfer des Sozialstaats. Mit keinem Wort soll hier behauptet werden, dass es nicht richtig war, das soziale Netz in den USA auszubauen. Doch die Art und Weise, wie dies geschah, war höchst problematisch. Denn das Welfare-System bot jahrzehntelang perverse Anreize, die sich in ihrer Kombination für Millionen Amerikanerinnen – und ihre Kinder – als Armutsfalle erwiesen:

■ Die Sozialhilfe erlaubt, so knapp bemessen sie auch ist, ein bescheidenes Leben auf dem heimischen Sofa. Aber: Anspruch hat grundsätzlich nur, wer ein minderjähriges Kind hat – und *nicht* verheiratet ist. Vor allem Frauen, die mangels Qualifikation durch Erwerbsarbeit nur geringe Einkommen erzielen können, wurde so ein handfester Anreiz geliefert, ein Leben als alleinerziehende, erwerbslose Mutter zu führen. Erst mit der bereits beschriebenen Sozialhilfereform von 1996 wurde dieser Anreiz erheblich geschwächt.

■ Väter ihrerseits werden geradezu dazu eingeladen, sich vor Verantwortung zu drücken: Zwar hat der amerikanische Staat seit 1975 zunehmend Anstrengungen unternommen, Väter zumindest finanziell heranzuziehen. Dennoch war noch 1998 bei zwei von drei Kindern in Familien, die von ledigen Müttern geführt werden, den Behörden nicht einmal die Identität des Vaters bekannt. Und selbst wenn die Vaterschaft geklärt ist, werden häufig keine Alimente gezahlt. Die Mütter wiederum haben keinen Anreiz, mit den Behörden zu kooperieren, weil väterlicher „Child support“ von der Sozialhilfe abgezogen wird.[41]

Ob Amerikas Sozialhilfesystem tatsächlich, wie George Gilder meint, unter dem Strich mehr Armut verursacht als gelindert hat, lässt sich letztlich kaum beantworten. Dass es aber Fehlanreize gesetzt hat, deutet die Entwicklung der Geburtenrate unter 15- bis 19-jährigen Mädchen nach der Sozialhilfereform an: Sie lag im Jahr 2002 um 28 Prozent unter dem Niveau von 1990. Unter den ganz jungen und den Mädchen schwarzer Hautfarbe erreichte der Rückgang sogar zwischen 40 und fast 50 Prozent.[42]

* * *

Amerika hat ein gewichtiges Armutsproblem. Bei genauerer Betrachtung verliert es jedoch erheblich an Brisanz. Es sind weniger Menschen in Amerika arm, als es die Statistiken glauben machen. Und: Wer arm wird in Amerika, bleibt es meist nur für kurze Zeit.

Außerdem sind viele der Armen in den USA Einwanderer aus Lateinamerika – Menschen, denen es wirtschaftlich wohl kaum besser gehen würde, wenn sie ausgesperrt geblieben wären.

Und schließlich: Einst als Akt der Nächstenliebe gefeiert, hat der Ausbau der Sozialhilfe dem Zerfall der Familie in Amerika Vorschub geleistet – vor allem, und warum auch immer, der schwarzen Familie. Dieser Zerfall wiederum ist, wie gezeigt, einer der Hauptgründe, warum es nach wie vor Armut in Amerika gibt.

Das Armutsproblem in Amerika pauschal als Argument gegen den Cowboy-Kapitalismus heranziehen ist daher zumindest gewagt. Ein großer Teil des Problems ist ganz offenkundig nicht Amerikas relativ ungebremstem Kapitalismus zuzuschreiben – sondern, ganz im Gegenteil, einem tragisch fehlgeschlagenen Versuch seiner wohlfahrtsstaatlichen Zügelung.

Fußnoten

1) UNDP (2003), S. 243. Die Angaben beziehen sich auf dem Zeitraum 1990 bis 2000.
2) Maddison (2001), S. 276, und eigene Berechnungen.
3) Eurostat und eigene Berechnungen. Bei den einschlägigen Kalkulationen des kaufkraftbereinigten Durchschnittseinkommens handelt es sich um arithmetische Mittel, die pro Kopf berechnet wurden. Demnach liegt, wie bereits in Kapitel 8 erwähnt, der Durchschnitt um rund 37 Prozent über dem deutschen Niveau. Bei einem als Medianwert berechneten durchschnittlichen Haushaltseinkommen dürfte der Abstand etwas geringer sein. Grund ist die größere Ungleichverteilung der Einkommen in den USA.
4) ebenda.
5) U.S. Census Bureau (www.census.gov). Hier sind Durchschnittwerte genannt, weil die konkrete Armutsschwelle für den einzelnen Haushalt abhängig ist von der Zahl der in ihm lebenden Kinder und Senioren.
6) vgl. Haveman (2000), S. 272ff.
7) Jargowsky (2003), S. 4. Als Armutsviertel werden hier Nachbarschaften definiert, in denen 40 oder mehr Prozent der Haushalte ein Einkommen unterhalb der Armutsschwelle haben.
8) U.S. Census Bureau (2002), S. Ziff. 21ff., und eigene Berechnungen; vgl. Haveman (2000), S. 249.
9) Naifeh (1998).
10) Zum Vergleich: Die offizielle Armutsquote lag 1993 und 1994 bei 15,4 und 15,7 Prozent. Die Diskrepanz ergibt sich, weil die Armutsquote auf Basis von Jahreseinkommen berechnet wird; in der Studie wurden dagegen Monatseinkommen zugrundegelegt; a.a.O., S. 1.
11) a.a.O., S. 2ff.
12) BLS (www.bls.gov) und eigene Berechnungen.
13) Eberstadt (2002).
14) Cox und Alm (1999), S. 15.
15) U.S. Census Bureau (www.census.gov).
16) Haveman (2000), S. 249, 262ff., 267.

17) a.a.O., S. 268, und eigene Berechnungen. In Dollar von 1996 gerechnet, stiegen die Ausgaben von 196 Milliarden Dollar in 1978 auf 373 Milliarden Dollar in 1996.
18) IRS (www.irs.gov).
19) Friedman (1982), S. 192
20) vgl. zum Beispiel Sinn (2002), S. 28ff. Der EITC hat natürlich seinerseits auch einen Haken: Er garantiert selbst arbeitenden Menschen kein Mindesteinkommen. Sofern es aber erklärtes Ziel ist, jedem Bürger beispielsweise das Existenzminimum zuzusichern, ist eine negative Einkommensteuer als alleiniges Mittel der Umverteilung unzureichend.
21) CEA (2003), S. 120.
22) vgl. zum Beispiel Wu, Perloff und Golan (2002), die darüber hinaus festgestellt haben, dass der Mindestlohn und die Sozialhilfe in den USA wegen der mit ihnen verbundenen Fehlanreizen keinerlei Effekt auf die Einkommensverteilung haben.
23) Haveman (2000), S. 266 und IRS (www.irs.gov).
24) U.S. Department of the Treasury (www.treasury.gov).
25) Bertrand und Mullainathan (2003). In Amerika werden Bewerbungen keine Fotos beigefügt.
26) Haveman (2000), S. 252, und U.S. Census (www.census.gov).
27) McKinnon (2003), S. 6, und U.S. Census Bureau (2002a), S. 16.
28) Vedder und Gallaway (1993), S. 272ff.
29) a.a.O., S. 274.
30) Heute sind die Neokonservativen vor allem wegen ihres Einflusses auf die Außenpolitik der Regierung von George W. Bush bekannt. Traditionell jedoch spielt die Sozialpolitik für diese Denkschule eine mindestens ebenso wichtige Rolle wie die Außenpolitik.
31) zitiert nach U.S. Department of Labor (www.dol.gov).
32) siehe zum Beispiel The Atlantic Monthly (1993).
33) Caplow, Hicks und Wattenberg (2001), S. 83, Mc Kinnon (2003), S. 3, Statistisches Bundesamt (2002), S. 64, U.S. Census Bureau (2002b), S. 47, 51, und eigene Berechnungen.
34) U.S. Census Bureau (www.census.gov). Im Jahr 2001 lag der Anteil bei 50,9 Prozent.
35) Naifeh (1998), S. 6.
36) Einer der Gründe ist statistischer Natur: Bei der Kalkulation der offiziellen Armutsschwelle werden erhebliche Größenvorteile unterstellt; das heißt, es wird angenommen, dass ein vierköpfiger Haushalt mit deutlich weniger Geld auskommt als zwei zweiköpfige. Die Folge: Ein vierköpfiger Haushalt, der über ein Jahreseinkommen von 20.000 Dollar verfügt, gilt als nicht arm. Wird dieser Haushalt nun, zum Beispiel auf Grund einer Scheidung, in zwei jeweils zweiköpfige Haushalte aufgespalten, dann fällt mindestens einer der Haushalte zwangsläufig unter die Armutsgrenze; bei ungefähr gleichmäßiger Aufteilung des bisherigen Jahreseinkommens rutschen sogar beide unter die Schwelle. Vgl. Haveman (2000), S. 249, und U.S. Census Bureau (www.census.gov).
37) Daniel Patrick Moynihan zum Beispiel machte Spätfolgen der Sklaverei und die rasche Urbanisierung Amerikas verantwortlich.
38) Gilder (1981), S. 12, 82.
39) Im Zuge der Sozialhilfereform von 1996 wurde die AFDC umbenannt in „Temporary Assistance for Needy Families“, kurz TANF.
40) Administration for Children and Families (www.acf.dhhs.gov).
41) Committee on Ways and Means (2000), S. 465, und Sorensen und Oliver (2002).
42) Centers for Disease Control and Prevention (www.cdc.gov).

Kapitel 12: „Alles nur Billigjobs"

Sie packen Tüten ein bei „Wal-Mart" und braten Hamburger bei „McDonald's", sie wechseln Windeln und polieren Radkappen in Autowaschanlagen: Millionen von Menschen in Amerika verrichten einfachste Dienstleistungsjobs.

Derlei Tätigkeiten sind es, die dem amerikanischen Servicesektor einen schlechten Ruf verschaffen: Als „McJobs" oder „Billigjobs" werden sie in Deutschland naserümpfend bezeichnet.

Naserümpfend – und heuchlerisch. „Ihr Europäer habt eine seltsame Art zu klagen", sagt der amerikanische Ökonomie-Nobelpreisträger Joseph Stiglitz: „Das klingt wie: ‚Ihr Amerikaner habt zwar viele Jobs geschaffen, aber das sind lausige Jobs. Wir Europäer haben keine Jobs geschaffen, aber hätten wir das getan, wären es gute Jobs gewesen"[1].

Außerdem: Waren etwa die Fabrikjobs, an deren Stelle die Servicejobs getreten sind, alle anspruchsvoll, abwechslungsreich und ungefährlich? Ist's am Fließband wirklich netter als an der Friteuse? Und schließlich: Auch vor 40 Jahren wurden in den USA Hamburger gebraten und Windeln gewechselt, nur war das damals Mutters Job. Warum aber ist eine Arbeit geachtet oder zumindest akzeptabel, wenn eine Hausfrau sie ausübt – aber dreckig, stupide, menschenunwürdig gar, wenn sie gegen Bezahlung verrichtet wird?

Unabhängig davon ist aber natürlich die Frage berechtigt, ob Amerikas Jobwunder wirklich nur ein Billigjobwunder ist – und inwieweit die Billiglöhner zwar ein Einkommen, aber kein Auskommen haben.

Die Erosion des Mindestlohns

Für Ronald Reagan stand es fest: Der gesetzliche Mindestlohn sei Teufelszeug, er habe „mehr Elend und Arbeitslosigkeit [erzeugt] als irgendetwas sonst seit der Großen Depression". Ein Mindestlohn, so die Ratio des ehemaligen Präsidenten, ist entweder so niedrig, dass er wirkungslos ist, weil selbst Geringverdiener höhere Marktlöhne erzielen. Oder er ist so hoch angesetzt, dass er zu Jobverlusten führt, weil sich die Beschäftigung von Menschen mit geringer Arbeitsproduktivität nicht mehr lohnt.

In der Reagan-Ära wurde der Mindestlohn nicht ein einziges Mal angehoben. Als Reagan 1989 nach acht Jahren aus dem Amt schied, war die Kaufkraft des Mindestlohns um mehr als ein Viertel gefallen. Anfang und Mitte der Neunzigerjahre wurde der Mindestlohn zwar insgesamt viermal erhöht – doch nicht genügend, um den Abstand zum Durchschnittsverdienst wieder auf sein traditionelles Niveau zu verringern: Hatte der Mindestlohn in den Fünfziger-, Sechziger- und Siebzigerjahren meist bei mehr als 45 Prozent des durchschnittlichen Lohns gelegen, erreicht er heute nicht einmal 35 Prozent. Zu den Folgen zählte, dass der Anteil der Beschäftigten, die in den USA nicht mehr als den Mindestlohn verdienen, zwischen 1980 und 2001 von neun auf 1,7 Prozent sank.[2]

Auch wenn der Nachweis kaum zu erbringen ist: Die ökonomische Logik legt nahe, dass die Erosion des Mindestlohns entscheidend dazu beigetragen hat, Jobs für Millionen von Geringqualifizierten zu schaffen.[3] In den USA lag 2001 die Arbeitslosenquote von Männern, die weder eine weiterführende Schul- noch eine Berufsausbildung abgeschlossen haben, bei 7,5 Prozent – in Deutschland betrug sie dagegen 15,6 Prozent.[4]

Vor allem Teuerjobs

Dennoch wäre es falsch, Amerikas Jobwunder als Billigjobwunder abzutun. Tüten-Einpacker und Hamburger-Brater sind nur für einen kleinen Teil des Beschäftigungsbooms verantwortlich. Angenommen zum Beispiel, im amerikanischen Einzelhandel wäre netto nicht ein einziger Job entstanden: Selbst dann hätte die Beschäftigung in den USA in den Achtziger- und Neunzigerjahren stärker zugelegt als in der deutschen Wirtschaft, Einzelhandel inklusive.[5]

Zahlreiche Studien haben denn auch belegt, dass Amerikas Jobwunder besonders viele hochwertige Arbeitsplätze geschaffen hat.[6] Eine aufschlussreiche Analyse stammt beispielsweise von Steven Haugen und Randy Ilg. Die beiden Ökonomen des amtlichen Bureau of Labor Statistics haben für zehn Branchen die Einkommen in neun Berufsgruppen analysiert und dann drei gleich große Kategorien gebildet: jene Berufsgruppen, die 1988 im Durchschnitt die höchsten Einkommen aufwiesen, jene Berufsgruppen, die am wenigstens verdienten, und schließlich ein mittleres Drittel.[7]

So betrachtet zeigt sich: Zwischen 1989 und 2000 ist die Beschäftigung in der Geringverdiener-Kategorie um 17,5 Prozent gewachsen – und damit nur geringfügig stärker als die Beschäftigung insgesamt (siehe Grafik 12.1.).[8]

Weit überdurchschnittlich, nämlich um 28,4 Prozent, hat dagegen die Beschäftigung in der obersten Einkommens-Katego-

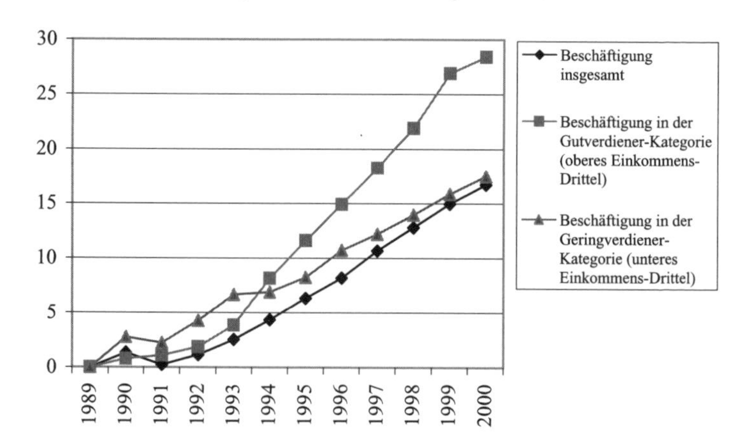

Grafik 12.1: *Entwicklung der Beschäftigung in den USA nach Einkommensklassen – prozentuale Veränderung seit 1989* *[Quelle: Ilg und Haugen (2000), S. 24f.]*

rie zugenommen. Nicht Billigjobs, „Teuerjobs" waren also das Hauptmerkmal des Beschäftigungsbooms seit 1989:[9] Von den netto 17,3 Millionen Arbeitsplätzen, die bis zum Jahr 2000 entstanden, entfielen 10,2 Millionen – also fast 60 Prozent – auf das obere Einkommens-Drittel.

Dass in den USA überproportional hochwertige, hochbezahlte Arbeitsplätze anzutreffen sind, ist keineswegs neu: Dieses Phänomen lässt sich schon mindestens seit den Sechzigerjahren beobachten.

Und doch stechen die Neunzigerjahre heraus: Nie zuvor war Beschäftigungswachstum derart stark von der Entstehung von Teuerjobs geprägt. In der amerikanischen IT-Industrie zum Beispiel, die allein zwischen 1992 und 2000 zwei Millionen Jobs geschaffen hat, betrug das *Durchschnitts*einkommen im Jahr 2000 rund 73.800 Dollar.[10]

Und: Werden die Arbeitsplätze nicht in Drittel, sondern in Fünftel (Quintile) eingeteilt, dann zeigt sich: Die Beschäftigung im einkommensstärksten Quintil ist in den Sechzigerjahren um 30 Prozent schneller gewachsen als im zweithöchsten Quintil. In den Achtzigerjahren lag der Abstand bei 40 Prozent, in den Neunzigern bei 80 Prozent.[11]

Auch im internationalen Vergleich kann keine Rede davon sein, dass in den USA überproportional viele Billigjobs geschaffen werden. Darauf jedenfalls deutet die Beschäftigungsstruktur im Dienstleistungssektor hin. Dort erreichte der Anteil der Universitätsabsolventen an der Gesamtbeschäftigung 1998 gut 30 Prozent – Norwegen ist das einzige Industrieland, in dem der Anteil noch höher lag.[12]

Armut trotz Arbeit?

Oft in einem Atemzug mit den „McJobs" genannt werden die „Working Poor" – jene Menschen in Amerika, die trotz Erwerbstätigkeit im Elend leben.

Tatsächlich weisen Amerikas offizielle Statistiken Millionen von Menschen als „arbeitende Arme" aus. Im Jahr 2000 waren 4,7 Prozent der Erwerbsbevölkerung so eingestuft. Allerdings wird dabei jeder mitgezählt, der im Laufe des Jahres mindestens 27 Wochen der Erwerbsbevölkerung angehört hat. Einbezogen werden daher nicht nur tatsächlich Erwerbstätige, sondern auch Menschen, die als „arbeitsuchend" registriert waren. Nach offizieller Interpretation sind folglich auch jene Menschen „arbeitende Arme", die in Wirklichkeit überhaupt nicht arbeiten.[13]

Ein alleinstehender Amerikaner, der ganzjährig vollzeitbeschäftigt ist, überspringt dagegen schon allein mit seinem Bruttoarbeitseinkommen die offizielle Armutsschwelle. Auch in einer vierköpfigen Familie mit zwei Kindern und zwei ganzjährig zum Mindestlohn Beschäftigten liegt das Bruttoarbeitseinkommen über der Armutsschwelle.[14]

So hatten denn auch nur 2,6 Prozent der über 16-Jährigen, die im Jahr 2001 das ganze Jahr über einen Vollzeitjob verrichteten, ein Haushaltseinkommen unterhalb der Armutsschwelle. Bei Erwachsenen, die gar nicht arbeiteten, lag die Armutsquote dagegen bei 20,6 Prozent (siehe Grafik 12.2).

Mit anderen Worten: Wer in den USA regelmäßig arbeitet, ist mit hoher Wahrscheinlichkeit nicht arm – Arbeit ist die wichtigste Abwehrwaffe gegen Armut, auch in Amerika.

Und: Wie in Kapitel 11 beschrieben, liegen die tatsächlich verfügbaren Einkommen von Geringverdienern deutlich über dem Bruttoarbeitseinkommen. Leistungen wie Wohngeld, Essensmarken, der staatliche Krankenversicherungsschutz, die negative Einkommensteuer EITC und freiwillige Sozialleistungen der Arbeitgeber hieven Millionen von Menschen über die Armutsschwelle.

Das „Working-Poor"-Phänomen ist also durchaus existent. Nur: Viele, die so bezeichnet werden, arbeiten entweder nicht – oder sie sind nicht arm.

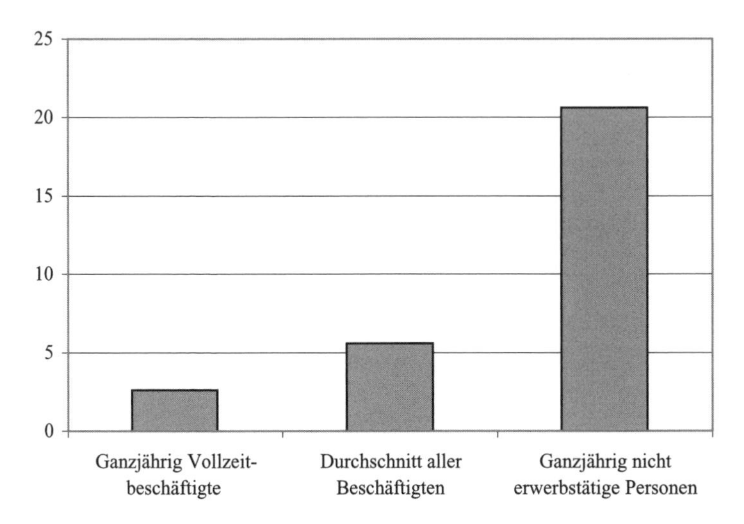

Grafik 12.2: *Armutsquoten nach Beschäftigungsstand über 16-Jährige in Prozent, 2001* *[Quelle: U.S. Census Bureau (2002b), S. 8]*

Und schließlich ist fraglich, wie viel soziale Brisanz sich hinter dem Phänomen wirklich verbirgt. Mehr als die Hälfte der Mindestlöhner nämlich waren im Jahr 2001 keine 25 Jahre alt.[15] Nicht etwa die alleinerziehende Mutter und der Einwanderer aus Mexiko sind heute die typischen Fünf-Dollar-15-Verdiener – sondern vielmehr der Schüler und die Studentin aus dem weißen Mittelstand, die sich durch Neben- und Ferienjobs ihre Finanzen aufbessern wollen.[16]

Fußnoten

1) Wirtschaftswoche (1997).
2) BLS (www.bls.gov), Wall Street Journal (2001) und eigene Berechnungen.
3) Ob es wirklich nicht möglich ist, mittels Mindestlöhnen den generellen Lebensstandard von Geringqualifizierten zu verbessern, ist allerdings nicht unumstritten. So kann zum Beispiel die Beschäftigung sogar wachsen, wenn ein Mindestlohn von einem niedrigen Niveau aus erhöht wird; in diesem Fall nämlich ist es möglich, dass das Arbeitsangebot von Geringqualifizierten steigt, ohne dass die Nachfrage seitens der Arbeitgeber sinkt. Vgl. zum Beispiel Adams und Neumark (2003).
4) OECD (2002a), S. 118.
5) Garibaldi und Mauro (1999), S. 12f.

6) vgl. zum Beispiel CEA (1997), S. 140ff. Ein Überblick über die empirische Literatur zum Thema findet sich bei Freeman (2000), S. 15ff.
7) Ilg und Haugen (2000), S. 22.
8) Grafik 13.1 ist den Abbildungen 1 und 2 in Ilg und Haugen (2000), S. 24f., nachempfunden. Randy Ilg hat freundlicherweise eine aktualisierte Fassung der zugrunde liegenden Daten zur Verfügung gestellt.
9) Unmittelbar vergleichbare, weiter zurückreichende Daten liegen leider nicht vor.
10) Department of Commerce (2002), S. 42f.
11) Wright und Dwyer (2003), S. 17ff.
12) OECD (2000a), S. 96, und eigene Berechnungen. Für Deutschland, Großbritannien und die Niederlande liegen keine Angaben vor.
13) Boraas (2002), S. 1.
14) Bei jährlich 1.900 Arbeitsstunden werden mit dem Mindestlohn 9.785 Dollar erzielt; die Armutsschwelle für einen Alleinstehenden liegt, zum Vergleich, bei 9.214 Dollar. U.S. Census Bureau (2002b), S. 5, und eigene Berechnungen.
15) BLS (www.bls.gov) und eigene Berechnungen. Unter den Beschäftigten, die 25 Jahre und älter waren, lag der Anteil der Mindestlöhner bei nur 0,9 Prozent.
16) Wu, Perloff und Golan (2002), S. 11. Deshalb wäre eine Anhebung des Mindestlohns, selbst wenn er die Beschäftigung nicht reduzieren würde, als Mittel der Armutsbekämpfung wenig zielgerichtet: Statt den wirklich Bedürftigen zu helfen, würde er die Einkommen von Haushalten aller Einkommensgruppen gleichermaßen erhöhen.

Kapitel 13: „Frauen müssen mitarbeiten"

Es gibt immer mehr Arme in Amerika, immer mehr Reiche – und immer weniger dazwischen. Die Befürchtung, Amerika befinde sich auf dem Weg zu einer bipolaren Gesellschaft, aus der die Mittelschicht verschwindet, wird auch von seriösen US-Wissenschaftlern häufig geäußert. Eng damit verbunden ist die Vorstellung, Mittelschicht-Familien könnten nur dann ihren Lebensstandard halten, wenn mindestens zwei Erwerbstätige im Haus sind.[1]

Aus der Luft gegriffen ist diese Befürchtung nicht: Wie in Kapitel 12 gezeigt, ist seit 1989 vor allem die Zahl der hochwertigen Jobs in Amerika stark gewachsen, während die Zahl der Billigjobs ungefähr proportional zum Beschäftigungswachstum insgesamt zugenommen hat. Das aber bedeutet zwingend: Bei den Arbeitsplätzen, die eine mittelmäßige Bezahlung bieten, muss das Wachstum besonders schwach ausgefallen sein.

Die bereits zitierte Studie von Haugen und Ilg bestätigt dies: Die Zahl der Jobs im mittleren Einkommensdrittel ist danach zwischen 1989 und 2000 nur um 3,4 Prozent gewachsen. Vor allem an der Schicht der industriellen Facharbeiter ist das Jobwunder zumindest in den Neunzigerjahren offenbar vorübergegangen.[2]

Allerdings: Nur der Anteil dieser Jobs ist gesunken, nicht ihre absolute Zahl. Und: Was wäre die wünschenswerte Alternative gewesen? Eine anhaltend hohe Arbeitslosigkeit unter Geringqualifizierten? Wäre es besser gewesen, wenn nicht hochbezahlte Jobs im Dienstleistungssektor massenhaft geschaffen worden wären, sondern klassische Facharbeiterjobs?

Werden nicht individuelle Gehälter betrachtet, sondern die Entwicklung von *Haushalts*einkommen, dann ist von einer schwindenden Mittelschicht in den Statistiken ohnehin nichts zu entdecken. In Grafik 13.1 sind Amerikas Haushalte in Einkommensklassen gruppiert. Würde die Mittelschicht verschwinden, müsste die Grafik eine keilförmige Entwicklung anzeigen: Der Anteil der geringverdienenden Haushalte würde ebenso zunehmen wie der Anteil der gutverdienenden. Dies ist aber offenkundig nicht der Fall, wie die Grafik zeigt: Demnach stieg der Anteil der Haushalte, die ein Realeinkommen von mehr als 50.000 Dollar zu Verfügung haben; der Anteil der Haushalte, die über weniger verfügen, sank dagegen – ein Keil ist nicht erkennbar.

Definiert man die Mittelschicht zum Beispiel als diejenigen Haushalte, die in Preisen von 2001 zwischen 35.000 und 100.000 Dollar verdienten, so sank ihr Anteil an der Gesamtbevölkerung zwischen 1978 und 2001 von 46,2 auf 45,1 Pro-

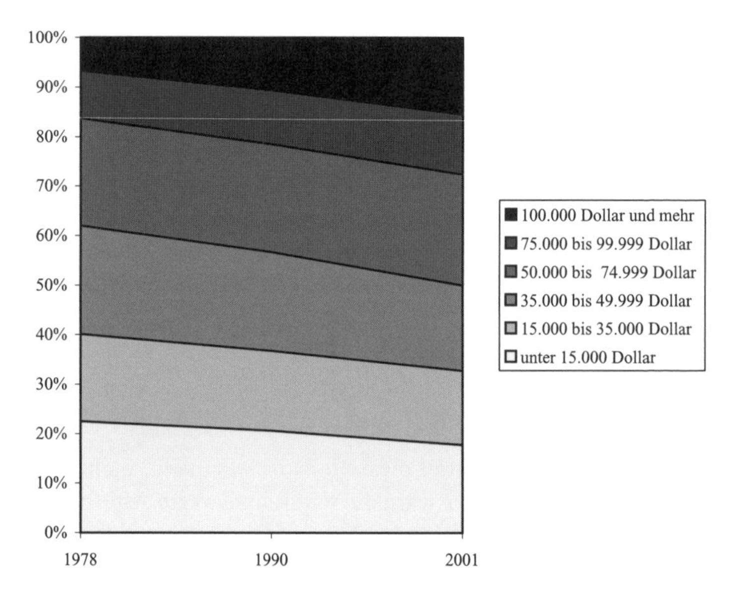

Grafik 13.1: *Prozentuale Verteilung jährlicher Haushaltseinkommen in den USA in Preisen von 2001* *[Quelle: U.S. Census Bureau (2002a), S. 15]*

zent. Es ist demnach also richtig, dass ein etwas geringerer Teil der Haushalte ein mittleres Einkommen hat. Von einem Verschwinden der Mittelschicht zu sprechen wäre jedoch arg übertrieben.

Was die Grafik 13.1 allerdings unterschlägt: Die Zahl der Erwerbstätigen je Haushalt ist in den vergangenen 30 Jahren stark gestiegen. 1970 noch waren Doppelverdiener-Familien in Amerika eine große Ausnahme, heute sind sie Normalität. Kann also womöglich der Mittelstand seinen Status nur aufrechterhalten, wenn auch Mutter Geld nach Hause trägt?

Carly & Co.

Die Erwerbsbeteiligung amerikanischer Frauen ist in den Siebzigern und Achtzigern beschleunigt gewachsen; in den Neunzigerjahren kletterte sie von hohem Niveau aus weiter, wenn auch mit verringertem Tempo. Der in Kapitel 3 diskutierte Zuwachs der Beschäftigungsquote in den USA in den zurückliegenden Dekaden ist denn auch fast ausschließlich auf das weibliche Geschlecht zurückzuführen.[3] In Deutschland demgegenüber ist die Erwerbsbeteiligung von Frauen erheblich geringer als in den USA, und auch der Zuwachs in den vergangenen beiden Jahrzehnten fiel kleiner aus (siehe Grafik 13.2).[4]

Die wachsende Erwerbsbeteiligung von Frauen ist, für sich genommen, noch kein Beleg dafür, dass wirtschaftliche Zwänge der Grund sind. Das ganze 20. Jahrhundert über war in den USA und den meisten anderen Industrieländern ein steter Trend zur Frauen-Erwerbsarbeit zu erkennen – bei gleichzeitig wachsenden Arbeitseinkommen der Männer.[5]

Außerdem ist eine höhere Erwerbsbeteiligung von Frauen im Prinzip wünschenswert – so jedenfalls sehen es die Regierungen der EU-Mitgliedstaaten. Die „Europäische Beschäftigungsstrategie", vom Rat der europäischen Regierungschefs 1997 entworfen und später konkretisiert, sieht zum Beispiel vor, die Be-

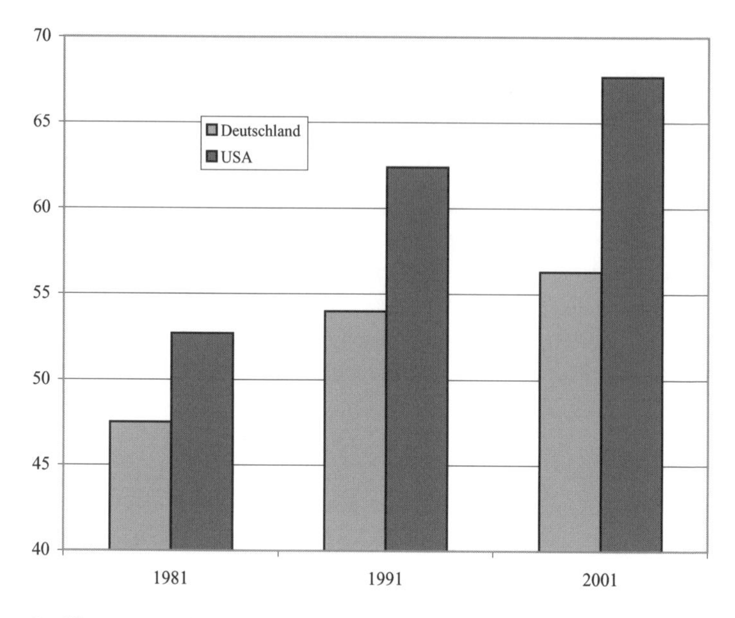

Grafik 13.2: *Erwerbstätigkeit von Frauen im Vergleich – in Prozent der 15- bis 64-jährigen weiblichen Bevölkerung*

[Quelle: OECD (2002a), S. 68f., 150f., und eigene Berechnungen]

schäftigungsquote von Frauen bis zum Jahr 2010 auf 60 Prozent zu erhöhen.[6] In der statistischen Abgrenzung der OECD ist dieses Ziel von Deutschland noch nicht erreicht worden, wie Grafik 13.2 gezeigt hat; in den USA dagegen wurde die 60-Prozent-Schwelle bereits 1987 überschritten.[7]

Vor allem verheiratete Frauen waren es, die in den USA in den vergangenen Jahrzehnten auf den Arbeitsmarkt drängten – und innerhalb dieser Gruppe insbesondere Ehefrauen mit kleinen Kindern. In Deutschland sind drei von zehn Ehefrauen mit Kindern unter drei Jahren berufstätig, in den USA dagegen gehen sechs von zehn arbeiten.[8]

Spiegelt diese Diskrepanz die Not des amerikanischen Mittelstands wider? Oder steht es in den USA vielleicht einfach nur besser um die Vereinbarkeit von Familie und Beruf?

Zwar käme in den USA niemand auf die Idee, einen gesetzlichen Betreuungsanspruch für drei- bis sechsjährige Kinder festzuschreiben, wie es in Deutschland getan wurde. Dennoch geben in den USA nur 2,5 Prozent der Arbeitnehmer, die wöchentlich weniger als 35 Stunden arbeiten, Kinderbetreuungsprobleme als Grund für ihre kurze Arbeitswoche an.[9]

Auch ist Frauenförderung von Staats wegen in den USA, anders als in Deutschland, im Wesentlichen darauf beschränkt, dass Frauen am Arbeitsplatz nicht diskriminiert werden dürfen. Dennoch lässt sich kaum bestreiten, dass es Frauen in der Arbeitswelt in den USA deutlich weiter gebracht haben als in Deutschland:

- An der Spitze einer ganzen Reihe namhafter US-Unternehmen stehen Frauen: Carly Fiorina bei Hewlett-Packard etwa, Anne Mulcahy bei Xerox, Pat Russo bei Lucent und Meg Whitman bei eBay. Demgegenüber findet sich in der aktuellen „Forbes“-Liste der 50 einflussreichsten Unternehmerinnen und Managerinnen außerhalb der USA gerade einmal eine Deutsche: die Textilunternehmerin Britta Steilmann, eine Frau, die den Chefsessel bei der Steilmann Gruppe von ihrem Vater geerbt hat.[10]

- Karrierefrauen sind in amerikanischen Unternehmen auch in klassische Männerdomänen vorgedrungen. Bei Unternehmen wie Bank One, Home Depot, J.P. Morgan, Merck und Verizon wird der Posten des „Chief Financial Officer“ von einer Frau bekleidet.

- Bei nur 67 der 500 umsatzstärksten Unternehmen in den USA war der „Board of Directors“ im Jahr 2001 allein mit Männern besetzt. Ausgerechnet beim Motorradhersteller Harley Davidson, dessen Kundschaft zu mehr als 90 Prozent aus Männern besteht, sind gleich zwei der fünf ranghöchsten Manager Frauen.[11]

- Bei Allianz Life USA, einem amerikanischen Tochterunternehmen der deutschen Allianz, lag der Frauenanteil im Management im Oktober 2002 bei 55 Prozent. Unter den 45 Mitarbeitern, die das Unternehmen zu seinem Top-Management zählt, waren 42 Prozent weiblich, darunter auch der Finanzvorstand. Zum Vergleich: Bei der Allianz-Gruppe in Deutschland lag der Frauenanteil auf den obersten vier Führungsebenen Ende 2002 bei 19 Prozent.[12]

Lieber arbeiten

Ein Blick in die amerikanischen Statistiken verfestigt den Eindruck, den derlei anekdotische Evidenz entstehen lässt:[13]

- Seit 1978 studieren an amerikanischen Colleges mehr Frauen als Männer. Im Jahr 2000 waren 28 Prozent mehr Frauen als Männer eingeschrieben, in Graduierten-Studiengängen betrug der Abstand sogar 37 Prozent.[14]

- Im Jahr 2001 stellten Frauen 46 Prozent aller Beschäftigten in den USA. Mit einem Anteil von 50 Prozent überrepräsentiert waren sie in der Kategorie „Manager und Fachkräfte" – jener von sechs Berufskategorien der amtlichen Statistik, die typischerweise das höchste Einkommen verspricht.[15]

- Das wöchentliche Arbeitseinkommen von Frauen betrug im Jahr 2001 im Durchschnitt 76 Prozent des von Männern erreichten Niveaus. Ein erheblicher Teil der Kluft ergibt sich allerdings daraus, dass Frauen im Durchschnitt weniger Stunden in der Woche arbeiten. Werden dagegen die Stundenlöhne betrachtet, kamen Frauen im Jahr 2001 auf durchschnittlich 84 Prozent des Männer-Niveaus. Gegenüber der Vergangenheit ist dies ein starker Anstieg: 1990 noch wurden erst 78 Prozent erreicht, 1980 gar nur 65 Prozent.[16] Bereits 1993 verdiente bei einem Viertel der Paare, bei denen beide Partner vollzeitbeschäftigt sind, die Frau mehr als Mann.[17]

Umfragen deuten denn auch darauf hin, dass die Nestflucht amerikanischer Frauen in den meisten Fällen aus freien Stücken geschieht. So stieg der Anteil amerikanischer Frauen, die – vor die Wahl gestellt – lieber arbeiten gehen würden als Hausfrau zu sein, zwischen 1974 und 1999 von 35 auf 48 Prozent; im gleichen Zeitraum sank der Anteil derjenigen, die sich lieber um Haushalt und Kinder kümmern würden, von 60 auf 44 Prozent.[18]

Zusätzlich erschüttert wird das Bild von der erzwungenen Frauenarbeit, wenn untersucht wird, welche Frauen arbeiten und welche Männer sie typischerweise haben. So haben die Ökonomen Chinhui Juhn und Kevin Murphy herausgefunden:[19]

- Die Zunahme der Erwerbsbeteiligung von Frauen in den Siebziger- und Achtzigerjahren ist darauf zurückzuführen, dass zunehmend viele Ehefrauen gutverdienender Männer auf den Arbeitsmarkt drängten. Diese Frauen erzielen typischerweise selbst ebenfalls hohe Stundenlöhne.

- Demgegenüber hat sich bei Ehefrauen von Männern, deren Stundenlöhne im untersten Fünftel der Verteilung lagen, das Wachstum der Erwerbsbeteiligung in den Siebziger- und Achtzigerjahren entgegen dem allgemeinen Trend verlangsamt.

- 1969 waren die Jahreseinkommen von arbeitenden Ehefrauen unabhängig von den Stundenlöhnen ihrer Männer: Frauen gutverdienender Männer erzielten überdurchschnittliche Löhne pro Stunde, arbeiteten aber weniger als der Durchschnitt. Ende der Achtzigerjahre dagegen arbeiteten Frauen gutverdienender Männer fast so viel wie Frauen von Männern mit niedrigen Stundenlöhnen.

Offenkundig, folgern Juhn und Murphy, waren es nicht – oder zumindest nicht vornehmlich – wirtschaftliche Zwänge, die Frauen in den Siebziger- und Achtzigerjahren auf den Arbeitsmarkt zogen.

Vielmehr erhärtet die Studie des Ökonomen-Duos den Eindruck, den die anekdotische Evidenz, die Statistiken und die

Umfragen vermitteln: Der amerikanische Mittelstand verschwindet nicht. Und: Nicht wirtschaftliche Zwänge dürften die zentrale Erklärung für die wachsende Erwerbsbeteiligung von Frauen in den USA sein – sondern die Chancen, die die massenhafte Schaffung gutbezahlter Jobs dem weiblichen Geschlecht geboten haben.[20]

Fußnoten

1) siehe zum Beispiel Putnam (2000), S. 194ff.
2) vgl. Wright und Dwyer (2003), S. 23.
3) Freeman (2000), S. 16.
4) Die jüngste Angabe für die USA in Grafik 13.2 bezieht sich, da keine jüngeren Daten vorlagen, auf das Jahr 2000.
5) Juhn und Murphy (1997), S. 74.
6) Kommission der Europäischen Gemeinschaften (2002a), S. 9.
7) OECD (2002a), S. 68.
8) StBA (2002b), S. 38, und U.S. Census Bureau (2002), S. 373.
9) BLS (www.bls.gov).
10) Forbes (www.forbes.com). Im Juli 2003 hat Britta Steilmann ihren Rückzug aus dem Firmenmanagement bekannt gegeben.
11) Catalyst (www.catalystwomen.org) und USA Today (2003).
12) Angaben der Unternehmen. Bei den Angaben zu Deutschland sind die Dresdner Bank und die Allianz Dresdner Asset Management nicht einbezogen.
13) Auf eine deutsch-amerikanische Gegenüberstellung wird hier verzichtet, da die jeweiligen Statistiken kaum vergleichbar sind.
14) U.S. Department of Education (2003), S. 103.
15) U.S. Census Bureau (2002), S. 381.
16) BLS (www.bls.gov). Alle Angaben sind Mediane. Die Angaben zur stündlichen Entlohnung bezieht sich nur auf Lohn- und Gehaltsempfänger, die ihr Geld auf Basis von Stundenlöhnen erhalten.
17) Winkler (1998), S. 46. Nahe liegend, dass dies überproportional dann der Fall ist, wenn das Haushaltseinkommen relativ gering ist. Doch auch bei Haushalten, die im obersten Fünftel der Einkommensskala liegen, betrug der Anteil 16 Prozent.
18) The Roper Center for Public Opinion Research (www.ropercenter.uconn.edu).
19) Juhn und Murphy (1997), S. 74ff.
20) a.a.O., S. 75.

Kapitel 14: „Immer mehr Zweitjobs"

Ein harter Tag: Acht Stunden am Fließband. Den Blaumann ausziehen. Nach Hause hetzen, die Kinder zu Bett bringen. Dann weiter eilen, zum nächsten Job, als Verkäuferin im Supermarkt oder als Kellner im Restaurant. So sieht der Alltag vieler Amerikaner aus. Und wie eingangs erwähnt, weiß der deutsche Gewerkschaftschef Michael Sommer sogar, dass in den USA „die Arbeitnehmer drei oder vier Jobs brauchen, um sich zu ernähren".

Wie viele Menschen mögen wohl betroffen sein von dieser Not? Jeder Fünfte? Jeder Vierte? Jeder Zweite gar?

Nicht ganz. Im Jahr 2002 hatten durchschnittlich 5,3 Prozent der amerikanischen Erwerbstätigen mehr als einen Job – also nicht einmal jeder Achtzehnte. Fast alle dieser Menschen verrichten einen Vollzeit- und einen Teilzeitjob oder zwei Teilzeitjobs; nur 0,2 Prozent der Erwerbstätigen in den USA haben zwei Vollzeitjobs.[1] In den Achtzigerjahren ist der Anteil der „Multiple Jobholders" spürbar gestiegen; seit Mitte der Neunzigerjahre ist er jedoch rückläufig. Heute liegt die Quote kaum mehr über dem Niveau, das in den Siebzigerjahren üblich war (siehe Grafik 14.1).

Menschen mit mehr als einem Job stellen in den USA also eine kleine Minderheit, und einen stabilen Trend hin zum Zweitjob gibt es schlicht nicht.[2]

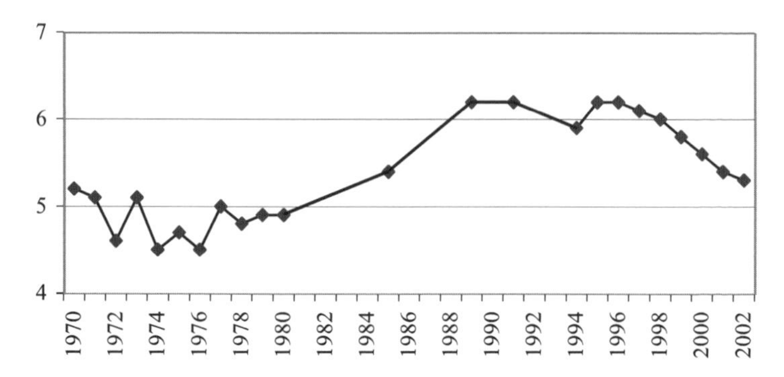

Grafik 14.1: *Mehrfachbeschäftigung in den USA – in Prozent aller Erwerbstätigen*

[Quelle: Stimson (1997), S. 4, BLS]

Der Wal-Mart-Faktor

Klar ist aber auch: Die offiziell ausgewiesene Mehrfachbeschäftigung ist in den USA weiter verbreitet als hier zu Lande. In Deutschland hatten im Jahr 2002 rund 736.000 Menschen mehrere Jobs; das entspricht einer Quote von gerade einmal 1,9 Prozent der Erwerbstätigen.[3] Die tatsächlichen Quoten werden im deutsch-amerikanischen Vergleich näher beieinander liegen als die offiziellen – schließlich hat Deutschland eine weit größere Schattenwirtschaft, entsprechend stärker verbreitet dürfte Schwarzarbeit sein (siehe Kapitel 8).

Aber einmal angenommen, es gäbe in Deutschland weniger Mehrfach-Jobber. Wäre das eine soziale Errungenschaft des deutschen Modells?

Vielleicht. Aber vielleicht wirkt auch nur die weit höhere Grenzabgabenbelastung in Deutschland abschreckend (siehe Kapitel 5).

Und vielleicht ist es auch einfach so, dass viele deutsche Arbeitnehmer nur allzu gerne eine Nebentätigkeit annehmen würden – wenn es denn eine Gelegenheit dazu gäbe. Beispiel Einzelhandel: Ein Arbeitnehmer, der von neun Uhr morgens bis fünf Uhr nachmittags im Büro oder in der Fabrik arbeitet, hat in Amerika die Möglichkeit, zusätzlich einen Halbtagsjob bei Wal-Mart oder Home Depot anzunehmen. Denn viele Supermärkte, Drogerien oder Kaufhäuser schließen erst spät am Abend ihre Türen; viele Geschäfte haben sogar an sieben Tagen in der Woche rund um die Uhr geöffnet. Wie aber soll ein deutscher Arbeitnehmer einen Vollzeitjob mit einer Halbtags-Tätigkeit im Einzelhandel vereinbaren können, solange der Gesetzgeber Kaufhof, OBI & Co. je nach Wochentag zwingt, ihre Türen am frühen Abend zu schließen oder erst gar nicht zu öffnen?

Zubrot statt Grundversorgung

Jedoch könnte sich hinter den amerikanischen Statistiken selbstverständlich millionenfaches Elend verbergen. 5,3 Prozent der amerikanischen Erwerbsbevölkerung – das sind immerhin fast 7,3 Millionen Menschen, Familienmitglieder nicht eingerechnet. Was also sind das für Leute, die mehr als einen Job haben? Was treibt sie dazu weiterzuarbeiten, während ihre Mitbürger die Beine hochlegen?

Die Motivation wird von den amerikanischen Statistikern von Zeit zu Zeit im Rahmen des monatlichen „Current Population Survey“ abgefragt. Die jüngste dieser Umfragen stammt von Mai 2001. Sie zeigt: Geld spielt eine große Rolle bei Amerikas Mehrfach-Jobbern (siehe Grafik 14.2).

Fast zwei Drittel der Befragten verrichten ihre Nebentätigkeit in erster Linie des Geldes wegen. Eine Mehrheit in dieser Gruppe betrachtet den Nebenverdienst allerdings eher als ein nützliches Zubrot denn als unverzichtbaren Beitrag zum Lebensunterhalt: Von allen Mehrfach-Jobbern sagen 35 Prozent, sie wollten „zusätzliches Geld“ verdienen. Ein kleinerer Teil, nämlich 28 Prozent, geben an, der Zweitjob sei nötig, um ihre laufenden Ausgaben zu finanzieren oder Schulden zurückzuzahlen.

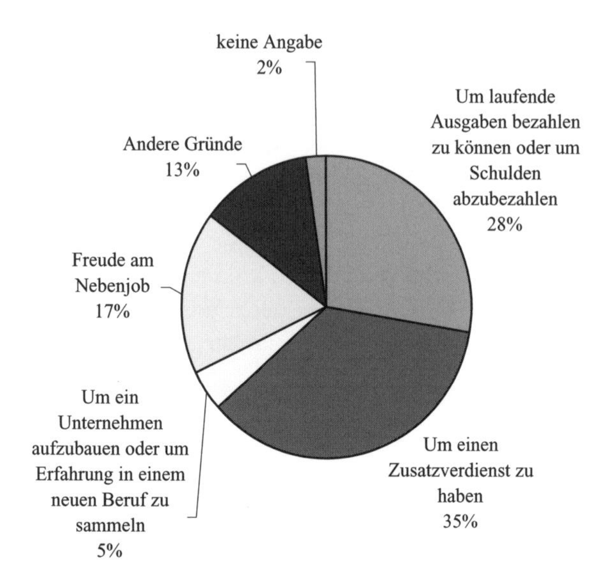

Grafik 14.2: *Motive für Mehrfachbeschäftigung in den USA – Umfrageergebnisse, 2001, Angaben in Prozent* *[Quelle: BLS (2002), S. 1]*

Nur eine kleine Minderheit in Amerika wird demnach von wirtschaftlicher Not in einen Zweitjob getrieben. Bezogen auf alle Erwerbstätigen beträgt ihr Anteil 1,6 Prozent[4], Tendenz fallend.[5] Eine Riesenmehrheit dagegen braucht offenbar auch in Amerika keineswegs mehr als einen Arbeitsplatz, „um sich zu ernähren".

Darauf deutet auch der Bildungsstand der Mehrfach-Jobber hin.

Lehrer statt Ungelernte

Man könnte annehmen: Es sind im überproportionalen Maße Geringqualifizierte (mit entsprechend niedrigen Stundenlöhnen), die mehr als einen Arbeitsplatz haben. Doch in Amerika ist das Gegenteil der Fall. Die Faustregel lautet: Je höher die formale Qualifikation, umso größer die Neigung zum Zweitjob. Unter Universitätsabsolventen ist der Anteil der Mehrfach-Jobber mehr als doppelt so hoch wie unter Schulabbrechern (siehe Grafik 14.3). Vor allem unter Lehrern und Professoren, Psychologen und Wirtschaftsprüfern sind Nebenjobs besonders verbreitet.[6]

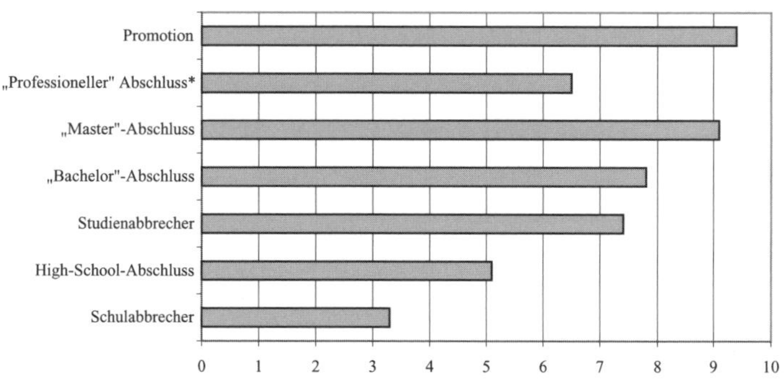

Grafik 14.3: *Bildungsstand von Mehrfachbeschäftigten in den USA – Anteil der Mehrfachbeschäftigten in Prozent nach erreichten Bildungsabschlüssen, 1995*

[Quelle: Amirault (1997), S. 10]

Ein möglicher Grund für das Gefälle: Nebentätigkeit ist in sehr vielen Fällen tatsächlich keine Sache der Notwendigkeit – sondern der Gelegenheit. Nicht, weil es sein muss, wird nebenher gejobbt, sondern schlicht, weil sich die Möglichkeit dazu ergibt. Und es sind der Tendenz nach eher Akademiker, die diese Gelegenheit haben: Sie sind es, die besonders häufig flexible Arbeitszeiten haben oder Phasen, in denen ihre Arbeitsbelastung gering ist.

Und was ist mit den Amerikanern des Michael Sommer? Jenen Menschen, die drei oder vier Jobs brauchen, um sich über Wasser zu halten? Es gibt sie augenscheinlich tatsächlich. Nur repräsentieren sie nicht gerade ein Massenphänomen: 0,35 Prozent der arbeitenden Amerikaner hatten im Jahr 2002 drei Jobs, knapp 0,05 Prozent kommen gar auf vier oder mehr.[7]

Fußnoten

1) BLS (www.bls.gov)
2) Ein anderes Bild ergibt sich, wenn Männer und Frauen getrennt betrachtet werden. 1970 lag der Anteil der Mehrfach-Jobber unter Männern dreimal höher als unter Frauen. Heute dagegen ist Mehrfachbeschäftigung unter Frauen sogar etwas stärker verbreitet als unter Männern. Es ist nahe liegend, dafür die „Welfare Reform" von 1996 verantwortlich zu machen, die die Ansprüche von Sozialhilfeempfängerinnen drastisch beschränkt hat. Gegen diese These spricht, dass die Mehrfachbeschäftigung unter Frauen insbesondere in den Siebziger- und Achtzigerjahren zugenommen hat; seit Mitte der Neunzigerjahre dagegen ist sie, wie bei Männern auch, tendenziell rückläufig. Stinson (1997), S. 4, und BLS (www.bls.gov).
3) IAB (2003), S. 7.
4) Errechnet aus den Daten für die Beschäftigungssituation zum Zeitpunkt der Umfrage im Mai 2001. Vgl. BLS (2002), S. 1.
5) Analysen für die Jahre 1989 und 1997 deuten darauf hin, dass wirtschaftliche Not damals eine größere Rolle gespielt hat als heute; vgl. Martel (2000) und Stinson (1990). Die älteren Ergebnisse sind mit den aktuellen aber nur bedingt vergleichbar, weil die Fragen der Statistiker anders formuliert waren.
6) Amirault (1997), S. 10f.
7) BLS (www.bls.gov).

Kapitel 15: „Arbeitslos hinter Gittern"

Als Erstes von amerikanischen Sozialwissenschaftlern vorgebracht, wurde sie von Deutschlands Amerika-Kritikern begierig aufgegriffen: die These, wonach die USA ihre niedrige Arbeitslosenquote der Tatsache verdanken, dass zwei Millionen Menschen hinter Gittern sind.

„Unsere Arbeitslosigkeit wäre um 1,5 Prozentpunkte niedriger, wenn so viele Menschen bei uns im Gefängnis säßen wie in den USA", ließ zum Beispiel Anfang 2002 der damalige deutsche Wirtschaftsminister Werner Müller wissen.[1] Natürlich ist Herr Müller nicht so zu verstehen, dass er vorschlägt, Arbeitslose in Deutschland einzusperren. Und wahrscheinlich wird Herr Müller auch nicht suggerieren wollen, die Amerikaner setzten ihre Justiz bewusst als Instrument der Arbeitsmarktpolitik ein. Gemeint haben kann der Minister eigentlich nur: Die USA sind, was die Arbeitslosigkeit angeht, nicht das Vorbild, das sie zu sein scheinen.

Nächte der Verzweiflung?

Eng damit verbunden ist die Idee, Kriminalität in den USA habe vorrangig soziale Ursachen. Auch hier hat der Elvis-Hit „In the Ghetto" imagebildend gewirkt: „Then one night in desperation, a young man breaks away, he buys a gun, steals a car ..."

Wie also hängen soziale Verhältnisse und Kriminalität zusammen? Wie hängen Kriminalität und die Zahl von Gefängnisinsassen zusammen? Und schließlich: Inwieweit ist das massenweise Wegsperren von Straftätern tatsächlich für den Rückgang der Arbeitslosigkeit verantwortlich?

Über lange Zeit hinweg haftete den Amerikanern der Ruf an, ein besonders kriminelles Volk zu sein. Nicht zu Unrecht: In den Achtzigerjahren war die Häufigkeit von Diebstählen, Einbrüchen, Raubüberfällen und tätlichen Angriffen in keinem Industrieland so groß wie in den USA.[2] Und nach wie vor geschehen in den USA weit mehr Morde als in anderen Industrieländern. In Amerika gab es 1999 je 100.000 Einwohner 4,55 Tötungsdelikte, in Deutschland dagegen nur 1,22.[3]

Bereits seit Jahren allerdings ist Kriminalität in Amerika tendenziell auf dem Rückzug. Im Vergleich zu anderen Ländern stehen die USA in einigen Kategorien mittlerweile sogar gut da. So hat der International Crime Victimisation Survey (ICVS), die umfassendste einschlägige internationale Studie, für das Jahr 1999 ergeben: Bei der Häufigkeit von Einbrüchen und versuchten Einbrüchen in Relation zur Einwohnerzahl standen die USA unter 17 untersuchten Industrieländern auf Rang 6, bei Raubüberfällen auf Platz 13 und bei tätlichen Angriffen auf Platz 17; Autodiebstähle sind in Frankreich doppelt so häufig wie in den USA und in England und Wales gar dreimal so häufig.[4]

Für den An- und Abstieg der Kriminalität in Amerika gibt es viele mögliche Erklärungen. So gab es demographisch bedingt in den Siebziger- und Achtzigerjahren ein starkes Wachstum der Zahl junger Männer – jener Bevölkerungsgruppe, die für gewöhnlich am stärksten zu kriminellem Verhalten neigt.

Aber natürlich ist es auch nahe liegend, wirtschaftliche Verhältnisse für die Entwicklung in Amerika zumindest teilweise verantwortlich zu machen. Armut und Hoffnungslosigkeit könnten in den Siebziger- und Achtzigerjahren die Kriminalität in die Höhe getrieben haben – während der Rekordboom in den Neunzigern womöglich geholfen hat, die Zahl der aus wirtschaftlicher Not heraus begangenen Straftaten zu reduzieren.

Allerdings: Empirische Studien haben diese These nicht bestätigen können. So könnte man annehmen, dass Lohnniveau und Kriminalitätsrate negativ korrelieren: Je niedriger die Löhne, umso verbreitet die Kriminalität. Empirische Untersuchungen für Länder wie Deutschland, England und die USA haben jedoch ergeben, dass Lohnhöhe und Kriminalität in Wirklichkeit entweder *positiv* zusammenhängen – oder in statistisch nicht signifikanter Weise. Auch zwischen Ungleichheit und Kriminalität ist bisher kein eindeutiger Zusammenhang entdeckt worden.[5]

Allein eine indirekte Verbindung zwischen wirtschaftlichen Verhältnissen und Kriminalität lässt sich belegen. So hat der Anteil von Müttern im Teenager-Alter empirisch einen erheblichen Einfluss auf die Kriminalitätsrate. Der mutmaßliche Grund: Kinder mit derart jungen Müttern wachsen mit größerer Wahrscheinlichkeit in instabilen Familien und in ärmlichen Verhältnissen auf.[6]

„Three strikes and you're out“

Es gibt auch empirische Hinweise darauf, dass mit einer wachsenden Zahl von Gefängnisinsassen die Kriminalität zurückgeht.[7] Doch selbst wenn es diesen Zusammenhang gibt, in den USA ist er eine Einbahnstraße: Die Zahl der Inhaftierten mag Einfluss auf die Kriminalitätsrate haben, umgekehrt dagegen hat sich die Größe der Gefängnispopulation in den USA längst von der Kriminalitätsrate abgekoppelt. Obwohl in den Neunzigerjahren die Kriminalität rückläufig war, mussten in Amerika immer neue Gefängnisse gebaut werden.

Am Ende des Jahres 2002 saßen fast 2,2 Millionen Menschen in den USA hinter Gittern – viermal mehr als noch 1980. Wie bereits in Kapitel 7 erwähnt, sind relativ zur Bevölkerung nirgends so viele Menschen inhaftiert: rund 700 je 100.000 Einwohner.[8]

Ein wichtiger Grund für das exzessive Wegsperren ist die Ausweitung des „War on Drugs“, des Krieges gegen die Drogen, auf Konsumenten und Kleindealer. Geholfen hat der Krieg gegen die Drogen wenig, wie sich an den tendenziell sinkenden Drogenpreisen ablesen lässt.[9] Dennoch wird der Krieg mit unverminderter Vehemenz weitergeführt. Allein im Jahr 2001 gab es in den USA mehr als 720.000 Verhaftungen wegen des Besitzes von Marihuana.[10]

Ein weiterer Grund für den Gefängnis-Boom war in den Achtzigern und Neunzigern die drastische Anhebung der Strafmaße auch für Nicht-Drogendelikte. So haben die Hälfte der amerikanischen Bundesstaaten mittlerweile „Three-Strikes"-Gesetze, die drakonische Strafen für Wiederholungstäter vorsehen. In Kalifornien etwa ist ein Familienvater zu 50 Jahren Haft verurteilt worden. Der Mann, zweifach wegen Einbruchs vorbestraft, hatte neun Videofilme aus einem Warenhaus gestohlen. Das Urteil ist im März 2003 vom Supreme Court, dem Obersten Gerichtshof der USA, bestätigt worden.

Herrn Müllers Milchmädchenrechnung

Mit dem in Europa gängigen Verständnis von Schuld und Sühne lassen sich derlei Strafmaße natürlich nur schwer in Einklang bringen. Aber profitieren die USA vielleicht von ihnen – nicht nur, weil sie womöglich die Kriminalität zu reduzieren helfen, sondern auch, weil sie Arbeitsmarktprobleme lösen?

Wer eingesperrt ist, fällt aus der offiziellen Arbeitsmarktstatistik heraus. Als arbeitsmarktpolitisches Instrument wären Gefängnisse allerdings enorm teuer: Der amerikanische Staat etwa gibt für jeden Inhaftierten mehr als 25.000 Dollar pro Jahr aus.[11]

Und: Jeder positive Effekt, der von dieser „Investition" auf die Arbeitslosenquote ausgeht, ist allenfalls vorübergehender Natur. Denn wer aus der Haft entlassen wird, wird es auf dem Arbeitsmarkt schwer haben – zumindest aber schwerer, als er es vorher hatte. Er (oder sie) wird auf Vorurteile stoßen, und er wird alle Probleme haben, unter denen auch Langzeitarbeitslose leiden: eine erodierte soziale Kompetenz und – gerade in Zeiten rapiden technischen Fortschritts – veraltete Fertigkeiten (siehe Kapitel 19 und 21). Hinzu kommt: Der amerikanische

Kongress hat die Reintegration seit Mitte der Neunzigerjahre gezielt erschwert, indem er Drogenstraftätern den Anspruch auf eine Reihe von Sozialleistungen entzog.[12] Diese Probleme sind millionenfaches Schicksal: Ende 2001 waren 4,7 Millionen Menschen in den USA auf Bewährung entlassen.[13]

Aber kann das Wegsperren wenigstens vorübergehend helfen, die Lage am Arbeitsmarkt zu verbessern?

Werner Müller unterstellt implizit, dass alle Inhaftierten, befänden sie sich auf freiem Fuß, arbeitslos wären. Dieses Argument ähnelt dem der „Die-Arbeit-geht-uns-aus"-Propheten: Es macht nur Sinn, wenn man glaubt, es gebe in einer Volkswirtschaft nur ein bestimmtes Volumen an Arbeit – der Kuchen sei nicht vergrößerbar, die Politik könne allenfalls dafür sorgen, ihn möglichst gleichmäßig oder gerecht zu verteilen. Die Realität sieht anders aus: Der Kuchen lässt sich durchaus vergrößern, wie zum Beispiel die steigende Beschäftigungsquote und die erfolgreiche Arbeitsmarktintegration von Millionen von Einwanderern in den USA belegen.

Und: Eine erhebliche Minderheit – nämlich ein gutes Drittel – der Strafgefangenen in den USA war Untersuchungen zufolge zum Zeitpunkt ihrer Verhaftung erwerbstätig.[14] Die beiden amerikanischen Arbeitsmarkt-Ökonomen Lawrence Katz und Alan Krueger haben auf Basis dieses Befundes den Arbeitsmarkteffekt des Gefängnisbooms berechnet.

Ihr Ergebnis: Die wachsende Zahl der Inhaftierten hat noch nicht einmal ein Sechzehntel zum Abbau der Arbeitslosigkeit zwischen 1985 und 1998 beigetragen. Die Arbeitslosigkeit in den USA lag 1998 um 0,17 Prozentpunkte niedriger, als sie es bei konstant großer Gefängnispopulation gewesen wäre.[15]

Das wiederum bedeutet: Den von Herrn Müller behaupteten Effekt gibt es wirklich. Er ist jedoch nicht annähernd so groß, wie Herr Müller es weismachen will.

Fußnoten

1) Wirtschaftswoche (2002).
2) Hunt (2003), S. 1.
3) United Nations Office on Drug and Crime (www.unodc.org). Ein zentraler Grund für diese Diskrepanz dürfte die von der amerikanischen Verfassung sanktionierten laxen Waffengesetze sein. Der zweite Verfassungszusatz von 1791 bestimmt, dass das „Recht des Volkes, Waffen zu besitzen und zu tragen, nicht verletzt" werden darf.
4) Kesteren, Mayhew und Nieuwbeerta (2000), S. 25ff. Deutschland war nicht in die Untersuchung einbezogen.
5) Hunt (2003), S. 6.
6) a.a.O., S. 1.
7) a.a.O., S. 6. Abzuwarten bleibt, ob sich dieser Zusammenhang dauerhaft als stabil erweist. So machen viele amerikanische Experten für den leichten Anstieg der Kriminalitätsraten von den Tiefstständen der Jahre 1999 und 2000 den Umstand verantwortlich, dass in den vergangenen Jahren besonders viele Straftäter aus der Haft entlassen wurden.
8) BJS (www.ojp.usdoj.gov/bjs).
9) Gersemann (1996), S. 1ff., 57ff. Für den Drogenkrieg gilt dasselbe, was der Ökonomie-Nobelpreisträger Milton Friedman und seine Co-Autorin und Ehefrau Rose über die Alkohol-Prohibition in den USA zwischen 1920 und 1933 geschrieben haben: „Neue Gefängnisse mussten gebaut werden, um die Kriminellen zu beherbergen, die geschaffen wurden, indem das Trinken von Alkohol zu einer Straftat gemacht wurde. Die Prohibition unterminierte den Respekt vor dem Gesetz, korrumpierte die Lakaien des Rechts und schuf ein dekadentes moralisches Klima – und stoppte am Ende den Konsum von Alkohol nicht." Friedman und Friedman (1992), S. 39.
10) BJS (www.ojp.usdoj.gov/bjs).
11) ebenda.
12) Rubinstein und Mukamal (2002) und Travis (2002).
13) BJS (www.ojp.usdoj.gov/bjs).
14) Katz und Krueger (1999), S. 33f.
15) a.a.O., S. 34 und Tabellen 9 und 13.

Kapitel 16: „Nicht einmal kranken-versichert“

Hollywood weiß, wo den Amerikanern der Schuh drückt. In „Besser geht's nicht“ spielt Helen Hunt eine Mutter, die sich keine angemessene Behandlung für ihren asthmakranken Jungen leisten kann. Und in „John Q.“ mimt Denzel Washington einen Vater, der Geiseln nimmt, um eine Herztransplantation für seinen Sohn zu erzwingen.

Medizinische Unterversorgung kann mit einigem Recht als Amerikas größtes soziales Problem bezeichnet werden. Zumindest aber ist es ein Problem, das besonders viele Menschen trifft – auch und gerade aus der Mittelschicht.

Bezeichnend ist die Entwicklung der Säuglingssterblichkeit: 1980 noch lag sie in Amerika, wie in Deutschland, bei 1,24 Todesfällen je 100 lebendgeborenen Kindern. 20 Jahre später ist sie in Deutschland auf 0,44 Prozent gesunken. In den USA liegt sie dagegen bei 0,67 Prozent – und damit höher als in ungleich ärmeren Ländern wie Griechenland, Portugal oder Ungarn.[1]

Dennoch haben die USA das teuerste Gesundheitssystem der Welt (siehe Grafik 16.1): Volle 13 Prozent der gesamten Wirtschaftsleistung verschlang es im Jahr 2000. Zum Vergleich: Deutschland liegt mit einem Anteil von 10,6 Prozent auf Platz acht der Weltrangliste.

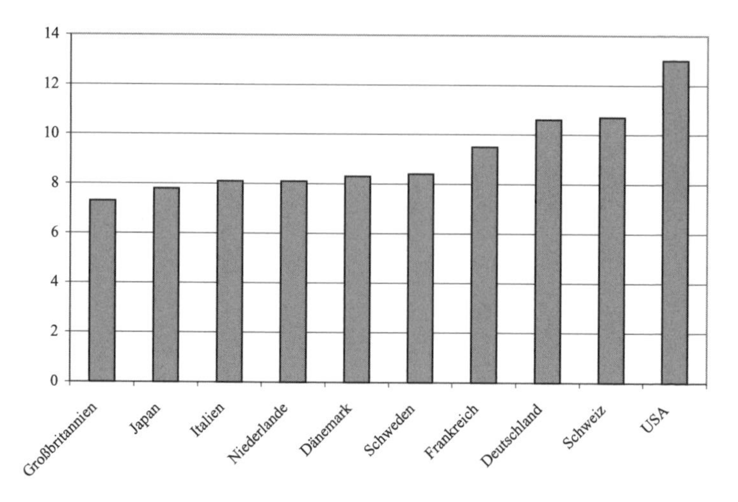

Grafik 16.1: *Anteile der Gesundheitsausgaben am Bruttoinlandsprodukt in ausgewählten Ländern – in Prozent, 2000* *[Quelle: Weltgesundheitsorganisation (2002), S. 202ff.]*

Warum also stellt Amerikas Gesundheitssystem keine flächendeckende Versorgung bereit – und ist doch so teuer?

John Q. & Co.

Die meisten Amerikaner, im Jahr 2001 waren es fast 178 Millionen, sind über ein Beschäftigungsverhältnis privat krankenversichert. Wie bereits in Kapitel 9 erwähnt, müssen amerikanische Arbeitgeber ihren Beschäftigten und deren Familien keine Krankenversicherung anbieten. Die meisten tun es trotzdem – weil es steuerliche Anreize dazu gibt: Der Wert dieser freiwilligen Sozialleistung wird bei der Einkommensbesteuerung der Arbeitnehmer nicht berücksichtigt; außerdem brauchen Arbeitgeber wie Arbeitnehmer, anders als bei herkömmlichen Gehaltszahlungen, keine anteiligen Rentenbeiträge zu entrichten.[2]

Eine staatliche Krankenversicherung gibt es nur für Geringverdiener und Senioren: Von „Medicaid“, dem Auffangnetz für Geringverdiener, wurden im Jahr 2001 rund 40 Millionen Amerikaner versorgt. Bei „Medicare“ sind weitere 40 Millionen Menschen versichert, darunter fast alle Senioren und ein Teil der Behinderten.[3]

Viele Menschen in Amerika allerdings sind unterversichert. So decken viele Versicherungen längst nicht alle entstehenden Kosten ab. Vor allem aber: 41,2 Millionen Menschen hatten im Jahr 2001 gar keinen Versicherungsschutz.[4] Die wichtigste Problemgruppe stellen jene Menschen dar, die weder alt noch arm noch beschäftigt sind. Betroffen sind aber auch Erwerbstätige: Insbesondere kleine Unternehmen, die gegenüber den Versicherungen nur geringe Verhandlungsmacht haben und daher höhere Kosten tragen müssten, bieten keinen Versicherungsschutz an; andere versichern zwar ihre Beschäftigten, nicht aber deren Angehörige.

Sich individuell zu versichern ist in vielen Fällen keine Alternative – gerade für so genannte schlechte Risiken: Derlei Versicherungen sind in der Regel sehr teuer; außerdem werden die Behandlungskosten für bereits existierende Krankheiten häufig ausgeschlossen.[5]

Die Situation ist nicht ganz so schlimm, wie sie auf den ersten Blick scheint. So kann davon ausgegangen werden, dass ein Teil der Bevölkerung das Fehlen einer Versicherungspflicht nutzt und freiwillig unversichert bleibt. Ein Teil der Unversicherten dürfte auch in der Lage sein, weniger aufwändige Behandlungen ohne größere Schwierigkeiten aus eigener Tasche zu finanzieren. Darauf deutet jedenfalls die Einkommenssituation vieler Unversicherter hin: 32 Prozent lebten 2001 in Haushalten mit einem Jahreseinkommen von mehr als 50.000 Dollar, in 16 Prozent der Fälle lag das Haushaltseinkommen gar bei mehr als 75.000 Dollar.[6]

Dennoch ist überhaupt nicht zu bestreiten, dass die medizinische Versorgung ein gravierendes Problem in den USA darstellt – für die (meisten) Un- oder Unterversicherten sowieso, aber auch für die Gesellschaft als Ganzes.

So bleiben Unversicherte, selbst wenn sie nicht zahlungskräftig sind, am Ende nicht unversorgt. In den Notaufnahmen öffentlicher Krankenhäuser etwa werden sie kostenlos behandelt. Die Rechnungen für diese „Charity Care“ werden, über gezielte Subventionen und höhere Versicherungsbeiträge, von Steuerzahlern, Versicherten und Arbeitgebern bezahlt. Insgesamt betragen die Kosten mehr als 50 Milliarden Dollar im Jahr. Wie viele Milliarden gespart werden könnten, wenn die Unversicherten frühzeitig oder gar vorbeugend behandelt würden und nicht erst, wenn das Krankheitsbild eine Behandlung in einem „Emergency Room“ verlangt – niemand weiß es.[7]

Letztlich kann kein Zweifel bestehen, dass der amerikanische Sozialstaat mit Blick auf die medizinische Versorgung versagt. In der politischen Debatte herrscht zwar weitgehend Einigkeit, dass der Staat Bedürftigen eine Grundversorgung und allen die Behandlung gegen Schwerstkrankheiten garantieren sollte. Es ist denn auch durch verschiedene Programme versucht worden, zum Beispiel Arbeitslosen einen leichteren Zugang zum Versicherungsschutz zu verschaffen.[8]

Alle diese Versuche jedoch blieben halbherzig. Umfassende Lösungsansätze scheiterten bisher stets an Befürchtungen, das Gesundheitssystem werde nur noch teuerer.

Womit sich die Frage stellt, warum eigentlich das amerikanische System derart hohe Kosten produziert. Zwei kostentreibende Aspekte, durch die sich die USA markant von Deutschland und allen anderen Industrieländern unterscheiden, werden im Folgenden diskutiert: die Preise für Arzneimittel und das amerikanische Haftungsrecht.

Die ungeliebten Wohltäter

Journalisten wählen ihre Worte meist sorgsam – zumindest, wenn sie Sympathie oder Distanz demonstrieren wollen. Das Walldorfer Unternehmen SAP etwa wird in den Medien gerne Software*haus* genannt – oder, fast schon zärtlich, Software*schmiede*.

Ganz anders die pharmazeutische Industrie. Als *Hersteller* werden allenfalls die Produzenten billiger Kopien („Generika“) bezeichnet. Die Forschung betreibenden Unternehmen der Branche dagegen heißen in den Medien in aller Regel Pharma*konzerne* oder Pharma*multis*, kollektiv sind sie die Pharma-*Lobby*.

Auch in der Politik haben die Pharmaunternehmen einen schweren Stand. Fast alle Industrieländer halten die Preise, die Unternehmen für ihre Produkte verlangen dürfen, künstlich niedrig – durch direkte Kontrollen, durch Gewinnkontrollen oder auch, wie in Deutschland, durch Obergrenzen der Erstattungsfähigkeit.

Die große Ausnahme sind die USA. Hier sind die Preise für patentgeschützte Medikamente weitgehend dem freien Spiel von Angebot und Nachfrage ausgesetzt. Die Folge sind, natürlich, deutlich höhere Preise. Je nach aktuellem Wechselkurs erzielt zum Beispiel der US-Pharmahersteller Pfizer mit seinem Cholesterin-Senker Lipitor im Großhandel einen doppelt bis dreimal so hohen Preis wie in Deutschland, Frankreich oder Italien. Obwohl die Zahl der Verschreibungen von Arzneimitteln pro Kopf in den USA 1996 um 27 Prozent unter dem Niveau des OECD-Durchschnitts lag, lagen die Ausgaben für Medikamente um 41 Prozent über dem Durchschnitt.[9]

Fast ein Achtel der gesamten Gesundheitsausgaben entfallen in Amerika mittlerweile auf Arzneimittel, Tendenz: stark steigend. Seit mehr als 20 Jahren sind Medikamente der Kostentreiber Nummer eins im amerikanischen Gesundheitssystem. In den Neunzigerjahren etwa sind die Ausgaben für Arzneimittel doppelt so schnell gewachsen wie die Gesundheitsausgaben insgesamt; mehr als 40 Prozent des Ausgabenwachstums entfiel auf Verkaufsschlager („Blockbuster“), die erst nach 1992 zugelassen worden waren.[10]

So erzielte die Branche im Jahr 2002 rund 51 Prozent ihres weltweiten Umsatzes in den USA. Der Anteil der EU hingegen lag, trotz ihrer größeren Bevölkerung, nur bei 22 Prozent.[11] Der Anteil der Gewinne, die in den USA erzielt werden, ist – der höheren Margen wegen – fraglos noch größer.

Jean-François Dehecq, der Chef des französischen Pharmaherstellers Sanofi-Synthelabo, beschreibt die Situation so:

„Schrittweise sinkt die Profitabilität auf den europäischen Märkten, und wir hängen mehr und mehr von den USA ab. Am Beginn des Lebenszyklus eines Medikaments ist es gar nicht so schlecht. Aber jedes Jahr erhöhen wir die Preise in den USA ein bisschen. Und jedes Jahr müssen wir in Europa ein bisschen senken. Nach ein paar Jahren ist es ein Desaster.“[12]

Zeigt sich hier der Einfluss, den die Pharma-Lobby in den USA hat? Vermutlich. Dass in Amerika der Pharmaindustrie keine „Solidarbeiträge“ abverlangt werden – wie es bei Gesundheitsreformen in Deutschland mittlerweile Routine ist –, das hat sicher auch mit den hohen Politspenden zu tun, die die Pfizers und Mercks verteilen.

Aber damit ist noch nicht gesagt, dass ein Preisniveau wie in Amerika nicht seine Berechtigung hätte.

Um dies beurteilen zu können, ist es vielmehr erforderlich, zumindest eine grobe Vorstellung davon zu haben, welche Auswirkungen der Fortschritt in der Arzneimittelforschung auf die Lebensqualität der Menschen hat.

Solche Abschätzungen in Euro oder Dollar auszudrücken ist ein haariges Unterfangen. Denn letztlich muss eine Aussage darüber getroffen werden, wie viel Geld ein Menschenleben, ein zusätzlich gewonnenes Lebensjahr wert ist. Eine objektive, aber primitive und völlig unzureichende Methode besteht darin, den Wert eines Menschen danach zu bestimmen, wie viel Einkommen er mutmaßlich in seiner voraussichtlich verbleibenden Lebenszeit erwirtschaften wird.

Eine elegantere und angemessenere Alternative: Der Wert wird danach bemessen, wie viel Geld Menschen bereit wären, dafür zu bezahlen, am Leben zu bleiben oder ein zusätzliches Lebensjahr zu gewinnen. Direkt messen lässt sich dies zwar nicht. Es ist aber mit den Mitteln der Statistik möglich, Rückschlüsse zu ziehen aus der Bereitschaft von Menschen, lebensgefährdende Risiken einzugehen. Diese Bereitschaft wiederum kann abgeleitet werden aus Gehaltszuschlägen, die Arbeitnehmer erhalten, deren Job Gefahren für Leib und Leben birgt.

Die amerikanischen Wirtschaftswissenschaftler Kevin Murphy und Robert Topel haben diese Methode auf die USA angewandt. Ihr Ergebnis: Das Leben eines Amerikaners hat einen Wert von rund fünf Millionen Dollar; jedes zusätzlich gewonnene Lebensjahr ist 150.000 bis 200.000 Dollar wert. (Diese Beträge fallen etwas höher aus als andere einschlägige Schätzungen, bewegen sich aber durchaus in der gleichen Größenordnung.)[13]

Auf dieser Basis haben Murphy und Topel kalkuliert, wie sich die Steigerung der Lebenserwartung zwischen 1970 und 1990 auf den Wohlstand der Amerikaner ausgewirkt hat. Die Resultate gigantisch zu nennen wäre gelinde: In Preisen von 1992 ausgedrückt, entsprach die Lebensverlängerung einem Wohlstandszuwachs von 2,8 Billionen Dollar – und zwar Jahr für Jahr. Auch für die Zukunft verheißt die Studie eine enorme Steigerung der Lebensqualität. Bereits eine Reduktion der Krebssterblichkeit um nur ein Prozent würde den Wohlstand der Amerikaner um das Äquivalent von 500 Milliarden Dollar erhöhen.[14]

Derlei Schätzungen, urteilen Murphy und Topel, „deuten darauf hin, dass die sozialen Erträge von Investitionen in neues medizinisches Wissen enorm sind“. Im Vergleich dazu erschienen die Ausgaben, die in die Erforschung neuer Arzneimittel gesteckt werden, „extrem klein“. Und dabei haben Murphy und Topel gar nicht miteingerechnet, dass viele neue Medikamente (oder Behandlungsmethoden) zwar kein Leben verlängern, aber sehr wohl die Lebensqualität erhöhen – zum Beispiel, weil sie weniger Nebenwirkungen haben als ältere Arzneimittel.[15]

Doch kann natürlich der Wohlstandszuwachs nicht allein neuen Medikamenten oder auch nur dem medizinischen Fortschritt generell zugeschrieben werden. Eine wichtige Rolle bei der Steigerung der Lebenserwartung könnten, zum Beispiel, auch eine verbesserte Aufklärung und eine gesündere Ernährung gehabt haben.

Allerdings lässt sich mit Methoden der so genannten Ökonometrie der Einfluss, der Faktoren wie Bildung, Einkommen, Ernährung, Lebensstile oder Umweltverschmutzung zukommt, herausrechnen. Genau dies hat Frank Lichtenberg getan.

Der New Yorker Gesundheitsökonom hat auf diese Weise für 52 Länder den Effekt isoliert, den neu zugelassene Medikamente haben – und zwar allein Medikamente mit neuen Wirkungsmechanismen. Lichtenbergs Ergebnis: Diese so genannten New Chemical Entities (NCE) waren für nicht weniger als 40 Prozent des Anstiegs der Lebenserwartung zwischen 1986 und 2000 verantwortlich.[16]

Wird dies in Relation gesetzt zu den 250 Dollar, die in den Industrieländern pro Kopf und Jahr für pharmazeutische Forschung und Entwicklung ausgegeben werden, dann ergibt eine sehr vorsichtige Berechnung: Es kostet pro Person gerade einmal 4.500 Dollar an Forschungsausgaben, um die allgemeine Lebenserwartung um ein volles Jahr zu erhöhen – eine sehr geringe Summe im Vergleich zu dem Wert, den ein Lebensjahr den oben genannten Schätzungen zufolge hat.[17]

Aus diesen Erkenntnissen lässt sich folgern:

- Die heutigen Investitionen in den pharmazeutischen Fortschritt erzeugen sehr hohe soziale Renditen.

- Die Investitionen in den pharmazeutischen Fortschritt sind heute allem Anschein nach geringer – und wahrscheinlich sogar weit geringer –, als es im wohlverstandenen Eigeninteresse der Menschheit wäre.

■ Weil letztlich nur die Aussicht auf hohe Gewinnmargen die Pharmaindustrie zu verstärkten Forschungsinvestitionen bewegen kann, sind es demnach nicht die Amerikaner, die zu viel für ihre Medikamente zahlen. Es sind die Deutschen (und Franzosen und Engländer und Japaner etc.), die zu wenig bezahlen.

■ Solange es dabei bleibt, dass sich selbst das heutige Niveau an Investitionen für die Pharmabranche nur rechnet, weil sich in Amerika große Gewinnmargen realisieren lassen, agieren die restlichen Industrieländer als Trittbrettfahrer: Nur hohe Preise in den USA garantieren, dass künstlich gedrückte Preise in Deutschland und anderswo den so offenkundig wertvollen pharmazeutischen Fortschritt nicht abwürgen.

Ärzte in der Defensive

Samuel Desiderio ist ein bedauernswerter junger Mann: Nach einer Operation an seinem Kopf im New York Presbyterian Hospital im Jahr 1990 übersahen die Ärzte, dass sich Druck in seinem Gehirn bildete. Desiderio, damals noch keine vier Jahre alt, erlitt einen Gehirnschaden, sein Leben lang wird er ein Pflegefall bleiben.

Ein wohlhabender Pflegefall allerdings: Ein Gericht sprach Desiderio 140 Millionen Dollar Schadenersatz zu – ein Urteil, das mittlerweile vom höchsten Berufungsgericht des US-Bundesstaats New York bestätigt worden ist.[18]

Desiderios Klage mag ebenso berechtigt gewesen sein wie die Höhe des Schadenersatzes, den er bekam. Auch ist selbstverständlich nichts dagegen zu sagen, dass Opfer fahrlässiger Fehldiagnosen oder Kunstfehler den Rechtsweg beschreiten können.

Allerdings: „Malpractice"-Klagen sind in Amerika zu einem Volkssport geworden. Und weil gleichzeitig die Höhe der Schadensersatzsummen wächst, ist das amerikanische Haftungsrecht zu einem der Hauptverantwortlichen für die Kostenexplosion im Gesundheitswesen degeneriert.[19]

39 Prozent der klagenden Patienten, deren Fälle von Geschworenen entschieden werden, sind vor Gericht erfolgreich. Von den Erfolgreichen bekommt die Hälfte eine Million Dollar oder mehr zugesprochen – mehr als doppelt so viel wie noch 1996.[20]

Erschwerend hinzu kommt, dass das Risiko für die Beklagten völlig unkalkulierbar ist: Wie hoch der Schadenersatz bei einer Verurteilung ausfällt, lässt sich im Einzelfall beim besten Willen nicht voraussehen, da es in den meisten Bundesstaaten keine Obergrenzen gibt – ob die zugesprochene Summe sechs oder acht Stellen hat, hängt mehr vom Zufall ab als von irgendetwas sonst. Schlagwörter wie „Jackpot Justice" oder „Lawsuit Lottery" machen deshalb die Runde.

Längst unterminiert die Klagewut in Amerika das Vertrauensverhältnis zwischen Arzt und Patient – jeder falsche Satz könnte schließlich eine Millionenklage nach sich ziehen; neue Behandlungsmethoden und Arzneimittel werden nur zögernd eingesetzt, weil aus Sicht des Arztes alles Neue und Ungewisse ein Prozessrisiko birgt.[21]

Und: Die Versicherungsprämien steigen dramatisch. In Florida zum Beispiel kostet die Haftpflichtversicherung für einen entbindenden Frauenarzt mittlerweile 210.000 Dollar im Jahr; in Kalifornien dagegen, wo das Haftungsrecht strikter gefasst ist, kostet dieselbe Police 57.000 Dollar.[22]

Mancherorts ist aufgrund der überbordenden Prämien inzwischen sogar die medizinische Versorgung bedroht. Frauenärzte weigern sich, bei Geburten zu helfen, ganze Entbindungsstationen sind schon geschlossen worden. Spezialisten wie Neurochirurgen, Notärzte und Urologen hängen ihren Beruf an den

Nagel – oder verlagern zumindest ihre Tätigkeit weg aus Bundesstaaten, die dafür bekannt sind, Patienten besonders hohe Schadenersatzzahlungen zu genehmigen. Die American Medical Association (AMA), der Berufsverband der amerikanischen Ärzte, hat inzwischen 19 Bundesstaaten zu Krisengebieten erklärt, eine Reform des Haftungsrechts steht für die AMA obenan auf der Wunschliste.[23]

Kritiker wie Philip Howard, ein namhafter New Yorker Anwalt und Gründer der Reformbewegung „Common Good“, taxieren die Kosten für Versicherungsprämien und Gerichtsverfahren auf zehn Milliarden Dollar im Jahr.[24] Und damit nicht genug. Hinzu kommt nämlich, was in den USA „defensive Medizin“ genannt wird: Behandlungen, die Ärzte allein oder zumindest vorrangig deshalb vornehmen, um sich vor Klagen zu schützen – nicht um Patienten zu kurieren. Defensive Medizin ist nicht nur Verschwendung, sie kann auch dem Patienten schaden – zum Beispiel, wenn ein Arzt davor zurückschreckt, viel versprechende, aber riskante Behandlungsmethoden anzuwenden.[25]

Wie weit verbreitet defensive Medizin in Amerika inzwischen ist, hat eine Umfrage unter 300 Ärzten im März 2002 gezeigt. 41 Prozent der Mediziner gaben dabei an, aus Angst vor Schadenersatzklagen mehr Medikamente zu verschreiben, als medizinisch angezeigt wäre; 74 Prozent sagen, sie überwiesen Patienten häufiger als nötig an Fachärzte, und gar 79 Prozent führen nach eigenem Eingeständnis zu viele Tests durch.[26]

Die Kosten des Problems abzuschätzen ist allerdings schwierig. Denn im Einzelfall kann ein Außenstehender kaum erkennen, aus welchem Beweggrund ein Arzt eine bestimmte Behandlungsmethode gewählt hat.[27]

Einen Ausweg haben die beiden amerikanischen Ökonomen Daniel Kessler und Mark McClellan gefunden. In einer preisgekrönten Studie untersuchten sie, wie sich die Behandlung von Herzpatienten in US-Bundesstaaten mit besonders klägerfreundlichem Haftungsrecht von der Behandlung in anderen

Bundesstaaten unterscheidet. Die zugrunde liegende Annahme: Soweit ein freizügiges Haftungsrecht einhergeht mit einer intensiveren Behandlung, ohne dass die Krankheitsverläufe günstiger wären, wird offenbar defensive Medizin betrieben.[28]

Das Ergebnis der Untersuchung: Schon moderate Reformen könnten das Problem beseitigen. Würde Schadenersatz landesweit nur bis zu einer bestimmten Höhe gewährt, würde der so genannte Strafschadenersatz abgeschafft und auch andere problematische Elemente des Haftungsrechts beseitigt, reduzierten sich die Ausgaben von Krankenhäusern um fünf bis neun Prozent – ohne jede negative Nebenwirkung auf das Wohlbefinden der Patienten. „Weit mehr als 50 Milliarden Dollar" im Jahr kostet das freizügige Haftungsrecht das amerikanische Gesundheitssystem, folgern Kessler und McClellan; aktualisierte Schätzungen gehen gar von einer Größenordnung von 100 Milliarden Dollar aus.[29]

* * *

Die beiden beschriebenen Faktoren – das Fehlen von Preiskontrollen und das Haftungsrecht – sind wesentlich für die Kostenträchtigkeit des amerikanischen Gesundheitssystems verantwortlich. Würde das Haftungsrecht wie oben beschrieben reformiert und zugleich die Ausgaben für Arzneimittel durch Preiskontrollen um die Hälfte reduziert: Das US-System wäre kaum mehr teurer als das deutsche. Alternativ könnte, bei unverändertem Niveau der Gesamtausgaben, allen Unversicherten kostenlos zumindest eine Grundversicherung bereitgestellt werden.[30]

Ein relativ freizügiges Haftungsrecht mag notwendiger Bestandteil eines relativ ungezügelten kapitalistischen Systems sein: Je geringer die Regulierungsdichte, umso größer wird im Allgemeinen der Bedarf sein, entstehende Fehlentwicklungen im Nachhinein – auf dem Rechtswege eben – zu korrigieren. Dass in Amerika häufiger geklagt wird, ist insofern nur natürlich.

Amerikas Haftungsrecht hat jedoch – auch, aber nicht nur im Gesundheitswesen – in seiner heutigen Form Auswüchse und Unberechenbarkeiten erzeugt, von denen sich kaum behaupten lässt, dass sie eine unvermeidbare Schattenseite des Modells Amerika seien. Daher: Soweit das Haftungsrecht für die medizinische Unterversorgung großer Teile der Bevölkerung verantwortlich gemacht werden kann, handelt es sich hier schlicht um einen Akt kollektiver Selbstschädigung – und nicht etwa um einen Preis, den das Land für sein Wirtschaftssystem zahlt.

Soweit dagegen die hohen Arzneimittelpreise für die Unterversorgung verantwortlich sind, kann sehr wohl behauptet werden, dass hier eine Schattenseite des Modells Amerika zum Vorschein kommt. Denn das Fehlen von Preiskontrollen auf dem Arzneimittelmarkt ist sehr wohl typisch für einen Cowboy-Kapitalismus.

Zugespitzt formuliert: Mit ihrer Entscheidung gegen Preiskontrollen haben sich die Amerikaner für den pharmazeutischen Fortschritt ausgesprochen – und im Gegenzug billigend in Kauf genommen, dass einer Minderheit aus Kostengründen der Zugang zum Versicherungsschutz verwehrt bleibt.

Mit einem europäischen Verständnis von Sozialstaatlichkeit mag diese Entscheidung nicht zu vereinbaren sein. Nur: Wenn die Wohlfahrtseffekte des pharmazeutischen Fortschritts auch nur annähernd so groß sind, wie es die vorgestellten Untersuchungen nahe legen, dann sollte im trittbrettfahrenden Europa niemand hoffen, dass die Amerikaner ihre Entscheidung jemals revidieren.

Fußnoten

1) StBA (2002a), S. 202.
2) U.S. Census Bureau (www.census.gov) und OECD (2002d), S. 86ff.
3) Centers for Medicare & Medicaid Services (cms.hhs.gov).
4) U.S. Census Bureau (www.census.gov)
5) OECD (2002d), S. 89.
6) U.S. Census Bureau (www.census.gov).
7) vgl. OECD (2002d), S. 93.
8) a.a.O., S. 89, 122.
9) OECD (2002d), S. 105, und Wall Street Journal (2002a).
10) Glied (2003), S. 137, Jones (2002), OECD (2002d), S. 99, und OECD Health Data 2002 (CD-ROM).
11) IMS Health.
12) Wall Street Journal (2002a).
13) Murphy und Topel (1999), S. 25; vgl. Cutler und McClellan (2001).
14) Murphy und Topel (1999), S. 22ff.
15) a.a.O., S. 1, 32; vgl. Glied (2003), S. 135.
16) Lichtenberg (2003), S. 19.
17) a.a.O., S. 20. Vorsichtig ist diese Berechnung deshalb, weil in der Statistik zu den Forschungsausgaben auch Gelder für Medikamente eingebezogen sind, die zwar neu auf den Markt gebracht werden, aber keine neue Wirkungsmechanismen enthalten – die also im Grunde alter Wein in neuen Schläuchen sind.
18) New York Times (2003).
19) OECD (2002d), S. 107.
20) Jury Verdict Research (www.juryverdictresearch.com)
21) Howard (2003).
22) AMA (www.ama-assn.org).
23) AMA (www.ama-assn.org), Time (2003) und USA Today (2002a).
24) Howard (2003).
25) Anderson (1999), S. 2399, und JEC (2003).
26) Harris Interactive (www.harrisinteractive.com).
27) vgl. Anderson (1999), S. 2399.
28) Kessler und McClellan (1996).
29) vgl. Howard (2003).
30) Die Gesamtkosten des amerikanischen Gesundheitswesens betrugen im Jahr 2000 rund 1.270 Milliarden Dollar; die Ausgaben für Arzneimittel beliefen sich auf gut 150 Milliarden Dollar. Eine Haftungsrechtsreform, die 100 Milliarden Dollar brächte, und eine Halbierung der Ausgaben für Arzneimittel würden demnach Einsparungen in der Größenordnung von 175 Milliarden Dollar erzeugen. Wären diese Einsparungen in voller Höhe für die Kostenreduzierung verwendet worden, hätte der Anteil der Gesundheitsausgaben an der amerikanischen Wirtschaftsleistung statt 13,0 nur 11,2 Prozent betragen (in Deutschland, zur Erinnerung, betrug dieser Wert 10,6 Prozent). Wären, alternativ dazu, die Einsparungen in voller Höhe für die kostenlose Versorgung der Unversicherten eingesetzt worden, hätte pro Kopf und Jahr eine Summe in Höhe von mehr als 4.400 Dollar zur Verfügung gestanden – genug, um mehr als nur eine Grundversorgung zu gewährleisten. OECD Health Data 2002 (CD-ROM), U.S. Census Bureau (www.census.gov) und eigene Berechnungen.

Teil III: Ungleich ungleich ungerecht

Was ist gerecht: Wenn in einer Gesellschaft alle entsprechend ihrer Leistung am Wohlstand teilhaben? Wenn alle die gleichen Startchancen haben? Oder wenn die Einkommens- und Vermögensunterschiede, die sich in einer Marktwirtschaft zwangsläufig aus dem Zusammenspiel von Angebot und Nachfrage ergeben, im Nachhinein eingeebnet werden?

Leistungsgerechtigkeit, Chancengleichheit, Verteilungsgerechtigkeit: Gerechtigkeit zu definieren ist ein schwieriges Unterfangen – abhängig von persönlichen Wertvorstellungen wird jeder zu einem anderen Ergebnis kommen.

In den folgenden Kapiteln aber geht es um Gerechtigkeit. Der Klarheit halber sollen daher die der Argumentation zugrunde liegenden Wertvorstellungen hier explizit benannt werden:

- Chancengleichheit ist die fundamentalste Form der Gerechtigkeit. Konkreter formuliert: Eine Ungleichverteilung von Einkommen und Vermögen, die aus ungleichen Chancen – aus einem ungleichen Zugang zu Bildungseinrichtungen und Arbeitsmarkt etwa – herrührt, ist weniger tolerabel als eine gleich starke Ungleichverteilung, die Folge unterschiedlicher Leistungen und Anstrengungen ist.

■ Eine hohe oder wachsende Ungleichverteilung von Einkommen und Vermögen kann nicht per se als ungerecht bezeichnet werden. Wäre dem so, dann müsste zum Beispiel ein Börsencrash konsequenterweise als begrüßenswertes Ereignis gefeiert werden – schließlich treffen derlei Abwärtsentwicklungen Gutverdiener und Wohlhabende für gewöhnlich besonders hart, die Ungleichverteilung, wie sie üblicherweise gemessen wird, sinkt. Daher: Wie Einkommensungleichheit zu bewerten ist, hängt von ihren Ursachen ab.

■ Ein Staat sollte ein Mindestmaß an sozialer Absicherung bereitstellen. Eine Umverteilung von Einkommen und Vermögen durch den Staat ist deshalb für sich genommen legitim. Sie sollte jenen helfen, die mit ihrem Erwerbseinkommen nicht auskommen, die unverschuldet in Not geraten oder die kurzfristig Hilfe brauchen.

■ Soweit durch Umverteilung darüber hinaus eine bessere Verteilungsgerechtigkeit erreicht werden soll, ist zu berücksichtigen, inwieweit dies auf Kosten von Leistungsgerechtigkeit, Wirtschaftswachstum und Beschäftigung geht.

Natürlich wird nicht jeder diese Wertvorstellungen teilen. Allerdings lässt sich kaum behaupten, dass sie einem radikalen Gerechtigkeitsverständnis entspringen. Im Vergleich dazu ungleich radikaler wäre es zum Beispiel, dem Streben nach Verteilungsgerechtigkeit grundsätzlich höheren Rang einzuräumen als dem Prinzip der Leistungsgerechtigkeit.

* * *

In den folgenden acht Kapiteln werden zunächst die wachsende Ungleichheit der Einkommensverteilung in den USA und deren Ursachen analysiert. Es folgen deutsch-amerikanische Vergleiche von Einkommensverteilung, Umverteilung und Chancengleichheit. Abschließend werden, abermals im Vergleich, Aspekte der sozialen Sicherheit diskutiert.

Kapitel 17: Die Schere – die Entwicklung der Einkommensverteilung in den USA

Die globale Ungleichverteilung der Einkommen wächst nicht, im Gegenteil: Sie sinkt. Insbesondere der Aufstieg von China und Indien hat dafür gesorgt, dass die einschlägigen statistischen Maßstäbe für die Achtziger- und Neunzigerjahre eine schrumpfende Kluft zwischen Arm und Reich auf der Welt anzeigen. Inzwischen sind die Einkommen global so gleichmäßig verteilt wie seit 1910 nicht mehr.[1]

Anders die Entwicklung *innerhalb* der Industrieländer. Seit Mitte der Achtzigerjahre ist die Ungleichheit in einer ganzen Reihe von Ländern gestiegen, darunter auch in Deutschland – während nirgends ein eindeutiger Abwärtstrend zu erkennen war.[2]

Tektonische Verschiebungen?

Was Amerika herausstechen lässt, ist nicht, dass die Einkommen immer schon viel ungleicher verteilt gewesen wären als in anderen Industrieländern. In Frankreich zum Beispiel lag der Anteil des Gesamteinkommens, der auf das einkommensstärkste Zehntel der Steuerzahler entfiel, in den Fünfziger- und Sechzigerjahren sogar deutlich höher als in den USA.[3]

Was Amerika stattdessen abhebt, ist, was Princeton-Ökonom Paul Krugman „tektonische Verschiebungen“ nennt: ein außergewöhnlich starker *Anstieg* bei der Ungleichverteilung der Einkommen. Dieser Trend hat Mitte der Siebzigerjahre eingesetzt und sich erst in der zweiten Hälfte der Neunzigerjahre eindeutig abgeschwächt.[4]

Eine gebräuchliche Art, die Einkommensverteilung darzustellen, wird in Grafik 17.1 präsentiert: Amerikas Privathaushalte sind hier ihrem Einkommen nach in Fünftel (Quintile) eingeteilt: Das erste Fünftel sind die 20 Prozent mit dem geringsten Einkommen, das fünfte Fünftel sind die 20 Prozent mit dem höchsten Einkommen. Zugrunde gelegt ist das „Money Income", eine Größe, die das Einkommen vor Steuern misst, aber Elemente wie freiwillige Sozialleistungen von Arbeitgebern und Einkünfte aus Kursgewinnen außen vor lässt (vgl. Kapitel 9).

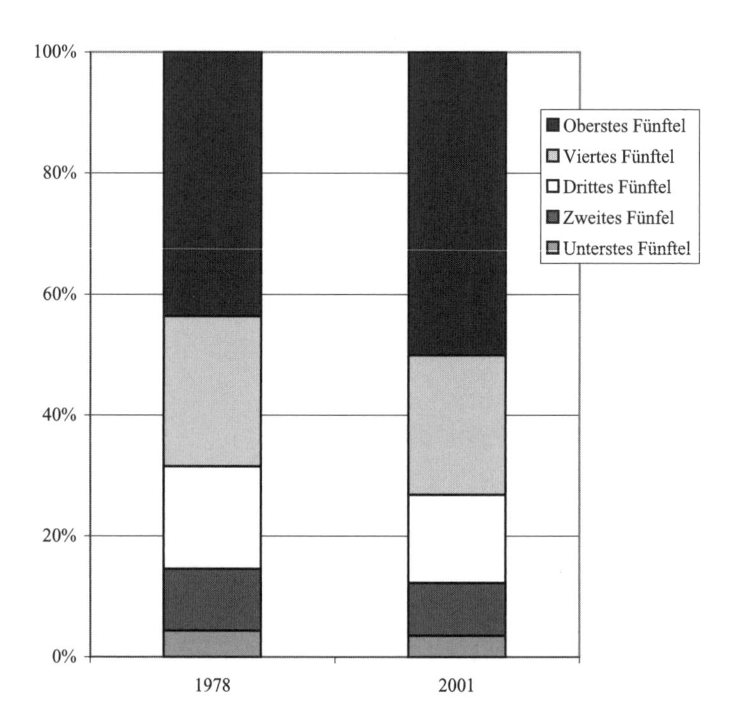

Grafik 17.1: *Anteile von Einkommensgruppen am Gesamteinkommen in den USA – in Prozent, brutto* *[Quelle: U.S. Census Bureau]*

Die Grafik verdeutlicht, wie sich die Anteile der Quintile am Gesamteinkommen zwischen 1978 und 2001 verändert haben. Die Anteile aller vier unteren Fünftel sind demnach zugunsten der obersten 20 Prozent zurückgegangen. Auf Grund einer Umstellung der statistischen Erfassung Anfang der Neunzigerjahre dürfte die tatsächliche Entwicklung längst nicht so deutlich ausgefallen sein wie hier – und auch weiter unten, in Grafik 17.2 – angedeutet; insbesondere wird sich der Anteil von Haushalten am unteren Ende der Einkommensskala deutlich positiver entwickelt haben.[5]

Das ändert allerdings nichts am Gesamtbild: Der Anteil der gutverdienenden Haushalte am Gesamteinkommen ist eindeutig gestiegen – auf Kosten aller anderen. Bei der Einkommensverteilung hat sich seit den Siebzigerjahren eine Schere aufgetan.

Grafik 17.1 zeigt aber nur: Die „Reichen“ haben größere Einkommenszuwächse verbuchen können als andere. Dass die übrigen Gruppen Einkommenseinbußen erlitten hätten, lässt sich nicht ablesen.

Zudem ist zu berücksichtigen, dass hier *Haushalts*einkommen betrachtet werden. Dies ist relevant, weil es in den USA in den vergangenen 30 Jahren einen deutlichen Trend zum Doppelverdiener-Haushalt gab. Insbesondere Frauen gutverdienender Männer drängten auf den Arbeitsmarkt: Es arbeiten heute mehr Frauen gutverdienender Männer, sie arbeiten länger als früher, und typischerweise erzielen sie selbst hohe Löhne (siehe Kapitel 13). Schon allein dadurch steigt die Ungleichheit zwischen den Haushaltseinkommen.[6]

Um ein vollständigeres Bild von der Entwicklung der Einkommensungleichheit in den zurückliegenden Jahrzehnten zu bekommen, ist es daher nahe liegend, zusätzlich die Einkommen individueller Beschäftigter zu betrachten.

Grafik 17.2 zeigt, nach Geschlechtern getrennt, die Entwicklung der Gehälter von Vollzeitbeschäftigten. Dabei wird jeweils ein Beschäftigter betrachtet, der mit seinem Erwerbseinkommen den Durchschnitt des zehnten Perzentils erreicht – der also weniger verdient als die 90 Prozent der Beschäftigten mit den höchsten Einkommen, aber mehr als die neun Prozent mit den geringsten Einkommen. Das Einkommen dieses Beschäftigten wird in Relation gesetzt zu dem Einkommen des Durchschnittsverdieners (50. Perzentil) und dem Einkommen eines Beschäftigten im 90. Perzentil. Im Ergebnis erhält man zwei gängige Maße für die Abbildung von Ungleichheit: das 90/10- und das 50/10-Verhältnis.

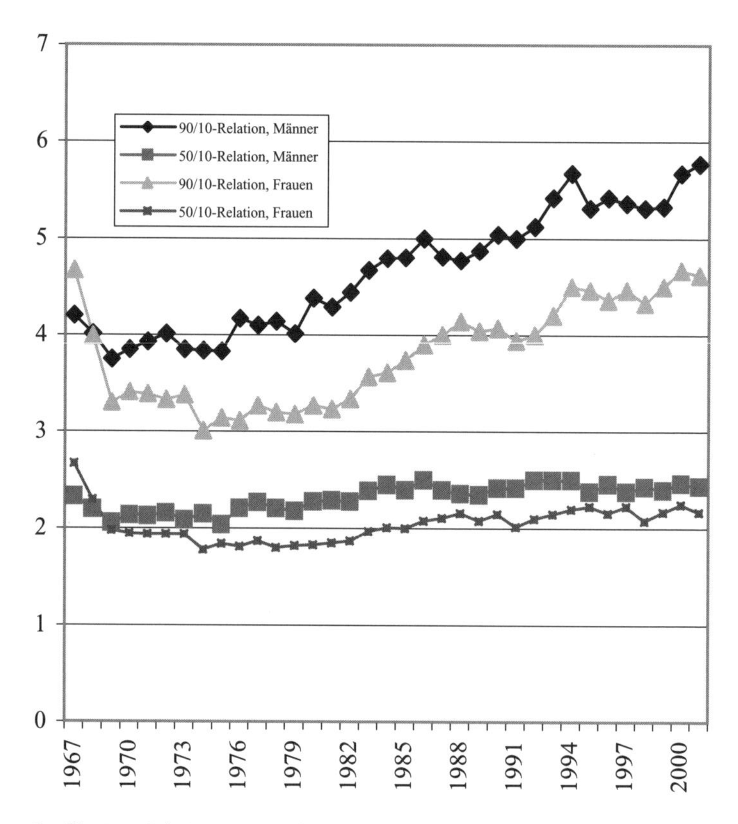

***Grafik 17.2:** Relationen von Einkommens-Perzentilen in den USA – Bruttoerwerbseinkommen von ganzjährig Vollzeitbeschäftigten* *[Quelle: U.S. Census Bureau]*

Dabei wird deutlich: Bei Männern wie Frauen war die Ungleichverteilung Ende der Sechziger- und Anfang der Siebzigerjahre rückläufig. Mitte der Siebzigerjahre jedoch setzte ein neuer Trend ein, der erst Mitte der Neunzigerjahre gebrochen wurde: Die Einkommen zwischen Gutverdienern auf der einen Seite und Durchschnitts- und Geringverdienern auf der anderen Seite entwickelten sich auseinander.[7]

Insofern wird hier der Eindruck bestätigt, der sich aus der Betrachtung der Haushaltseinkommen ergab. Allerdings: Der Trend zur Ungleichheit ist bei Frauen deutlich schwächer ausgeprägt als bei Männern. Und: Allein die Einkommensunterschiede zwischen gutverdienenden Männern und geringverdienenden Männern waren zuletzt deutlich größer als vor dreieinhalb Jahrzehnten. Die anderen drei der vier betrachteten Indikatoren dagegen weisen heute geringere oder ähnlich hohe Werte auf als 1967.[8]

Segensreiche Kreditkarte

Wenn sich die Einkommen der Amerikaner auseinander entwickeln, dann auch ihr Konsum. Sollte man annehmen.

Dies ist aber nicht der Fall, wie ein Blick auf Grafik 17.3 verdeutlicht. Hier sind für die Verteilung von Einkommen und Konsumausgaben in den USA so genannte Gini-Koeffizienten abgebildet. Ein Gini-Koeffizient ist ein in der Statistik gebräuchliches Konzentrationsmaß, das einen umso höheren Wert annimmt, je größer die Ungleichverteilung einer Variable ist.[9]

Wie sich zeigt, bestätigt die Betrachtung des Einkommens-Gini, dass die Einkommensverteilung in den USA von Mitte der Siebzigerjahre an ungleicher geworden ist. Allerdings ist dieser Trend dem Gini-Index zufolge bereits Mitte der Achtzigerjahre von einer Seitwärtsbewegung abgelöst worden – und nicht erst Mitte der Neunzigerjahre, wie es Grafik 17.2 nahe legt.[10]

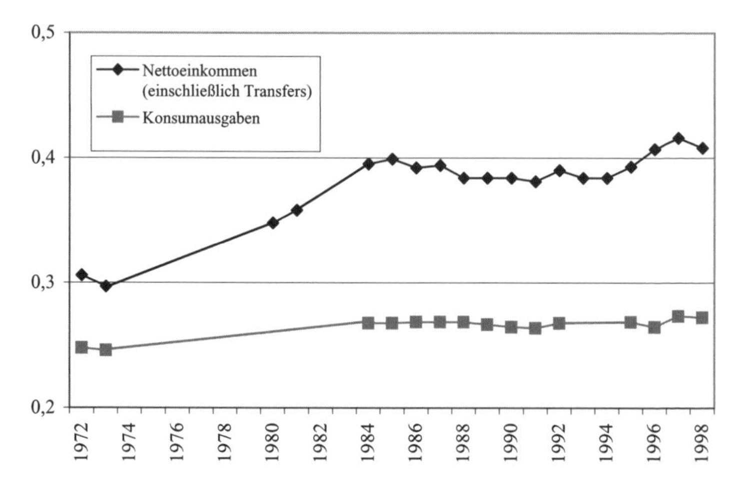

***Grafik 17.3:** Ungleichverteilung von Einkommen und Konsum in den USA, gemessen am Gini-Index* *[Quelle: Krueger und Perri (2002), Abb. 1]*

Entscheidend ist hier ein anderer Befund: Die zunehmend ungleiche Verteilung der Einkommen wurde nicht von einer ungleicheren Verteilung der Konsumausgaben begleitet; der Konsum-Gini lag zuletzt nur geringfügig höher als vor 30 Jahren.

Offenkundig also hat sich der Zusammenhang zwischen Einkommen und Konsum gelockert. Oder, anders ausgedrückt: Ein geringes Erwerbseinkommen darf nicht länger gleichgesetzt werden mit einem niedrigen Lebensstandard.[11] Die bereits in Kapitel 11 zitierte Statistik, wonach das einkommensschwächste Fünftel der Haushalte für jeden Dollar Nettoeinkommen 2,38 Dollar für den privaten Verbrauch ausgibt, bestätigt dies.

Wie es zu dieser Entkopplung von Einkommen und Konsum gekommen ist, lässt sich pauschal kaum sagen. Eine mögliche Ursache ist, dass das Zurückbleiben der Geringverdiener-Einkommen in Wirklichkeit nur ein statistisches Phänomen ist. So könnte es sein, dass die Einkommen von Geringverdienern stärker als früher von den offiziellen Statistiken unterschätzt werden – etwa, weil Schwarzarbeit an Bedeutung gewinnt oder weil die Betroffenen Einkommen nicht deklarieren, um Ansprüche auf Sozialleistungen nicht zu verlieren.[12]

Außerdem spricht vieles dafür, dass Amerikaner heute Einkommenseinbußen leichter überbrücken können als früher. Wer zum Beispiel seinen Job verliert, wird, sofern er seine Arbeitslosigkeit als vorübergehende Phase betrachtet, seinen Konsum kaum einschränken.

Die Möglichkeit, Einschränkungen zu vermeiden, ist heute größer als früher. So besitzen selbst Geringverdiener in den USA heutzutage nicht unerhebliche Geldpolster. Das durchschnittliche Nettovermögen von Haushalten im untersten Einkommensfünftel zum Beispiel beträgt immerhin 52.600 Dollar. Mehr als die Hälfte davon, nämlich 28.500 Dollar, steckt in Aktien und Investmentfonds und kann daher bei Bedarf leicht in Bares umgewandelt werden.[13]

Darüber hinaus haben der bereits beschriebene Siegeszug der Kreditkarte und die Ausbreitung von Ratenkäufen insbesondere Amerikanern mit niedrigen Einkommen einen besseren Zugang zu Krediten verschafft. Man könnte natürlich annehmen, dass Kreditkartenfirmen Kreditlinien zunehmend ohne Rücksicht auf die Zahlungsfähigkeit ihrer Gläubiger vergeben und so gerade geringverdienende Amerikaner in den Ruin treiben.

Nur: Die ganz große Mehrheit unter den Amerikanern ist keineswegs überschuldet, wie Kapitel 10 gezeigt hat. Und bei allem aggressiven Marketing kann nicht davon ausgegangen werden, dass Kreditkartenfirmen ihre Produkte unbedacht unter die Leute bringen – ein Unternehmen, das dies täte, wäre schnell vom Markt verschwunden.

Realistischer erscheinen daher Erklärungen, deren Plausibilität nicht damit steht und fällt, dass sich alle Beteiligten irrational verhalten. Eine Rolle dürfte erstens ein Urteil des Obersten Gerichtshofs aus dem Jahr 1978 gespielt haben, das de facto einer weitgehenden Aushebelung bundesstaatlicher Wuchergesetze gleichkam: Sie erlaubte es Kreditkartenunternehmen, höhere Zinsen zu verlangen. Dies wiederum ermöglichte Menschen, die sich mangels Kreditwürdigkeit zuvor gar nicht verschulden konnten, zumindest den Zugang zu hochverzinslichen Krediten.[14]

Zweitens kommt auch hier der technische Fortschritt ins Spiel: Die modernen Informations- und Kommunikationstechnologien erlauben eine genauere Prüfung der Kreditwürdigkeit. So können Banken und Kreditkartenfirmen die Kredithistorie eines potenziellen Kunden einfacher auch über lange Zeiträume hinweg zurückverfolgen; damit verbessert sich die Position von Bürgern, die zwar relativ zum gewünschten Kreditvolumen ein niedriges Einkommen haben, die aber nachweisen können, stets verlässliche Schuldner gewesen zu sein.

Drittens schließlich könnte es sein, dass der verbesserte Zugang zu Krediten ursächlich mit dem Trend zu einer wachsenden Ungleichverteilung der Einkommen zusammenhängt – eine These, für die die beiden Ökonomen Dirk Krueger und Fabrizio Perri empirische Belege gefunden haben.[15]

Der grundlegende Gedankengang von Krueger und Perri: Wenn sich der Strukturwandel beschleunigt und zugleich das soziale Netz beschnitten oder zumindest nicht ausgebaut wird, dann wächst das Risiko, kurzfristige Einbußen beim verfügbaren Einkommen hinnehmen zu müssen. In diesem Fall wird es wichtiger, die Möglichkeit zu behalten, Schulden aufzunehmen.

Damit aber schwächt sich der Anreiz für Schuldner, Verbindlichkeiten nicht zu bedienen, ab. Oder, andersherum ausgedrückt: Der wichtigste Sanktionsmechanismus der Gläubiger, nämlich bei Zahlungsausfällen künftige Kredite verweigern, wird gestärkt. Gläubiger, die sich über diesen Zusammenhang im Klaren sind, werden Kredite bereitwilliger vergeben als zuvor.

* * *

Festzuhalten bleibt: Die Ungleichverteilung der Einkommen in den USA ist von Mitte der Siebzigerjahre an deutlich und über mindestens eine Dekade hinweg gestiegen. Ausgelöst worden ist dies offenbar im wesentlichen von überproportionalen Einkommenszuwächsen unter Gutverdienern, und zwar insbesondere gutverdienenden Männern.

Zu einer nennenswert ungleicheren Verteilung des Verbrauchs hat diese Entwicklung jedoch nicht geführt.

Fußnoten

1) Bhalla (2002); siehe auch Sala-i-Martin (2002), Sala-i-Martin (2002a) und Kapitel 2.
2) Förster und Pearson (2002), S. 35, und SVR (2002), S. 350ff.
3) Piketty und Saez (2001), S. 81.
4) Krugman (2002); vgl. OECD (2002d), S. 142f., und Rodríguez, Díaz-Giménez, Quadrini und Ríos-Rull (2002), S. 12.
5) Die Erfassung der „Money Income" durch den so genannten Current Population Survey ist im Jahr 1994 geändert worden. Dies hat dazu geführt, dass für die Zeit von 1993 an das Einkommen von Geringverdienern niedriger ausgewiesen wird als zuvor. Dies bedeutet: Würde die aktuelle Erfassungsmethode rückwirkend angewandt, verlöre die Entwicklung der Ungleichverteilung an Dynamik. Siehe dazu Ilg und Haugen (2000), S. 29, 32f.
6) Juhn und Murphy (1997), S. 73, und die dort zitierte Literatur.
7) Dass sich die Einkommen der Gutverdiener im Vergleich zu den Durchschnittsverdienern überproportional entwickelt hat, ergibt sich implizit: Wenn das 90/10-Verhältnis steigt, während das 50/10-Verhältnis nur leicht wächst, dann muss sich das hier nicht abgebildete 90/50-Verhältnis deutlich erhöht haben.
8) 1967 wurde hier als Referenzjahr gewählt, weil dies das erste Jahr ist, für das die Daten vorliegen.
9) Im hier betrachteten Fall würde ein Gini-Wert von null anzeigen, dass alle Amerikaner gleich viel einnehmen beziehungsweise konsumieren; ein Gini-Wert von eins bedeutete, dass alle Einkommen (beziehungsweise Konsumausgaben) auf einen Amerikaner allein entfallen – und der Rest leer ausgeht.
10) Wie es zu dieser Diskrepanz kommt, ist nicht auszumachen – die unterschiedlichen Berechnungsmethoden könnten ebenso ein Grund sein wie die Tatsache, dass die Gini-Werte auf Basis von Nettoeinkommen berechnet wurden.
11) vgl. Eberstadt (2002) und Meyer und Sullivan (2003), S. 19ff.
12) Meyer und Sullivan (2003), S. 7ff.
13) Aizcorbe, Kennickell und Moore (2003), S. 7, 13. Stand: 2001. Nicht enthalten in den Angaben zu Aktien und Investmentfonds sind Anlagen im Rahmen von Rentensparplänen.
14) vgl. Lazarony, Lucy: Credit card companies sidestep usury laws, zitiert nach www.bankrate.com.
15) Krueger und Perri (2002).

Kapitel 18: Die vier Michaels – Amerikas neue Schicht von Superreichen

Als Alfred Lerner im Oktober 2002 im Alter von 69 Jahren einem Gehirntumor erlag, produzierte sein Tod keine großen Schlagzeilen: Lerner war kein Bill Gates, viele Amerikaner werden nie von ihm gehört haben.

Was Lerner am ehesten herausragen ließ: Der Chef des Kreditkartenunternehmens MBNA war, einer Untersuchung des Wirtschaftsmagazins „Business Week" zufolge, im Jahr 2002 der bestbezahlte „Chief Executive Officer" (CEO) im ganzen Land. Nicht weniger als 194 Millionen Dollar strich er ein.[1]

Wie bereits gezeigt, haben die Gutverdiener von der Einkommensentwicklung in den USA in den zurückliegenden Dekaden überproportional profitiert. Und mehr noch: Es waren die Super- und Mega-Gutverdiener, die sich über die allerhöchsten Zuwächse freuen durften.

Grafik 18.1, die die Anteile der bestverdienenden zehn und ein Prozent der amerikanischen Haushalte am Gesamteinkommen präsentiert, verdeutlicht dies. Anfang des 20. Jahrhunderts vereinigte das oberste Zehntel mehr als 40 Prozent der Gesamteinkommen auf sich. Allein auf das oberste eine Prozent entfielen mehr als 15 Prozent.

Dann, sehr jäh, kam es zu dem, was zuweilen die „Große Kompression" genannt wird: Depression und Inflation, Krieg und Zerstörung führten, verstärkt durch eine zunehmend progres-

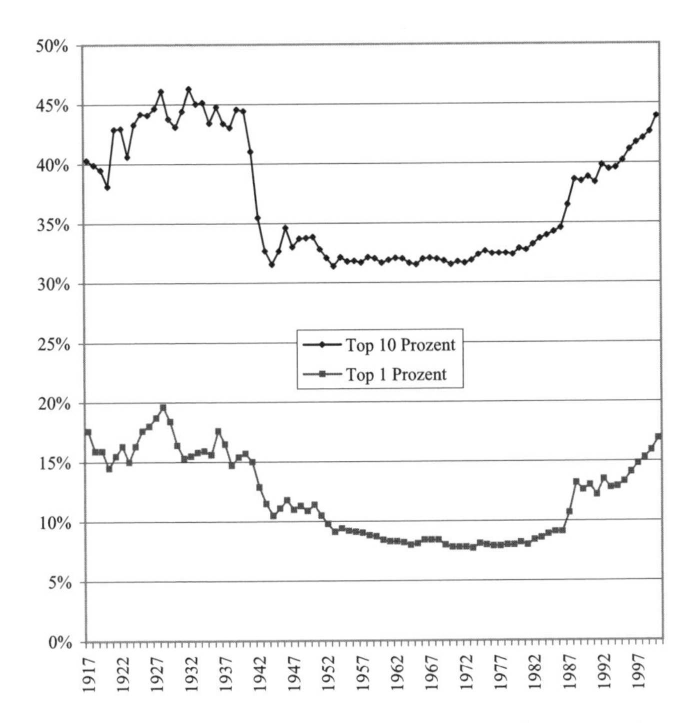

Grafik 18.1: *Anteil der US-Haushalte mit den höchsten Einkommen am Gesamteinkommen – in Prozent; Bruttoeinkommen, ohne Kapitalgewinne*

[Quelle: Emmanuel Saez]

sive Besteuerung, zu einer deutlich gleichmäßigeren Einkommensverteilung – in den USA, aber auch in anderen Industrieländern wie Frankreich und Großbritannien.[2]

In den Siebzigerjahren und beschleunigt in den frühen Achtzigerjahren stiegen dann die Anteile der Spitzenverdiener in Amerika wieder. Die Jahre 1987 und 1988 weisen besonders starke Sprünge nach oben aus – womöglich nicht zuletzt eine Folge der zweiten Reaganschen Steuerreform von 1986: Drastisch gesunkene Steuersätze könnten damals dazu geführt haben, dass Spitzenverdiener Einkommensbestandteile zu deklarieren begannen, die sie vormals vor dem Fiskus versteckt hatten. Danach stiegen die Anteile der Spitzenverdiener allerdings weiter – und zwar so sehr, dass in den USA inzwischen wieder Verhältnisse herrschen wie vor dem Zweiten Weltkrieg.

Wer aber sind diese Neureichen in Amerika? Woher kommen ihre offenkundig so stark gestiegenen Einkommen? Lässt sich das mit Gerechtigkeit vereinbaren? Kann die Gesellschaft darauf reagieren? Sollte sie?

Unternehmer statt Rentiers

1929 gab es ihn noch in Amerika: den Rentier, der hauptsächlich von den Dividenden und Zinsen lebt, die seine Vermögensanlagen abwerfen. Damals erzielten die bestverdienenden zehn Prozent der amerikanischen Haushalte mehr als 20 Prozent ihrer Einnahmen aus Kapitaleinkommen (realisierte Kursgewinne nicht eingeschlossen). Beim obersten halben Prozent lag der Anteil bei rund 50 Prozent, beim obersten Zehntausendstel gar bei mehr als 70 Prozent. Heute dagegen besteht selbst bei diesen 0,01 Prozent an der Spitze der Einkommenspyramide nicht mehr als ein Siebtel der Einkünfte aus Kapitaleinkommen, der große Rest stammt aus Erwerbsarbeit und unternehmerischer Tätigkeit.[3]

Sehr hohe Einkommen werden im Amerika von heute also erarbeitet, nicht ersessen. Es ist denn auch, von Ausnahmen abgesehen, nicht der Erbe, der die Liste von Amerikas Top-Verdienern dominiert. Stattdessen vorherrschend sind drei Gruppen: Unternehmer, Stars und Spitzenmanager – die „vier Michaels“, wie US-Ökonom Robert Gordon sie in Anspielung auf den Computer-Fabrikanten Michael Dell, den Popstar Michael Jackson, die Basketball-Legende Michael Jordan und den Disney-CEO Michael Eisner nennt.[4]

Michael Dell repräsentiert die Welle von Unternehmensgründungen seit den Siebzigerjahren: Noch keine 20 Jahre alt und mit einem Startkapital von – nach eigenen Angaben – nur 1.000 Dollar, gründete er 1984 die nach ihm selbst benannte Firma. Seine Idee – Computer direkt aus der Fabrik an den Endverbraucher zu verkaufen – erwies sich als weitsichtig; bereits 1992 schaffte es Dell auf die „Fortune"-Liste der 500 umsatzstärksten amerikanischen Unternehmen.[5]

Die Gründerwelle ist untrennbar verbunden mit der Revolution im Bereich der Informations- und Kommunikationstechnologien. Viele der Jungunternehmer – Dell etwa oder auch Bill Gates (Microsoft) und Larry Ellison (Oracle) – sind selbst ITK-*Hersteller*. Anderen verhalf nicht zuletzt die rigorose ITK-*Anwendung* zum Erfolg – man denke etwa an die Familie Walton und ihre Supermarktkette Wal-Mart (siehe Kapitel 6).

Natürlich, einige dieser Gründer – Gates und Ellison etwa – haben sich mit Methoden nach oben gekämpft, die zumindest als rüde zu bezeichnen sind. Und es lässt sich auch sicher darüber diskutieren, ob nicht eine höhere Besteuerung ihrer Einkommen und Vermögen angebracht wäre. Klar ist aber auch: Die amerikanische Gesellschaft hat von dem unternehmerischen Tatendrang dieser Gründer enorm profitiert – sie erfanden neue Technologien und halfen bei ihrer Verbreitung; und sie schufen Millionen von Jobs.

Die Superstar-Ökonomie

Die Zeiten, da ein deutscher Fußball-Profi mit seinem Einkommen kaum weiter kam als ein Durchschnittsverdiener – sie sind lange vorbei. Bundesliga-Kicker durften sich in den zurückliegenden Jahrzehnten über drastisch steigende Gehälter freuen.

Und nicht nur sie: Der Trend gilt für alle populären Sportarten und für die gesamte Unterhaltungsbranche. Besonders stark sind dabei die Gehälter der Stars gestiegen; die Einkommen von Ersatzspielern oder drittklassigen Entertainern hinken weit hinterher.

Vor allem in den USA ist dieser Trend zu beobachten. Auf der aktuellen „Forbes"-Liste der 100 bestbezahlten Prominenten aus aller Welt finden sich hauptsächlich Amerikaner – oder Menschen, die ihr Geld größtenteils in den USA verdienen. Nur zwei der hundert – das Model Heidi Klum und der Rennfahrer Michael Schumacher – sind Deutsche.[6]

Auch diese Entwicklung dürfte nicht zuletzt im technischen Fortschritt wurzeln – so jedenfalls sieht es die Theorie von der „Ökonomik der Superstars“, die der amerikanische Wirtschaftswissenschaftler Sherwin Rosen bereits vor mehr als 20 Jahren vorlegte.[7] Früher, schrieb Rosen, habe es in Ländern wie den USA Hunderte von Komikern gegeben, die mit Live-Auftritten ein bescheidenes Auskommen erwirtschafteten. Heute dagegen werde der Markt dominiert von einer Hand voll Witzbolde, die Superstar-Status genießen.

Ursache für diese Veränderung sind Rosen zufolge nicht zuletzt technische Neuerungen wie das Fernsehen.[8] Konnten Auftritte von Sängern, Schauspielern oder Sportlern früher nur von persönlich anwesenden Zuschauern verfolgt werden, so wurde es durch Fernsehen und Satelliten möglich, Bilder im ganzen Land und, wenig später, auf dem ganzen Globus zu verbreiten.

Je größer aber der Markt wird, den Sportler und Unterhaltungskünstler erreichen können, umso größer wird die Nachfrage nach den besten unter ihnen: Erfahrungsgemäß sind die Menschen bereit, einen Aufschlag zu bezahlen, um David Beckham, Michael Jordan oder Tiger Woods erleben zu dürfen – selbst wenn diese Stars objektiv betrachtet vielleicht nur marginal bessere Leistungen erbringen als die zweite und dritte Garde. Dies ist, Rosens Theorie zufolge, der Grund, warum Superstars, relativ zu ihren Berufskollegen und zum Rest der Bevölkerung, so große Einkommenszuwächse erlebt haben.

Und dies ist auch zumindest einer der Gründe, warum dieses Phänomen in Amerika am deutlichsten auszumachen ist: Harald Schmidt bedient mit seiner Late-Night-Show nicht nur einen kleineren Heimatmarkt als David Letterman und Jay Leno – er ist auch international schon deswegen weniger prominent als seine amerikanischen Pendants, weil im Ausland weniger Menschen Deutsch als Englisch sprechen.

Stark steigende Markteinkommen von Superstars reflektieren jedenfalls letztlich eine gestiegene Nachfrage nach deren Talenten – so, wie die Reichtümer von Michael Dell & Co. auf einer großen Nachfrage nach ihren Produkten beruhen. Unanständig ist daran nichts – warum sollte sich ein Ronaldo nicht in die Dienste desjenigen Fußballvereins stellen, der ihm das höchste Gehalt bietet? Wie schon bei den Unternehmern, so stellt sich auch hier allenfalls die Frage, ob eine Gesellschaft dem Trend durch eine progressive Besteuerung entgegenwirken will.

Vergoldete Mülleimer

Dennis Koslowski ist ein reicher Mann. Der ehemalige Chef des amerikanischen Mischkonzerns Tyco gebot zwischenzeitlich über ein Vermögen von 400 Millionen Dollar, sein Jahreseinkommen erreichte mehr als 100 Millionen Dollar.[9]

Zu viel? Aber sicher. Oder doch nicht? Immerhin erhöhte sich der Umsatz von Tyco in Koslowskis zehn Jahren als CEO um den Faktor 12; der Börsenwert stieg um den Faktor 70.[10]

Über die angemessene Entlohnung von Spitzenmanagern – Menschen, die in der Regel nicht selbst Unternehmen gründen und besitzen, sondern sie nur als Angestellte leiten – lässt sich trefflich streiten. Die meisten Menschen werden einsehen, dass es angemessen – und für alle Beteiligten besser – ist, wenn jemand wie Dennis Koslowski mehr verdient als seine Sekretärin. Aber zugleich mögen dreistellige Millionensummen pro Jahr unangemessen hoch erscheinen.

Ähnliches wird auch Bundespräsident Johannes Rau im Sinn haben, wenn er für Deutschland „eine geringere Spanne zwischen den Einkommen des Facharbeiters und des Managers“ fordert: „Da dürfen wir nicht in amerikanische Verhältnisse abgleiten.“[11]

Die amerikanischen Verhältnisse stellen sich in diesem Fall so dar: Lagen die Gehälter der 100 bestbezahlten CEO in den USA 1970 noch bei dem 39fachen des Durchschnittsgehalts, erreichten sie zwischenzeitlich mehr als das Tausendfache. Zumindest die Exzesse der späten Neunzigerjahre sind allerdings mittlerweile vorüber: Der eingangs erwähnten „Business-Week"-Studie zufolge sind die Gehälter amerikanischer CEOs im Jahr 2002 gegenüber dem Vorjahr um 33 Prozent gefallen – und haben damit wieder das Niveau von 1996 erreicht.[12]

Zudem liegen die Gehälter von Spitzenmanagern in Deutschland zwar deutlich niedriger als in den USA. Allerdings regieren sie auch Unternehmen, die entweder kleiner oder weniger profitabel oder beides zugleich sind. So kosten die Vorstände der 30 DAX-Unternehmen im Durchschnitt 1,2 Promille des Betriebsgewinns – die Chefetagen der 30 im „Dow Jones Industrial Index" verzeichneten Unternehmen dagegen nur 0,8 Promille.[13]

Unabhängig davon kann nicht bestritten werden, dass die Gehaltsentwicklung von Top-Managern in den USA außer Kontrolle geraten ist. So sicherte sich der im März 2003 geschasste CEO von Electronic Data Systems (EDS), Richard Brown, eine Abfindung in Höhe von 37 Millionen Dollar; zuvor hatte er die Gehaltsfortzahlungen für Tausende entlassener EDS-Mitarbeiter von 26 auf vier Wochen zusammengestrichen.[14]

Am vielleicht ärgsten trieb es Dennis Koslowski: Der Tyco-Chef ließ sich von seinem Arbeitgeber einen Vollzeit arbeitenden Fitness-Berater für seine Frau bezahlen, er spendete aus Firmenkassen 43 Millionen Dollar für offenkundig private Zwecke und er stellte Tyco 97.000 Dollar für Blumen, 72.000 Dollar für Juwelen, 6.000 Dollar für einen Duschvorhang und 2.200 Dollar für einen vergoldeten Mülleimer in Rechnung. Die Staatsanwaltschaft wirft ihm vor, das Unternehmen um insgesamt 300 Millionen Dollar betrogen zu haben.[15]

Auch der Trend zur Selbstbedienungsmentalität ist an Deutschland nicht gänzlich vorbeigegangen. Der Vorstand von BASF zum Beispiel bekam im Jahr 2002 eine Gehaltssteigerung von 46 Prozent, obwohl der Börsenwert des Ludwighafener Chemiekonzerns sank und die Gewinne einbrachen. Beim Halbleiterhersteller Infineon Technologies betrug der Zuschlag 33 Prozent – dass das Unternehmen in seinem Geschäftsbericht als Nettoergebnis einen Milliardenverlust ausweisen musste, spielte offenbar keine Rolle.[16]

Sexuelle Revolution in den Chefsesseln

Woher rühren diese Ausbrüche von „ansteckender Gier", wie US-Zentralbankchef Alan Greenspan das Phänomen genannt hat? Wie kann es sein, dass Männer wie Dennis Koslowski vom Chefsessel aus wie Sonnengötter regieren – und ganz offenkundig nicht mehr erkennen, dass die Interessen der Unternehmen, bei denen sie angestellt sind, nicht deckungsgleich mit ihren persönlichen sind?

Eine in den USA populäre Erklärung ist, dass soziale Normen hinweggewischt worden sind. So schreibt Princeton-Ökonom Paul Krugman:

„Nach dem Zweiten Weltkrieg hielt die Furcht vor Empörung die Gehälter von Spitzenmanagern in Schach. Nun ist die Empörung verschwunden. (...) Wir sollten [die Explosion der Managergehälter] nicht als Markttrend wie den steigenden Wert von Strandimmobilien verstehen, sondern als etwas wie die sexuelle Revolution der Sechzigerjahre – eine Lockerung alter Regeln, eine neue Freizügigkeit ..."[17]

Allerdings: Der Manager, der CEO kann seine Gier nur ausleben, wenn da jemand ist, der die „neue Freizügigkeit" zulässt: der Aktionär. Der schließlich ist der Arbeitgeber der Manager, und aus seiner Tasche werden die Unternehmenslenker letztlich bezahlt.

Wie also konnte es dazu kommen, dass die Anteilseigner nicht eingegriffen haben? Eine Möglichkeit ist schlicht: Die Aktionäre waren arglos. Das wäre insofern verständlich, als viele CEOa ihren Anlegern in den vergangenen zwei Jahrzehnten keinen Grund zur Klage gegeben haben. Selbst nach dreijähriger Börsenflaute stand der Dow-Jones-Index im Frühjahr 2003 noch immer auf einem zehnmal höheren Niveau als bei seinen Tiefstständen im Jahr 1982.

Eng damit verbunden ist die Tatsache, dass sich das Superstar-Phänomen offenkundig auch auf die Wirtschaft übertrug. Als der damalige Chrysler-Chef Lee Iacocca Anfang der Achtzigerjahre auf den Titelblättern amerikanischer Wirtschaftsmagazine auftauchte, war dies ein Novum – spätestens seit den Neunzigern ist derlei Normalität. Viele CEOs wurden so zu Berühmtheiten. Manchen, dem ehemaligen General-Electric-Chef Jack Welch beispielsweise, wurden geradezu magische Fähigkeiten zugeschrieben. In einem solchen Umfeld ist es nahe liegend, dass ein Superstar-CEO von den Aktionären mit Geld überschüttet wird – selbst dann, wenn ein weniger berühmter Manager einen ebenso guten Job für ein Zehntel des Gehalts machen würde.[18]

Und schließlich: Übersehen wurde in der Börseneuphorie auch, dass die Aktionäre nur geringe Kontrollmöglichkeiten hatten. Bilanzmanipulationen bei namhaften amerikanischen Unternehmen wie Adelphia, Enron, Global Crossing und Worldcom blieben über Jahre unbemerkt. Und als zum Beispiel Tyco seine Tochterfirma ADT Automotive abstieß, zahlte Koslowskis Top-Management sich selbst Boni in Höhe von 56 Millionen Dollar aus. Alle begünstigten Top-Manager wurden schriftlich zum Stillschweigen verpflichtet, die Aktionäre erfuhren nichts; in der Bilanz tauchten die Zahlungen als „direkte Verkaufskosten" auf.[19]

Ein spezifisch amerikanisches Problem mag dabei sein, dass in den USA die operative Unternehmensführung und die Kontrolle über sie in einem Organ, dem „Board of Directors", vereinigt sind. Allerdings haben die Skandale um deutsche Unternehmen wie Balsam, Bankgesellschaft Berlin, Mannesmann oder Metallgesellschaft gezeigt: Auch ein zweigliedriges System, das zwischen Vorstand und Aufsichtsrat trennt, ist offenkundig nicht vor ethisch fragwürdigem oder gar illegalem Verhalten gefeit.

Was tun?

Vieles spricht daher dafür, dass der Gesetzgeber – drüben, aber auch hüben – nach Rahmenbedingungen sucht, die eine effektivere Kontrolle des Managements ermöglicht. Vor allem strengere Offenlegungspflichten wären nahe liegend. Die Kontrolle selbst allerdings wird kein Parlament, keine Regierung übernehmen können. Jedes beliebige Maß an Regulierung wird weitgehend folgenlos bleiben, wenn nicht jene Obacht geben, um deren Geld es letztlich geht: die Aktionäre eben.

Was sonst aber könnte der Gesetzgeber tun, um die Managerbezahlung innerhalb der Grenzen zu halten, die von Aktionären und Öffentlichkeit als vertretbar oder gerechtfertigt angesehen werden? Maßhalteappelle wie der von Johannes Rau sind natürlich eine Möglichkeit. Ein Alternative wäre eine höhere Besteuerung.

Soweit jedoch ein Mangel an effektiver Kontrolle seitens der Anteilseigner die Basis für eine Selbstbedienungsmentalität im Management bildet, werden weder Sonntagsreden noch Steuererhöhungen viel ausrichten können. Jede erhöhte Besteuerung zum Beispiel wird dann nur dazu führen, dass sich die Manager höhere Bruttogehälter zuschanzen, um sich netto schadlos zu halten.

Die USA haben damit bereits Erfahrungen gesammelt. So hat der Washingtoner Kongress in der Vergangenheit mehrfach versucht, Gehaltszahlungen für Spitzenmanager zu begrenzen. Doch jedes Mal fanden die Bosse einen Weg, die Maßnahmen zu umgehen.

Zuweilen wirkten neue Gesetze sogar kontraproduktiv. Ein Beispiel ist eine Bestimmung aus dem Jahr 1993. Mit ihr verfügte der Kongress eine höhere Besteuerung von Jahresgehältern von mehr als einer Million Dollar. Auf diese Weise erhielten die Unternehmen einen Anreiz, Einkommen nur bis zu eben jener Obergrenze in Form herkömmlicher Gehaltsüberweisungen auszuzahlen – einer der Gründe, warum in den Neunzigerjahren die Vergabe von Aktienoptionen an Spitzenmanager exzessive Ausmaße annahm.[20]

Rentiers vor der Rückkehr?

Das durchschnittliche Vermögen der laut „Forbes" 400 reichsten Menschen in Amerika lag im Jahr 2001 bei 2,15 Milliarden Dollar. Das ist zwar weniger als im Jahr 2000, als der Börsenboom seinen Höhepunkt erreichten und die 400 Reichsten auf durchschnittlich 3,06 Milliarden Dollar kamen – aber immer noch mehr als doppelt so viel wie 1989 (0,92 Milliarden Dollar).[21]

Bisher herrscht auf der Liste der Superreichen ein Kommen und Gehen: 230 der 400 Menschen im „Forbes"-Ranking von 2001 waren auf der Liste von 1989 noch nicht zu finden. Rund 210 der 230 schafften es durch eigene Leistung auf die Liste, nur in etwa 20 Fällen war eine Erbschaft der Grund.[22]

Allerdings: Bei derlei großen Vermögen, wie sie in den zurückliegenden zwei Jahrzehnten entstanden sind, besteht die Möglichkeit, dass die Reichen von morgen schlicht die Kinder der Reichen von heute sein werden. Bereits im Jahr 2001 lagen jeweils etwa ein Drittel des privaten Gesamtvermögens in Händen der reichsten ein Prozent und der nachfolgenden neun Prozent; die restlichen 90 Prozent der Bevölkerung mussten sich mit dem dritten Drittel begnügen.[23] Diese heute schon erhebliche Konzentration könnte sich weiter verstärken – der Rentier steht womöglich vor einem Comeback.

Dieser Trend ließe sich nur schwer vereinbaren mit dem in Amerika viel beschworenen Ideal der „Meritokratie", wonach persönliches Verdienst der entscheidende Faktor für individuellen Erfolg sein sollte. Insofern ist die Entstehung einer neuen Schicht von Superreichen durchaus nicht unproblematisch. Insbesondere über eine verstärkte Erbschaftsbesteuerung großer Vermögen wäre nachzudenken.

* * *

Davon unabhängig bleibt festzuhalten: Abstrus hohe Managergehälter in den USA haben nichts mit der Tatsache zu tun, dass der Kapitalismus in Amerika ungezügelter ist als anderswo. In ihrem Kern sind sie Ausdruck einer mangelnden Kontrolle seitens der Aktionäre – und die wiederum ist alles Mögliche, nur kein integraler Bestandteil des Modells Amerika.

Und was die Unternehmer angeht: Man darf davon ausgehen, dass nicht irgendwelche hehren Ideale die meisten Existenzgründer antreiben – sondern schlicht die Aussicht, reich zu werden. Deshalb wird eine Gesellschaft, die auf ihr eigenes Wohl bedacht ist, abwägen müssen, ob sie nicht vielleicht – bei allen Gefahren für die Meritokratie – lieber in Kauf nimmt, dass erfolgreiche Gründer riesige Reichtümer anhäufen können.

Oder, anders gewendet: Die Einkommensverteilung in den USA wäre sicher gleichmäßiger, wenn die Waltons Krämer geblieben wären, wenn die Dells Lehrer geworden wären und die Ellisons Journalisten. Amerika wäre dann heute ein gerechteres Land. Vielleicht. Aber sicher auch ein ärmeres.

Fußnoten

1) Business Week (2003).
2) Piketty und Saez (2001), S. 33. Für Deutschland liegen keine vergleichbaren Zahlen vor.
3) Emmanuel Saez (emlab.berkeley.edu/users/saez).
4) Gordon (2001), S. 8ff.
5) Dell (www.dell.com) und Fortune (www.fortune.com).
6) Forbes (www.forbes.com).
7) Rosen (1981).
8) siehe auch Gordon (2001), S. 8ff., und Krueger (2002), S. 9.

9) New Yorker (2003).
10) ebenda.
11) Interview mit dem ZDF am 13. Juni 2003, zitiert nach www.zdf.de.
12) Business Week (2003).
13) Handelsblatt (2003).
14) Forbes (2003a).
15) New Yorker (2003).
16) Handelsblatt (2003).
17) Krugman (2002).
18) vgl. Gordon (2001), S. 10.
19) New Yorker (2003).
20) Fortune (2003).
21) Kennickell (2003), S. 3.
22) ebenda.
23) a.a.O., S. 5f.

Kapitel 19: Und der Übeltäter ist ... der Fortschritt

„Die Reichen werden immer reicher und die Armen immer ärmer". Beiderseits des Atlantiks ist diese Ansicht weit verbreitet. In den USA sind 72 Prozent der Bevölkerung dieser Meinung, in Deutschland gar 86 Prozent.[1]

Die Armen werden nicht immer ärmer, zumindest in den USA nicht (siehe Kapitel 9). Die Ungleichverteilung von Einkommen und Vermögen in Amerika ist nicht gewachsen, weil es am unteren Ende der Einkommensskala Einbußen gegeben hätte – sondern weil weiter oben überproportionale Zuwächse erzielt wurden.

Zwei Ursachen sind bereits angesprochen worden: das Vier-Michaels-Phänomen und die zunehmende Erwerbstätigkeit von Frauen gutverdienender Männer. Doch welche weiteren Gründe gibt es? Und wie ist die scherenartige Entwicklung der Einkommensverteilung in den USA vor deren Hintergrund zu beurteilen?

Sündenbock Globalisierung

Eine dritte mögliche Ursache für die wachsende Ungleichheit ist die Einwanderungswelle: Sie hat, da ein hoher Anteil der Zuwanderer schlecht ausgebildet ist, Druck auf die Löhne heimischer Geringqualifizierter ausgeübt. Dieser Druck dürfte verstärkt worden sein durch die Erosion des Mindestlohns. In die gleiche Richtung wird der Niedergang der Gewerkschaften gewirkt haben, die traditionell, ähnlich wie in Deutschland, auf besonders hohe Lohnerhöhungen für die unteren Lohngruppen drängen.[2] Ein weiterer Übeltäter könnte schließlich die Globalisierung sein. Wachsende Konkurrenz aus Billiglohnländern hat womöglich dafür gesorgt, dass Jobs für Geringqualifizierte nur erhalten bleiben, wenn sich deren Löhne unterdurchschnittlich entwickeln.[3]

Vollständig erklären können diese Hypothesen den Anstieg der Ungleichverteilung in den USA allerdings nicht einmal annähernd. So mögen Einwanderung und Mindestlohnerosion vielleicht wichtige Gründe sein, warum der Zuwachs der Einkommen von Geringverdienern hinter dem von Durchschnittsverdienern zurückgeblieben sind. Dass aber zugleich Gutverdiener höhere Zuwächse erzielten als Durchschnittsverdiener – das muss andere Ursachen haben.

Zudem sind die genannten Erklärungsansätze nur zum Teil plausibel. So setzte das Wachstum der Ungleichverteilung bereits Mitte der Siebzigerjahre ein – Jahre, bevor der Niedergang von Mindestlohn und Gewerkschaften begann.[4] Und wenn die Globalisierung ein wesentlicher Faktor ist, dann müsste die Ungleichverteilung tendenziell am stärksten in denjenigen Industrieländern zunehmen, die am engsten mit der Weltwirtschaft verflochten sind. Warum aber ist sie dann in den USA eindeutig stärker gestiegen als zum Beispiel in Deutschland, wo die Einfuhren relativ zur gesamten Wirtschaftsleistung ein doppelt so großes Gewicht haben?

Prämiertes Studieren

Unter Wirtschaftswissenschaftlern besteht denn auch mittlerweile weitgehend Einigkeit, dass ein anderer Faktor eine entscheidendere Rolle spielte: der technische Fortschritt. Er alleine ist einer Umfrage unter Arbeitsmarktökonomen zufolge für etwa die Hälfte der gewachsenen Ungleichverteilung in den USA verantwortlich.[5]

Unter Umständen führt technischer Fortschritt dazu, dass Jobs für gutqualifizierte Arbeitskräfte ersetzt werden durch Billigjobs. Ein klassisches Beispiel ist die Industrialisierung im 19. Jahrhundert: In den neu entstehenden Fabriken war – zunächst jedenfalls – die Arbeit weniger anspruchsvoll als in den Manufakturen, die sie verdrängten. In einem solchen Fall wird technischer Fortschritt der Tendenz nach Einkommensunterschiede verringern.

Der technische Fortschritt in den Industrieländern seit Beginn des 20. Jahrhunderts dagegen war im Großen und Ganzen anderer Art: Er verlangte nach einem zunehmend hohen Anteil qualifizierter Arbeitskräfte – bei der Herstellung von Mikrochips wird eben eine im Durchschnitt höher qualifizierte Belegschaft benötigt als in einem Hüttenwerk.[6]

Dieser Langfristtrend hat sich offenbar – auch hier gibt es einen weitreichenden Konsens in den USA in den zurückliegenden Jahrzehnten verstärkt. Ein Blick in die Statistik bestärkt diese These: Im Jahr 1900 war etwa ein Zehntel der amerikanischen Arbeitskräfte in der Berufskategorie „Fachkräfte und Manager" tätig, zu der neben Ärzten, Anwälten und Lehrern etwa auch Wissenschaftler und Ingenieure zählen. 1970 erreichte der Anteil ein Fünftel, heute dagegen bereits ein Drittel.[7]

Wenn den Marktkräften freien Lauf gelassen wird und zum Beispiel die Nachfrage nach Fahrrädern steigt, kurzfristig aber nur ein konstantes Angebot vorhanden ist, können die Fahrradproduzenten höhere Preise verlangen. Auf dem Arbeitsmarkt ist das im Prinzip nicht anders. Wenn sich die Nachfrage nach qualifizierten Arbeitskräften überproportional erhöht, aber nur eine begrenzte Menge solcher Arbeitskräfte zur Verfügung steht, ist klar: Die Löhne von Gutqualifizierten werden tendenziell stärker steigen als die von Arbeitnehmern mit geringerer Qualifikation.

Genau dies ist in den USA zu beobachten. So haben empirische Untersuchungen ergeben: Branchen in Amerika, die am meisten in High Tech investieren, haben die höchste Nachfrage nach qualifizierten Kräften und zahlen ihnen – relativ zu Geringqualifizierten – die höchsten Löhne.[8]

So ist denn auch die „Bildungsprämie“ gestiegen: 1975 erzielten College-Absolventen im Durchschnitt ein um 57 Prozent höheres Einkommen als High-School-Absolventen ohne akademische Ausbildung, im Jahr 2001 dagegen betrug die Prämie 89 Prozent. Noch deutlicher konnten Akademiker mit MBA-Titeln und anderen weiterführenden Abschlüssen ihren Vorsprung ausbauen (siehe Grafik 19.1).

Wie sind die hohen, und über die Zeit gestiegenen, Bildungsprämien in den USA zu bewerten? Sollte die Politik dem Trend entgegenwirken? Was wären die Konsequenzen?

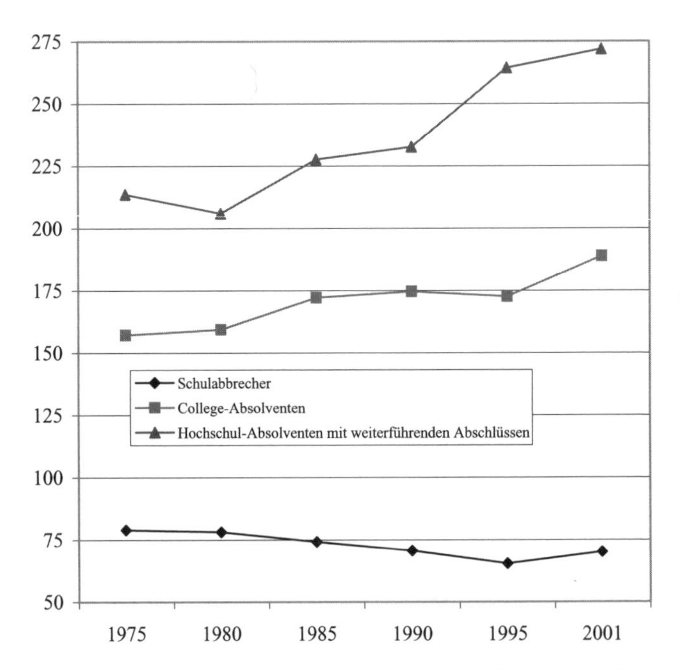

Grafik 19.1: *Bildungsprämien in den USA – durchschnittliche Brutto-Jahreseinkommen in Prozent des Durchschnittseinkommens von High-School-Absolventen*

[Quelle: U.S. Census Bureau und eigene Berechnungen]

Signal Preis

Steigende Bildungsprämien sind kein außergewöhnliches oder gar neues Phänomen. Im Amerika des frühen 20. Jahrhunderts etwa führte der technische Fortschritt dazu, dass von Industriearbeitern mehr verlangt wurde als nur zwei gesunde Hände: Kognitive Fähigkeiten wurden immer wichtiger, etwa die Fähigkeit, Handbücher zu lesen, Schaltpläne zu interpretieren und mathematische Zusammenhänge zu durchschauen. Die Folge waren steigende Löhne für Arbeiter, die ein High-School-Diplom vorweisen konnten. Prompt stieg in den Zwanziger- und Dreißigerjahren die Zahl der High-School-Besucher stark an.[9]

Das Beispiel deutet es an: Preise, Löhne eingeschlossen, reflektieren in einer Marktwirtschaft nicht einfach nur Knappheiten. Indem sie dies tun, haben sie zugleich eine Signalfunktion: Übersteigt die Nachfrage nach Fahrrädern das bestehende Angebot, dann werden steigende Preise neue Produzenten anlocken und die etablierten Hersteller veranlassen, ihren Ausstoß zu erhöhen.

Auch hier funktioniert ein Arbeitsmarkt analog – zumindest sofern die Lohnfindung einem freien Spiel von Angebot und Nachfrage überlassen wird: Eine wachsende Nachfrage nach qualifizierten Arbeitskräften wird über höhere Löhne dazu führen, dass die Qualifizierten mehr arbeiten – etwa, indem sie Teilzeit- gegen Vollzeit-Jobs austauschen. Und sie wird einen größeren Anteil des Nachwuchses dazu verleiten, hochwertige Qualifikationen zu erwerben.

Beide Effekte sind in den USA seit den Siebzigerjahren verstärkt zu beobachten. Da ist zum einen das bereits beschriebene vermehrte berufliche Engagement hochqualifizierter Frauen. Zum anderen hat es zunehmend viele Schulabgänger an die Colleges gezogen. Der Anteil der High-School-Absolventen, die im Herbst nach ihrem Schulabschluss eingeschrieben waren, lag in den späten Siebzigerjahren noch bei rund 50 Prozent. Von Anfang der Achtzigerjahre an stieg er deutlich. Im Jahr 2002 erreichte er 65,2 Prozent.[10]

Mit einigen Jahren Verzögerung schlägt sich ein solcher Trend auch im Qualifikationsprofil der erwachsenen Bevölkerung nieder. Zwar stieg in Amerika der Anteil der 25- bis 29-Jährigen, die eine mindestens vierjährige College-Ausbildung abgeschlossen haben, in den Achtzigerjahren nur verhalten und erst in den Neunzigern kräftig an. Da aber diese Entwicklung in den Achtzigerjahren von einem, im historischen Vergleich, hohen Niveau aus einsetzte, wuchs der Akademikeranteil insgesamt stetig (siehe Grafik 19.2).

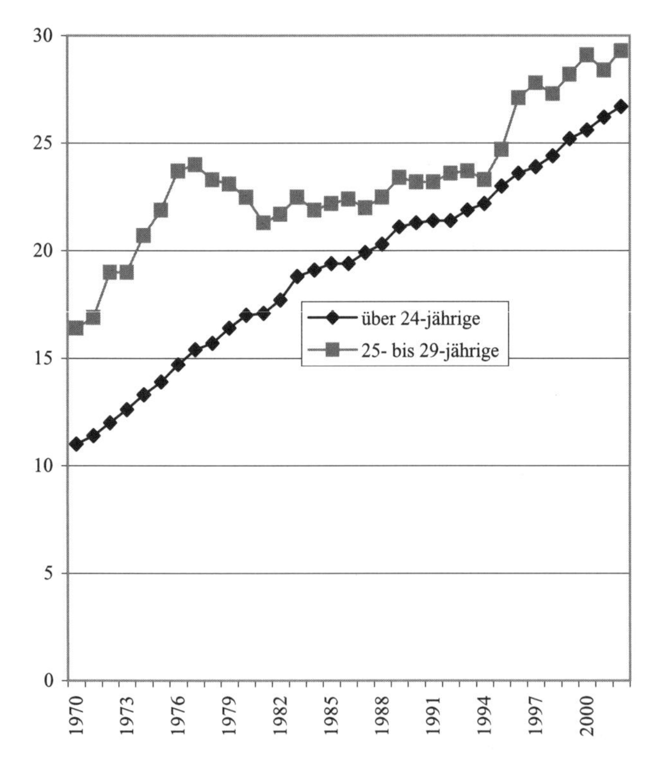

Grafik 19.2: *Anteil von College-Absolventen in den USA – Personen mit einer mindestens vierjährigen, abgeschlossenen College-Ausbildung, in Prozent der Gesamtbevölkerung gleichen Alters* *[Quelle: U.S. Census Bureau]*

Festzuhalten bleibt: Soweit eine wachsende Ungleichverteilung der Einkommen gestiegene Bildungsprämien reflektiert – und in den USA ist dies offenkundig in hohem Maße der Fall –, hat sie einen wichtigen instrumentellen Charakter: Sie ermöglicht es einer Volkswirtschaft, zügig die Früchte zu ernten, die der technische Fortschritt verheißt.[11] In den USA hat der Anreizeffekt offenkundig gewirkt. Steigende Bildungsprämien haben dazu beigetragen, Arbeitgebern das bereitzustellen, was sie benötigen: eine zunehmend gut qualifizierte Erwerbsbevölkerung.

Steigende Bildungsprämien haben aber natürlich auch eine Schattenseite: Die Ungleichverteilung der Einkommen wächst. Das gilt umso mehr, wenn die Arbeitsplätze, die mit Hochqualifizierten besetzt werden, nicht neue Jobs sind – nicht neu in dem Sinne, dass sie Jobs von geringer qualifizierten Arbeitskräften ersetzen. In diesem Fall werden die Löhne von Geringqualifizierten nicht nur langsamer wachsen – sie werden, weil die Nachfrage der Arbeitgeber nach geringqualifizierter Arbeit gedämpft wird, womöglich sogar sinken.

Bei näherem Hinsehen verliert dieses Phänomen jedoch an sozialer Brisanz. Zunächst: Wenn die Qualifikation bei der Entlohnung ein größeres Gewicht bekommt, dann hat das seine guten Seiten. Dies deswegen, weil andere Kriterien an Gewicht verlieren – das Geschlecht zum Beispiel, die ethnische Zugehörigkeit oder die soziale Herkunft.

So mühen sich denn auch Amerikas Unternehmen, bei aller immer noch praktizierter Diskriminierung (siehe Kapitel 11), gezielt darum, dass ethnische Minderheiten eine bessere Ausbildung erhalten. Der Cornflakes-Hersteller Kellogg zum Beispiel entzieht Hochschulen, die nicht gezielt Schwarze bei der Zulassung bevorzugen („Affirmative action"), alle Unterstützung. Auch empirisch lässt sich zeigen, dass Bildungsprämien eine zentrale Erklärung dafür sind, warum in Amerika die Einkommenslücken zwischen Weißen und Schwarzen, zwischen Männern und Frauen gesunken sind. Insofern haben steigende Bildungsprämien zwar eine Form der Ungleichverteilung erhöht – zugleich aber geholfen, andere, zweifelsohne problematischere Formen zu reduzieren.[12]

Zudem sind steigende Bildungsprämien nicht unbedingt ein dauerhaftes Phänomen. Wenn auf dem Markt für Fahrräder die Nachfrage das Angebot übersteigt, werden die Preise klettern – aber nur so lange, bis ein gestiegenes Angebot den Markt wieder ins Gleichgewicht gebracht hat.

Auf dem Arbeitsmarkt wird dieser Mechanismus ungleich langsamer greifen als auf dem Fahrradmarkt – schon allein deshalb, weil sich Akademiker nicht so schnell produzieren lassen wie Fahrräder.[13] Auch ist, anders als auf dem Fahrradmarkt, nicht unbedingt zu erwarten, dass die Bildungsprämien wieder auf ihr ursprüngliches Niveau zurückfallen. Denn erstens deutet nichts darauf hin, dass der technische Fortschritt nicht weiter die Nachfrage nach qualifizierten Arbeitskräften erhöhen wird.[14] Zweitens lässt sich der Anteil der Akademiker an der Bevölkerung nicht beliebig erhöhen: Selbst bei einer optimalen Schulausbildung wird vermutlich nicht jeder Schulabgänger den Anforderungen eines Studiums gewachsen sein.

Dennoch herrscht unter amerikanischen Ökonomen jeder politischen Coleur Einigkeit: Die Bildungsprämien werden in ihrer heutigen Höhe am Ende nur ein vorübergehendes Phänomen sein.[15]

Der Preis der Gleichheit

In Deutschland gibt es prozentual weit weniger Akademiker als in den USA. Im Jahr 2001 etwa lag der Anteil der 25- bis 64-Jährigen, die eine akademische Ausbildung vorweisen können, in Amerika um gut 60 Prozent höher als in Deutschland.[16]

Natürlich wird es hier eine Rolle spielen, dass es in den USA kein ausdifferenziertes Berufsausbildungssystem gibt und daher für Schulabgänger wenig attraktive Alternativen zur College-Ausbildung vorhanden sind. Ein weiterer Grund dürfte aber sein, dass die Bildungsprämien in Deutschland geringer ausfallen (siehe Grafik 19.3) – und zwar um so viel geringer, dass hier einer der Hauptgründe für die Unterschiede bei der Einkommensverteilung zu vermuten ist.

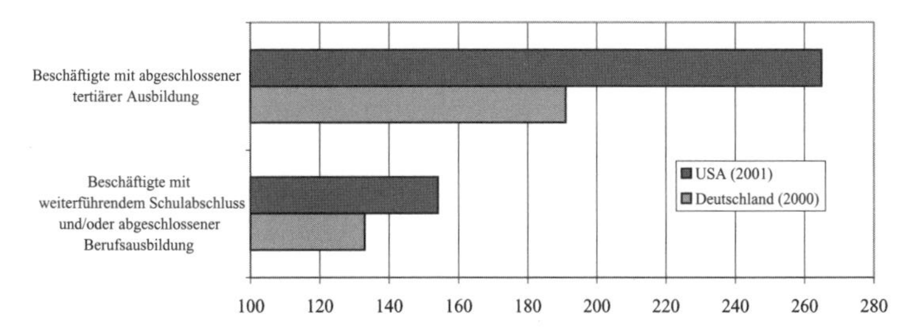

Grafik 19.3: *Bildungsprämien im Vergleich – durchschnittliches Bruttoeinkommen in Prozent des Durschnittseinkommens von Beschäftigten ohne weiterführenden Schulabschluss oder Berufsausbildung; 25- bis 64-Jährige*

[Quelle: OECD (2002e), S. 132, und eigene Berechnungen]

Wie es zu dieser Diskrepanz kommt, lässt sich nicht pauschal sagen. Möglich ist natürlich, dass die geringeren Prämien in Deutschland unbeabsichtigte Nebeneffekte politischer Entscheidungen oder institutioneller Arrangements ist. Ebenso möglich ist, dass die geringeren Prämien den bewussten Wunsch widerspiegeln, ein geringeres Maß an Ungleichverteilung beizubehalten.[17]

Ob gewollt oder nicht: Bildungsprämien werden künstlich gemindert, wenn es Gewerkschaften gelingt, eine Ausdifferenzierung der Gehaltsstruktur zu verhindern.[18] Dämpfend wirkt sich ferner aus, was die Nachfrage nach Hochqualifizierten reduziert. Dazu zählt alles, was Unternehmen daran hindert, Arbeitsplätze für Geringqualifizierte zu ersetzen durch Arbeitsplätze für Hochqualifizierte – etwa ein strikter Kündigungsschutz. Ebenfalls in diese Kategorie gehört alles, was den Strukturwandel behindert – wie zum Beispiel hohe Hürden für Existenzgründer (siehe Kapitel 6).

Die Folgen künstlich reduzierter Bildungsprämien sind klar: Neue Technologien werden langsamer adaptiert. Genau dies ist denn ja auch im Zuge der Revolution bei den Informations- und Kommunikationstechnologien passiert: In Deutschland wurde weit weniger in IKT investiert als in den USA (siehe Kapitel 4). Das potenzielle Produktivitätswachstum, das derlei neue Technologien verheißen, wird nur mit Verzögerung realisiert; das Pro-Kopf-Einkommen wächst langsamer, als es möglich wäre.

Und vielleicht nicht nur das. Denkbar ist auch, dass der technische Fortschritt einen grundsätzlich anderen Charakter annimmt. So kann eine Kombination aus striktem Kündigungsschutz und geringer Lohndifferenzierung eine Wirtschaft dazu verleiten, vorrangig in solche Technologien zu investieren, die nicht den verstärkten Einsatz von Akademikern erfordern – sondern die stattdessen die Produktivität von gering und mäßig qualifizierten Arbeitskräften erhöhen.[19]

Länder, in denen dies passiert, zahlen einen hohen Preis: Die Pro-Kopf-Einkommen werden nicht nur langsamer wachsen als in Ländern, in denen die Höhe von Bildungsprämien im Wesentlichen den Marktkräften überlassen bleibt. Sie werden auch, weil die menschliche Leistungsfähigkeit nicht ausgeschöpft wird, dauerhaft ein geringeres Wohlstandspotenzial haben.

Dass dies in Deutschland der Fall ist, kann hier nicht belegt werden. Ein Indiz gibt es aber. So ist die Akademikerquote in Deutschland deutlich geringer als in den USA und auch vielen anderen Industrieländern – wie zum Beispiel Finnland, Irland, Schweden und Kanada.[20] Dennoch ist von Seiten deutscher Arbeitgeber nur selten die Klage zu hören, es gebe zu wenig Hochschulabsolventen auf dem Arbeitsmarkt. Was sich dagegen in der wirtschaftspolitischen Diskussion als fester Begriff etabliert hat, ist der „Facharbeitermangel".

Jugendwahn? Welcher Jugendwahn?

Die bisherige Diskussion in diesem Kapitel hat die Wirklichkeit vermutlich stark vereinfacht. So dürfte nicht nur der technische Fortschritt im engen Sinne die Nachfrage nach qualifizierten Arbeitskräften überproportional erhöhen. Auch die Fortentwicklung von Industrienationen zu Dienstleistungsgesellschaften und die Abkehr vom Taylorismus wirken in diese Richtung (vgl. Kapitel 6).

In ähnlicher Weise kann Qualifikation nicht einfach mit formellen Bildungsabschlüssen gleichgesetzt werden. Nicht allein das Uni-Diplom wird zählen – sondern zum Beispiel auch die Fächerwahl, Computerkenntnisse, „on the job" erworbene Fertigkeiten und so genannte weiche Qualifikationen wie Teamfähigkeit.[21]

Damit zusammenhängen dürfte auch ein Phänomen, das in Analogie zur Bildungsprämie „Erfahrungsprämie" genannt werden kann.

Jugendwahn herrsche in den Unternehmen heute, heißt es häufig in den Medien. Der Vorwurf ist durchaus nahe liegend. Denn wenn es richtig ist, dass auf Grund des technischen Fortschritts Wissen schneller veraltet als früher, dann sollten zum Beispiel Jungakademiker mit ihrer noch frischen Ausbildung relativ höhere Gehälter erhalten als früher. Gerade heute, da erstmals eine Generation auf den Arbeitsmarkt kommt, die am PC aufgewachsen ist und sich nicht mehr erst mühsam auf das Computerzeitalter umstellen muss, sollte sich das zeigen.

Doch selbst wenn es diesen Trend wirklich gibt – in den amerikanischen Gehaltsstatistiken ist davon nichts zu entdecken. Im Gegenteil: 1983 waren in den USA die 35- bis 44-jährigen Arbeitnehmer jene Altersgruppe, die die höchsten Einkommen erzielten (siehe Grafik 19.4). Heute dagegen stellen die 45- bis 54-Jährigen die bestverdienende Altersgruppe; auch die 55- bis 64-Jährigen haben ihre Position relativ zu den Jungen verbessern können.

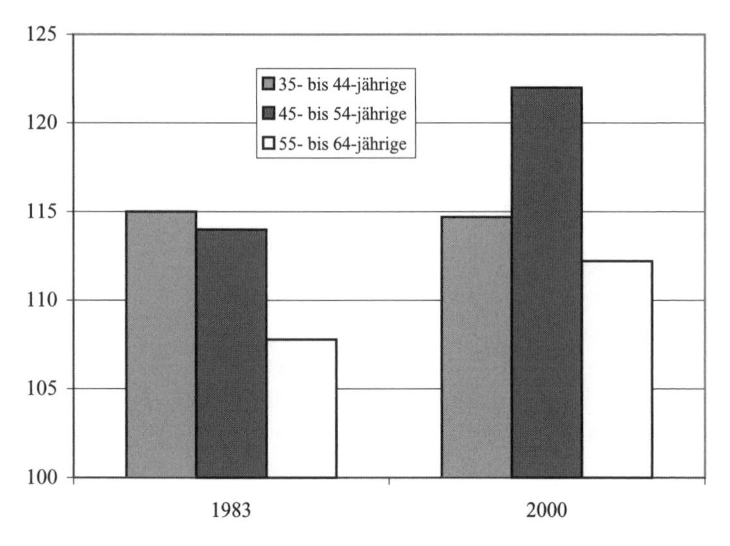

Grafik 19.4: *Erfahrungsprämien in den USA – wöchentliches Median-Arbeitseinkommen von vollzeitbeschäftigten Arbeitnehmern in Prozent des Einkommens von 25- bis 34-Jährigen* *[Quelle: U.S. Department of Labor (2001), S. 160, und eigene Berechnungen]*

Damit setzte sich ein Trend fort, der in den USA mindestens seit den Siebzigerjahren Bestand hat. Auch in vielen anderen OECD-Staaten, Deutschland eingeschlossen, lässt er sich beobachten – wobei er allerdings kaum irgendwo so ausgeprägt war wie in den USA.[22]

Mit dieser Entwicklung ging einher, dass die Gehaltsstruktur ungleicher wurde: Die am besten verdienenden Altersgruppen haben heute in den USA einen größeren Vorsprung als vor 20 Jahren. Das aber heißt: Hier liegt ein weiterer Grund für die Spreizung der Einkommensverteilung in den zurückliegenden Jahrzehnten.

Die Ursachen für den Trend sind nicht geklärt. In der wirtschaftswissenschaftlichen Literatur wird zum Beispiel spekuliert, dass junge Männer auf dem Arbeitsmarkt zunehmend Konkurrenz bekommen durch Frauen und Einwanderer. Auch der Abbau des Militärs seit dem Vietnamkrieg wird angeführt.[23] Das mag zwar stimmen. Aber: Unter dieser Entwicklung sollten insbesonders jene leiden, die sehr jung sind. Die 16- bis 24-Jährigen jedoch haben zwischen 1983 und 2000 gegenüber den 25- bis 34-Jährigen keineswegs an Boden verloren.

Eine Rolle könnte auch die gestiegene Bildungsprämie spielen: Da sich unter den älteren Arbeitnehmern heute ein relativ höherer Anteil an Akademikern befindet als Anfang der Achtzigerjahre, ist es einerseits nur natürlich, dass das Durchschnittseinkommen in dieser Altersgruppe in den vergangenen 20 Jahren stark gewachsen ist. Andererseits: Die Studierneigung ist, wie gezeigt, weiter gestiegen. Auch unter den 25- bis 44-jährigen Arbeitnehmern ist daher der Anteil der Akademiker heute erheblich höher als 1983 – ohne dass sich dies gegenüber den ganz Jungen, die altersbedingt mehrheitlich noch keinen College-Abschluss haben, in relativen Einkommenszuwächsen niedergeschlagen hätte.

Es wird also noch einen weiteren Faktor geben müssen, der die in Grafik 19.4 gezeigte Entwicklung verursacht hat: Irgendetwas muss passiert sein, das ältere Arbeitnehmer in besonderem Maße begünstigt hat – und zwar so sehr, dass der vermeintliche Jugendwahn überkompensiert wurde.

Womöglich ist es schlicht so, dass Berufserfahrung aus Sicht der Arbeitgeber zunehmend an Wert gewinnt. Im historischen Vergleich ist diese Erklärung durchaus plausibel: In einer Agrargesellschaft ist der durchschnittliche Arbeitnehmer ein Landarbeiter, dessen Leistungsfähigkeit mit zunehmenden Alter nachlässt. In der Industriegesellschaft nimmt die Bedeutung der Physis ab. Und in einer Dienstleistungsgesellschaft schließlich ist sie nebensächlich; was stattdessen wichtiger wird, ist Wissen – und, damit verbunden, Erfahrung.

Hier relevant ist aber ohnehin weniger die Ursache dieses Phänomens, sondern seine Bedeutung für die Einkommensverteilung und die Beurteilung ihrer Entwicklung. Soweit sich nämlich eine gewachsene Ungleichverteilung der Einkommen auf eine steigende Einkommenskluft zwischen Jung und Alt zurückführen lässt, verliert sie an Problematik.

Dann nämlich zeigen zwar die einschlägigen, auf jährliche Einkommen abstellende Indikatoren eine wachsende Ungleichheit an. Doch die Einkommen werden nur anders auf die Lebensphasen verteilt. Die interpersonelle Verteilung der Lebenseinkommen ändert sich nicht.[24]

* * *

Ungleich ungleich ungerecht: Soweit die gemessene Einkommensverteilung steigt, weil Einkommen zunehmend vom Alter abhängen, ist schwer zu erkennen, was daran ungerecht sein soll – alt wird schließlich (fast) jeder einmal.

Hohe Bildungsprämien dagegen können natürlich im Namen der Verteilungsgerechtigkeit als nicht wünschenswert betrachtet werden. Allerdings ist Ungleichheit, die auf Bildungsprämien basiert, unproblematischer als andere Formen der Ungleichheit. Dies gilt insbesondere, wenn sie zugleich die Diskriminierung nach Faktoren wie Geschlecht oder Hautfarbe zurückdrängen und damit die Chancengleichheit verbessern.

Außerdem haben Bildungsprämien eine wichtige Funktion bei der Anpassung einer Wirtschaft an Strukturwandel und technischen Fortschritt. Ihr Anstieg ist der Tendenz nach nur vorübergehender Natur. Und schließlich: Je weniger der Anstieg durch politische Entscheidungen oder institutionelle Rahmenbedingungen konterkariert wird, umso schneller werden die Prämien ihre Funktion erfüllen – und umso schneller werden sie wieder zurückfallen.

Insofern wäre es nicht verwunderlich, wenn in den kommenden Jahrzehnten in den USA die Ungleichverteilung der Einkommen wieder zurückgehen würde – während sie in Deutschland weiter steigt.

Fußnoten

1) Harris Interactive (www.harrisinteractive.com) und Riquesta. Stand: USA Dezember 2002, Deutschland Juni 2003.
2) Card, Lemieux und Riddell (2003), CEA (1997), S. 171, Gordon (2000), S. 3ff., und OECD (2002d), S. 144.
3) vgl. Gordon (2000), S. 5.
4) vgl. Acemoglu (2002), S. 50.
5) CEA (1997), S. 175.
6) vgl. Acemoglu (2002), S. 9, 18ff.
7) Acemoglu (2002a), S. 1, CEA (1997), S. 187ff., und Greenspan (2003a), S. 3.
8) Lerman und Schmidt (1999), S. 33.
9) Greenspan (2000), S. 3.
10) BLS (www.bls.gov).
11) Greenspan (2000), S. 2, und Mincer und Danninger (2000), S. 2.
12) Business Week (2003a) und Lerman (1997).
13) Ehe sich in Amerika eine wachsende Nachfrage nach qualifizierten Arbeitskräften in einem steigenden Angebot niederschlägt, vergehen den Berechnungen von Mincer und Danniger (2000) zufolge acht bis zehn Jahre.
14) Greenspan (2000), S. 2.
15) siehe zum Beispiel Barro (2001), S. 7, Mincer und Danninger (2000), S. 3, und die Äußerungen von Joseph Stiglitz in Wirtschaftswoche (1997).
16) OECD (2002e), S. 53.
17) Die Diskrepanz zwischen den Bildungsprämien könnte auch entstehen, weil deutsche Hochschulen einen weniger qualifizierten Nachwuchs hervorbringen – oder weil Erwerbspersonen ohne weiterführenden Schulabschluss oder Berufsausbildung in den USA geringer qualifiziert sind als in Deutschland. Hinweise, die derlei pauschale Aussagen erlauben würden, sind jedoch nicht erkennbar. Daher wird dieser Erklärungsansatz hier nicht weiter verfolgt.
18) Natürlich könnte diesem Argument entgegengehalten werden, dass ein großer Teil der Akademiker außertariflich entlohnt wird. Allerdings ist kaum zu erwarten, dass die Gehaltsstruktur im außertariflichen Bereich völlig losgelöst von der Struktur der Tarifgehälter ist.
19) vgl. Acemoglu (2002), S. 25.
20) OECD (2000e), S. 53.
21) vgl. CEA (2003), S. 115, und Lerman und Schmidt (1999), S. 33.
22) CEA (1997), S. 170, Förster und Pearson (2002), S. 15ff., und Haveman (2000), S. 251.
23) Haveman (2000), S. 256f.
24) vgl. Cox und Alm (1999), S. 83ff.

Kapitel 20: Ein Wohlfahrtsstaat außer Rand und Band – Einkommensverteilung und Umverteilung im Vergleich

Winston Churchill war ein weiser Mann: „Es gibt Lügen, verdammte Lügen – und Statistiken", sagte der legendäre britische Premierminister einst.

Statistiken sind stets mit Vorsicht zu genießen – und ganz besonders, wenn es um die Messung von Einkommensverteilungen geht. Dies unter anderem deshalb, weil die Verteilung von Einkommen durch einzelne Indikatoren jeweils nur sehr unvollständig abgebildet werden kann. Ganz besonders schwierig sind internationale Vergleiche – schließlich ist die Datenlage derart unvollständig, dass es schon schwer fällt, für Deutschland allein ein realitätsnahes Bild zu zeichnen.[1]

Deshalb wird hier gar nicht erst der Versuch unternommen, eigene Berechnungen anzustellen. Stattdessen wird sich dieses Kapitel im Wesentlichen darauf beschränken, zwei einschlägige, international angelegte Studien auszuwerten und ihre Implikationen für die Bewertungen der Modelle Deutschland und Amerika herauszuarbeiten. Diese beiden Studien wurden ausgewählt, weil sie nicht nur die Ungleichverteilung der Markteinkommen vergleichen, sondern auch offen legen, wie diese so genannten Primärverteilungen von Steuer- und Sozialsystem beeinflusst werden.

Die erste Studie stammt von Michael Förster und Mark Pearson. Die beiden bei der OECD arbeitenden Ökonomen haben für 18 Industrieländer „äquivalente verfügbare Haushaltseinkommen“ je Person im erwerbsfähigen Alter berechnet. In dieser Größe sind Erwerbseinkommen, Kapitaleinkünfte und monetäre staatliche Leistungen wie etwa Arbeitslosen- oder Kindergeld enthalten; direkte Steuern und Arbeitnehmerbeiträge zur staatlichen Rentenversicherung werden abgezogen. Die „Äquivalenz“ wird hergestellt, indem berücksichtigt wird, dass größere Haushalte Größenvorteile haben – in dem Sinne, dass ein vierköpfiger Haushalt einen höheren Lebensstandard erreicht als zwei zweiköpfige Haushalte, die zusammen ein gleich hohes Einkommen haben, aber zum Beispiel zwei Mieten zahlen müssen.[2]

Auf Basis dieser Definition haben Förster und Pearson für die 18 Länder jeweils drei Einkommensgruppen gebildet: die 30 Prozent der Bevölkerung mit dem geringsten „äquivalenten verfügbaren Haushaltseinkommen“, die in diesem Sinne einkommensstärksten 30 Prozent und die mittleren 40 Prozent.

Es zeigt sich, dass bei der Verteilung der *Brutto*einkommen erstaunliche Ähnlichkeiten zwischen den 18 Ländern bestehen. In allen Ländern entfielen Mitte der Neunzigerjahre auf die unteren 30 Prozent nur zwischen sechs und zwölf Prozent des Gesamteinkommens. Die oberen 30 Prozent dagegen können in aller Regel zwischen 50 und 60 Prozent für sich vereinnahmen; nur in Mexiko und der Türkei liegt der Anteil der „Reichen“ oberhalb der 60-Prozent-Marke.[3]

Innerhalb dieser Spannbreiten befinden sich Deutschland und die USA nahe der entgegengesetzten Enden:

- In den USA entfallen auf die unteren 30 Prozent 8,9 Prozent des Gesamteinkommens – unter den am höchsten entwickelten der 18 Länder ist dieser Anteil nur in Australien, Belgien, Irland und Großbritannien geringer. Und mit 57,1 Prozent ist der Anteil, den die oberen 30 Prozent einstreichen, besonders hoch.

■ In Deutschland dagegen entfallen auf die „Reichen" 51,8 Prozent – nur in Dänemark und Norwegen liegt dieser Anteil niedriger. Auf der anderen Seite erhalten die „Armen" 11,9 Prozent – so viel wie in keinem anderen der 18 Länder.

Progressives Amerika

Durch das Steuersystem werden diese Unterschiede allerdings nivelliert. Amerikas Staatshaushalte nämlich werden zu einem besonders großen Teil von gutverdienenden Steuerzahlern finanziert. So stammen mehr als zwei Drittel der Steuereinnahmen aus der Einkommensteuer des amerikanischen Bundes von den zehn Prozent der Privathaushalte mit den höchsten Bruttoeinkommen (siehe Grafik 20.1).

In Deutschland dagegen kommt das oberste Zehntel nur für gut die Hälfte der Einnahmen aus der Einkommensteuer auf. Und:

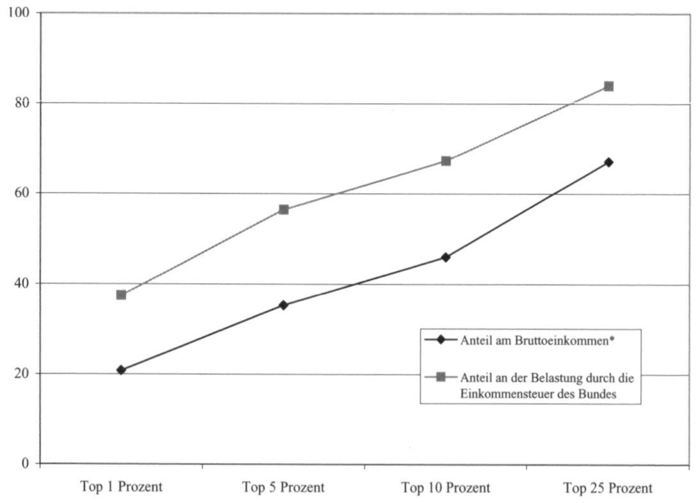

* „Adjusted Gross Income": Einkommen aus Erwerbsarbeit, Zinsen, Kapitalgewinnen, Rentensparplänen ab- beziehungsweise zuzüglich Unterhaltszahlungen und Zahlen von oder an Rentensparpläne

Grafik 20.1: *Anteil von Einkommensgruppen in den USA am Gesamteinkommen und am Aufkommen der Bundeseinkommensteuer – in Prozent, 2000* *[Quelle: JEC]*

Die 50 Prozent der Haushalte mit den geringsten Einkommen tragen in Deutschland 8,7 Prozent zum Aufkommen bei, in den USA dagegen nur 3,1 Prozent.[4]

Dieser Vergleich ist mit Vorsicht zu genießen – schließlich bleiben hier Sozialversicherungsbeiträge ebenso unberücksichtigt wie die zusätzlichen Einkommensteuern, die in den USA von Bundesstaaten und Kommunen erhoben werden.

Die Untersuchung von Förster und Pearson bestätigt allerdings: Im Vergleich zu ihrem Anteil an den Bruttoeinkommen zahlen die „Armen" in den USA einen besonders niedrigen Anteil des Steueraufkommens, die „Reichen" dagegen einen besonders hohen. In Deutschland ist es genau umgekehrt (siehe Grafik 20.2b).

So betrachtet lässt sich also sagen, dass das amerikanische Steuersystem hohe Einkommen in stärkerem Maße überproportional belastet als das deutsche – in diesem Sinne wirkt es also progressiver!

Und in der Realität dürfte der Unterschied im deutsch-amerikanischen Vergleich noch größer sein, als Grafik 20.2b es andeutet. Dies deshalb, weil die hier nicht einbezogenen indirekten Steuern wie die Mehrwertsteuer oder die Ökosteuer in Deutschland ein höheres Gewicht besitzen. Diese Steuern belasten jeden, unabhängig vom Einkommen, in gleichem Maße; sie wirken daher regressiv, das heißt, in Relation zum jeweiligen Einkommen treffen sie Geringverdiener härter als Gutverdiener.

Dass das Steuersystem in den USA progressiver *wirkt*, heißt aber nicht, dass es auch progressiver *ist* – natürlich nicht: Amerikas Grenzsteuersätze sind niedriger als in Deutschland, und die Spitzensteuersätze greifen erst bei ungleich höheren Einkommen.

Letztlich muss es Spekulation bleiben, was die Ursache der Diskrepanz im deutsch-amerikanischen Vergleich ist. Zwei Erklä-

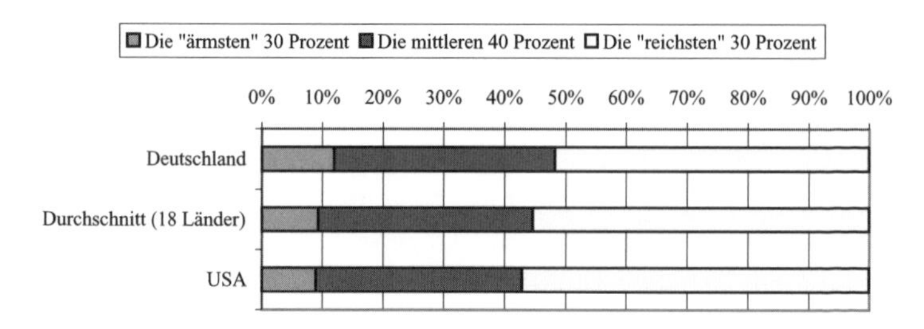

Grafik 20.2a: *Anteile von Einkommensgruppen am Gesamteinkommen im Vergleich – Erwerbs- und Kapitaleinkommen, brutto, Anteile in Prozent, Mitte der Neunzigerjahre* *[Quelle: Förster und Pearson (2002), S. 21]*

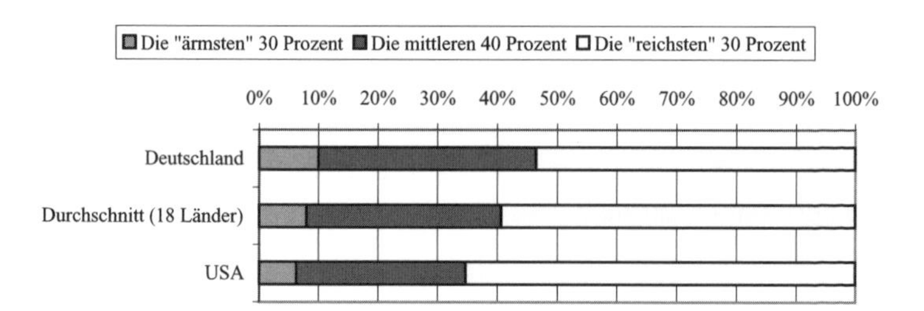

Grafik 20.2b: *Anteile von Einkommensgruppen am Steueraufkommen im Vergleich – Einkommensteuern und Arbeitnehmerbeiträge zur Rentenversicherung, Anteile in Prozent, Mitte der Neunzigerjahre)* *[Quelle: Förster und Pearson (2002), S. 31]*

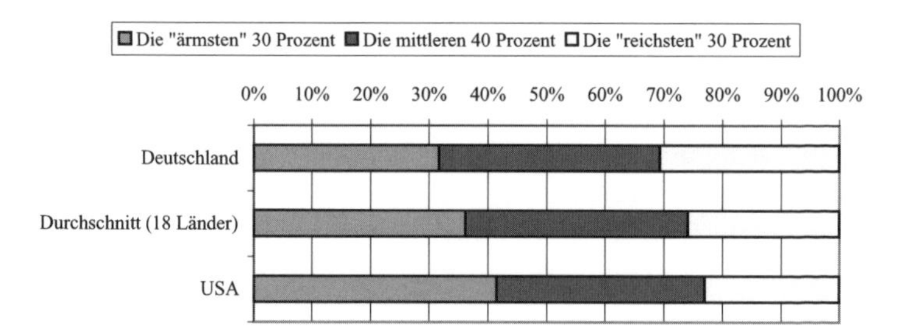

Grafik 20.2c: *Anteile von Einkommensgruppen an den Auszahlungen von Sozialleistungen im Vergleich – monetäre Transfers, Anteile in Prozent, Mitte der Neunzigerjahre* *[Quelle: Förster und Pearson (2002), S. 31]*

rungen drängen sich aber auf: Die Progressivität wird durch Steuervergünstigungen, die – wie Eigenheimzulagen oder Pendlerpauschalen – auch und gerade von Gutverdienern genutzt werden, in Deutschland in weit stärkerem Maße unterminiert als in den USA. Außerdem dürften sich hier die Arbeits- und Leistungsanreize zeigen, die (in Amerika) von niedrigen Steuersätzen ausgehen – und die lähmenden Effekte, die (in Deutschland) von hohen Steuersätzen erzeugt werden.

Umverteilung in die eigene Tasche

Vollständig wird das Bild natürlich erst, wenn außer Bruttoeinkommen und Steuern auch das berücksichtigt wird, was der Staat den Bürgern zurückgibt.

Werden Sachleistungen außen vorgelassen und nur monetäre Transfers betrachtet, so zeigt sich: Im Durchschnitt der 18 Länder erhalten die ärmsten 30 Prozent gerade einmal 36,2 Prozent der Leistungen (siehe Grafik 20.2c). Nicht weniger als 25,9 Prozent gehen an die reichsten 30 Prozent. Und dabei noch gar nicht einbezogen sind die zusätzlichen Umverteilungseffekte zugunsten der Wohlhabenden, die sich ergäben, wenn auch der Barwert erworbener Rentenansprüche berücksichtigt würde.

Dass die Gutverdiener reichlich an den Ausschüttungen des Wohlfahrtstaats beteiligt werden, liegt nicht zuletzt daran, dass viele Sozialeistungen – Kindergelder zum Beispiel – unabhängig vom Einkommen an alle anspruchsberechtigten Haushalte gewährt werden. Darüber hinaus liegt aber auch der Verdacht nahe, dass so manche Sozialleistung sogar vorrangig Betuchten zugute kommt.

Doch was auch immer die Ursache ist, wichtig ist hier das Ergebnis: Die Umverteilung per Sozialtransfers, fassen Förster und Pearson zusammen, „hat keinen sehr anderen Effekt auf die Ungleichheit der Nettoeinkommen, als wenn an jeden in der Bevölkerung unabhängig vom Einkommen ein fester Betrag ausgezahlt würde“[5].

In Deutschland würden die Reichen dabei sogar leicht verlieren: Hierzulande nämlich sind die oberen 30 Prozent mit 30,7 Prozent sogar überproportional an den Sozialleistungen beteiligt. Die unteren 30 Prozent demgegenüber bekommen kaum mehr, nämlich 31,7 Prozent.

Ein Sozialstaat, sollte man annehmen, hat vorrangig die Aufgabe, seine Bürger vor den großen Lebensrisiken zu schützen. Wenn dies das Ziel ist, dann wird es offenkundig vom deutschen Steuer- und Sozialsystem aus großer Entfernung mit einer Schrotflinte beschossen.

Noch nicht einmal das bescheidenere, weil einfacher zu bewerkstelligende Ziel, schlicht eine Umschichtung der Einkommen von oben nach unten vorzunehmen, wird erreicht. Eine „Umverteilung zugunsten der nicht ganz Armen und zu Lasten der nicht ganz Reichen“ diagnostizierte der Freiburger Ökonom Bernhard Külp 1975. Das war vielleicht die Situation, wie sie sich in der Bundesrepublik Mitte der Siebzigerjahre darstellte.

Inzwischen aber lässt sich selbst das nicht mehr sagen. Ja, es wird in Deutschland kräftig umverteilt: von Kinderlosen zu Kinderreichen, von Mietern zu Hausbauern, von Auto- zu Fahrradfahrern, von Telearbeitern zu Pendlern etc. – jedoch nicht, oder jedenfalls nicht in großem Umfang, von Reich nach Arm.

Was aber natürlich bleibt, das ist die Lähmung, die eine hohe Steuer- und Abgabenlast erzeugt. Und die Intransparenz, die durch einen Dschungel von Sozialleistungen und Steuervergünstigungen entsteht.

Hey, big spender

Deutlich anders stellt sich die Situation in den USA und anderen angelsächsischen Ländern dar: Hier werden die Transfers offenkundig sehr viel zielgerichteter an die wirklich Bedürftigen verteilt: In Amerika etwa fließen 41,4 Prozent der Leistungen an die unteren 30 Prozent. Auch das ist vielleicht nicht viel – nur eben weit mehr als in Deutschland.

Es scheint also, als gingen relativ schlanke Staaten effizienter mit ihrem Geld um – und genau dies bestätigt eine Untersuchung von Ludger Schuknecht und Vito Tanzi. Das deutsch-italienische Ökonomen-Duo hat 17 Industrieländer in drei Gruppen eingeteilt: Jene, bei denen die Staatsausgaben 1990 mehr als die Hälfte der Wirtschaftsleistung ausmachten (zum Beispiel Italien und Schweden); jene, bei denen die Staatsquote zwischen 40 und 50 Prozent lag (zum Beispiel Deutschland und Frankreich); und schließlich jene, bei denen sich der Staat mit weniger als 40 Prozent des Bruttoinlandsprodukts zufrieden gab (zum Beispiel Großbritannien, Japan und die USA).[6]

Werden diese drei Gruppen verglichen, dann zeigt sich:

■ Die Unterschiede bei den Staatsquoten erklären sich fast vollständig aus höheren Sozialleistungen, Subventionen und Schuldendiensten in den Ländern mit großem Staat; das Niveau der öffentlichen Investitionen variiert dagegen kaum mit der Höhe der Staatsquote.

■ Gemessen am Human Development Index der Vereinten Nationen (siehe Kapitel 9) herrscht in den Ländern mit der niedrigsten Staatsquote die höchste Lebensqualität.

■ Die Einkommensverteilung ist zwar umso gleichmäßiger, je höher die Staatsquote ist. Aber: Der Anteil der ärmsten 40 Prozent der Haushalte am Gesamteinkommen erhöht sich durch Besteuerung und Sozialleistungen in den schlanken Staaten um 2,1 Prozentpunkte. In Ländern mit hoher Staatsquote liegt dieser Wert gerade einmal um 0,6 Punkte höher – obwohl hier der Fiskus rund 20 Prozent der Wirtschaftsleistung mehr für sich vereinnahmt.

Um seine sozialpolitischen und sonstigen Ziele zu erreichen, braucht eine moderne Volkswirtschaft keine Staatsquote von

40, 50 oder mehr Prozent, folgern Schuknecht und Tanzi. Dieselben Ziele ließen sich auch „mit intelligenter Politik" realisieren – und Staatsquoten „zwischen, sagen wir, 25 und 35 Prozent"[7].

Fußnoten

1) vgl. zum Beispiel SVR (1998), S. 222.
2) Förster und Pearson (2002), S. 10.
3) a.a.O., S. 20f.
4) Bundesministerium der Finanzen (www.bundesfinanzministerium.de) und JEC (www.house.gov/jec).
5) Förster und Pearson (2002), S. 30.
6) Tanzi und Schuknecht (2000), S. 99ff.
7) a.a.O., S. 119, 249.

Kapitel 21: Massenarbeitslosigkeit – die Mutter aller Ungerechtigkeiten

Arbeitslos zu sein ist ein schweres Schicksal. Das weiß auch die Bundesregierung.

In ihrem „Armuts- und Reichtumsbericht" beschreiben die Berliner Koalitionäre die Folgen von Arbeitslosigkeit für die Betroffenen so: „Depressive Verstimmungen, Unzufriedenheit mit der aktuellen Lebenssituation, Ängstlichkeit, Hoffnungslosigkeit, Hilflosigkeit, geringes Selbstwertgefühl, Resignation bis hin zu Apathie, geringes Aktivitätsniveau und soziale Isolation sowie Einsamkeit repräsentieren die wichtigsten Symptome." Da ist es ein schwacher Trost, dass sich „manifeste körperliche Symptome" bei Arbeitlosen meist „erst nach einer gewissen Zeit" herausbilden.[1]

Arbeitslosigkeit bedeutet Leid, Massenarbeitslosigkeit massenhaftes Leiden. Und umgekehrt hat Vollbeschäftigung enorme Vorzüge. Erstens wirkt Arbeitslosigkeit fiskalisch wie ein Zangengriff: Mit jedem Arbeitslosen kommt nicht nur ein Leistungsempfänger hinzu – es geht zugleich ein Steuer- und Beitragszahler verloren. Ein hoher Beschäftigungsstand ist daher der einfachste Weg sicherzustellen, dass sich die Abgabenbelastung pro Kopf der erwerbstätigen Bevölkerung in Grenzen hält.

Zweitens gewährleistet Vollbeschäftigung, dass die Arbeitnehmer den Produktivitätsfortschritt in Form von Lohn- und Gehaltserhöhungen größtenteils und ohne negative Folgen für den

Arbeitsmarkt für sich vereinnahmen können – so, wie es in den späten Neunzigerjahren in den USA zu beobachten war (siehe Kapitel 4).[2]

Drittens, und aus sozialpolitischer Sicht am wichtigsten: Eine niedrige Arbeitslosigkeit nutzt in besonderem Maße Menschen mit geringer Qualifikation und wenig Berufserfahrung – jene Menschen also, die in den vergangenen Jahrzehnten in allen Industrieländern die größten Probleme auf dem Arbeitsmarkt hatten.

Kleiner Unterschied, große Wirkung

Gerade in Zeiten, da der technische Fortschritt Hochqualifizierte massiv begünstigt, erweist es sich als schwer, Un- und Angelernte in Unternehmen zu integrieren. Geringqualifizierte erhalten unter diesen Umständen erst dann eine Chance, wenn kaum noch Hochqualifizierte auf dem Arbeitsmarkt zu finden sind – erst dann sind Arbeitgeber bereit, die Anforderungen an neueingestellte Mitarbeiter zu senken und die erforderlichen Fortbildungen anzubieten. Genau dies war im großen Boom der Neunzigerjahre in den USA zu beobachten.[3]

Die ohnehin geringe Arbeitslosigkeit unter College-Absolventen sank in dieser Zeit immer weiter, zwischenzeitlich bis auf 1,4 Prozent – der Arbeitsmarkt für qualifizierte Arbeitskräfte war also in der Tat leergefegt. So kamen auch demographische Gruppen zum Zuge, die sonst benachteiligt sind: Angehörige ethnischer Minderheiten etwa, Schulabbrecher und Teenager (siehe Grafik 21.1.). Auf dem Höhepunkt des Konjunkturbooms schließlich machte sich unter Arbeitgebern regelrecht Verzweiflung breit. Ein Restaurant in Atlanta warb auf einem Schild mit den Worten: „Now hiring. Must have a pulse“ – wir nehmen jeden Lebenden.[4]

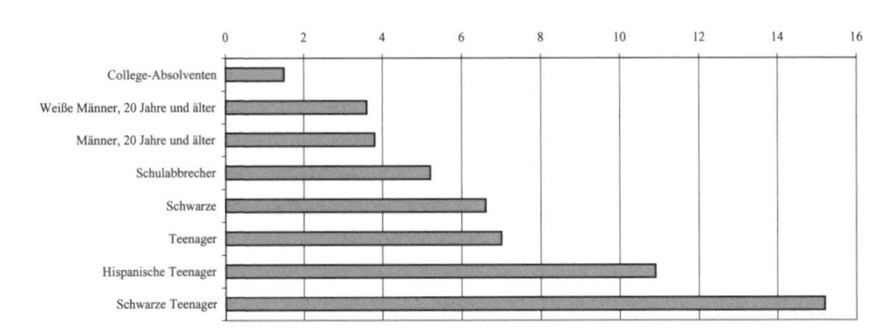

Grafik 21.1: *Rückgang gruppenspezifischer Arbeitslosenquoten im amerikanischen Neunzigerjahre-Boom 1992–2000, in Prozentpunkten*

[Quelle: BLS und eigene Berechnungen]

Der US-Ökonom Paul Krugman fasst das Phänomen so zusammen:

„Ein enger Arbeitsmarkt nutzt an den Rand gedrängten Arbeitern in überproportionalem Maße – jenen [also], die tendenziell als letzte angeheuert werden und als erste gefeuert; für diejenigen, die versuchen, den ersten Schritt aus der Unterschicht zu machen, ist der Unterschied zwischen sechs und fünf Prozent Arbeitslosigkeit womöglich in der Tat groß."[5]

Wenn aber schon ein Prozentpunkt viel ausmacht: Wie groß wäre dann erst der Effekt in Deutschland, wenn es auch hier gelänge, die Arbeitslosigkeit von mehr als zehn auf vier, fünf oder sechs Prozent zu reduzieren?

Langzeitarbeitslosigkeit – der ganz große Skandal

Die hohe Arbeitslosigkeit in Deutschland ist schon für sich genommen skandalös. Was sie aber zu einer wirklichen sozialen Katastrophe werden lässt, ist die Tatsache, dass zunehmend viele Menschen auf Dauer vom Erwerbsleben ausgeschlossen werden.

In Deutschland sind, gemessen an der Zahl der Erwerbsfähigen, nicht nur mehr Menschen arbeitslos als in den USA. Ein deutlich größerer Teil ist auch sehr lange ohne Job.

Das Problem besteht schon seit Jahrzehnten: Bereits Ende der Siebzigerjahre begann die Langzeitarbeitslosigkeit in Deutschland und anderen europäischen Ländern deutlich zu steigen – ein deutliches Zeichen dafür, dass es bereits damals um den deutschen Arbeitsmarkt nicht länger so gut bestellt war, wie es ein Blick auf die Arbeitslosenquote nahe legen würde.[6]

In der Zeit danach zeigt sich ein „Sperrklinkeneffekt": In Krisenzeiten wurden Menschen arbeitslos, die im darauf folgenden Aufschwung nicht wieder auf den Arbeitsmarkt zufanden.[7] So waren 1983 in der damaligen Bundesrepublik bereits vier von zehn Arbeitslosen länger als zwölf Monate auf der Suche nach einem Arbeitsplatz (siehe Grafik 21.2). Im Jahr 2000 waren es sogar fünf von zehn – obwohl die deutsche Wirtschaft in jenem Jahr ein Wirtschaftswachstum erreichte wie seit dem Einheitsboom von 1990/91 nicht mehr.

In den USA ist die Situation ungleich günstiger: Nicht einmal jeder Siebte blieb dort 1983 länger als zwölf Monate ohne Arbeit, im Jahr 2001 war es sogar nur jeder Sechzehnte.[8]

Langzeitarbeitslosigkeit schließt einen Großteil der Betroffenen auf unabsehbare Zeit vom Erwerbsleben, von Wohlstand und Anerkennung aus. Ökonomen sprechen in diesem Zusam-

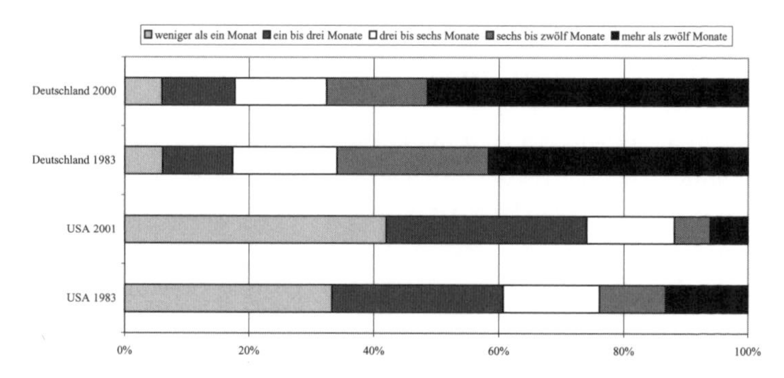

***Grafik 21.2:** Dauer von Phasen der Arbeitslosigkeit im Vergleich – Angaben in Prozent*

[Quelle: OECD (2002a), S. 42ff.]

menhang von „Hysterese“ – dem Fortbestand eines Zustands unabhängig von seiner Ursache.

Denn je länger Arbeitslosigkeit andauert, umso schwerer wird der Wiedereinstieg: Gerade in Zeiten raschen technischen Fortschritts veralten erlernte Fertigkeiten schnell. Und: Nach einiger Zeit beginnen auch die soziale Kompetenz und andere Fähigkeiten zu leiden, die für andere Menschen eine Selbstverständlichkeit sind. Im Zuge der Sozialhilfereform in den USA zum Beispiel zeigte sich, dass Menschen, die sehr lange Zeit erwerbslos waren, oft selbst an sehr einfache Tätigkeiten nur langsam herangeführt werden können; viele konnten sich nur schwer wieder daran gewöhnen, Termine einhalten zu müssen.[9]

Darüber hinaus droht ein hoher Anteil von Langzeitarbeitslosen die bestehenden Arbeitsmarkt-Probleme zusätzlich zu verschärfen: Wenn viele Menschen über lange Zeit arbeitslos sind und die Jobsuche aufgegeben haben oder aufgrund erodierten „Humankapitals“ nur noch eingeschränkt einsetzbar sind, dann fehlt auf dem Arbeitsmarkt die Konkurrenz, die Druck auf Löhne und Gehälter ausüben und somit Arbeitgeber zu Neueinstellungen bewegen würde. Die Arbeitslosigkeit muss in diesem Fall immer weiter steigen, damit überhaupt noch beschäftigungsfördernder Druck entsteht.[10]

Egalitärer geht es nicht

So ist Massenarbeitslosigkeit – vor allem, wenn sie mit verbreiteter Langzeit-Arbeitslosigkeit einhergeht – ein Phänomen, das sich mit Gerechtigkeit, wie auch immer sie definiert wird, nicht vereinbaren lässt.

Der amerikanische Ökonomie-Nobelpreisträger Joseph Stiglitz, der wie Paul Krugman dem linken Teil des politischen Spektrums in den USA zuzurechnen ist, bestreitet vor diesem Hintergrund sogar, dass das so oft unterstellte Spannungsverhältnis zwischen Wachstum und Beschäftigung auf der einen Seite und sozialer Sicherheit und Gerechtigkeit auf der anderen Seite überhaupt existiert:

„Diesen Zielkonflikt gibt es nicht. Das Schlimmste für die meisten Menschen ist es, keinen Job zu haben. Menschen zu marginalisieren und sie zu unproduktiven Mitgliedern der Gesellschaft zu erklären, hat verheerende ökonomische und soziale Konsequenzen. Einer der großen Erfolge der amerikanischen Wirtschaft in den vergangenen Jahren war es deshalb, die Arbeitslosenquote auf fünf Prozent zu drücken. Damit haben wir vormals marginalisierten Menschen neue Chancen gegeben. Egalitärer geht es nicht."[11]

Fußnoten

1) Bundesregierung (2001), S. 177.
2) Wird dagegen der Produktivitätsfortschritt trotz hoher Arbeitslosigkeit von der Arbeitnehmerseite beansprucht, wird der Tendenz nach ein Abbau der Unterbeschäftigung verhindert, weil die Lohnstückkosten konstant bleiben.
3) Lerman und Schmidt (1999), S. 33, 46.
4) Wirtschaftswoche (2000b).
5) Krugman (1998), S. 36.
6) Ljungqvist und Sargent (2002), S. 33.
7) Rolle und van Suntum (1997), S. 90.
8) Das Jahr 1983 wurde für die Grafik ausgewählt, weil für Deutschland keine älteren OECD-Zahlen vorliegen.
9) Wirtschaftswoche (2000b).
10) Bertola, Blau und Kahn (2001), S. 196, sowie Blanchard und Wolfers (2000), S. 2.
11) Wirtschaftswoche (1997).

Kapitel 22: Ware Wissen – der Schlüsselfaktor Bildung

Schöner kann man es nicht ausdrücken: „Der Zugang zu den Bildungschancen und die Qualität unserer Bildungsangebote – das ist die soziale Frage des beginnenden 21. Jahrhunderts", sagt Bundeskanzler Gerhard Schröder: „Bildungschancen sind stets Lebenschancen."[1]

Gemessen daran liegt in den USA eine Menge im Argen – in der Hochschullandschaft, vor allem aber im Schulwesen. Besonders die öffentlichen Schulen in Amerikas Innenstädten gelten weithin als Katastrophe. Zuweilen wird dort noch im dritten Schuljahr das Buchstabieren einsilbiger Wörter wie „Cat" und „Dog" geübt.[2]

Eine wichtige Rolle spielt hier die Aufhebung der Rassentrennung in den Sechzigerjahren. Die ethnische Integration der Schulen, für die die schwarze Bürgerrechtsbewegung so lange – und natürlich völlig zu Recht – gekämpft hatte, sollte sich rächen. Die weiße Mittelschicht nämlich reagierte schlicht, indem sie ihre Kinder auf Privatschulen schickte oder in die Vorstädte zog.[3]

1950 waren 80 Prozent der Menschen, die in den zehn größten amerikanischen Städten lebten, weiß, 19 Prozent waren schwarz; 1990 betrug der Anteil der Weißen in den Top-Ten-Metropolen nur noch 38 Prozent; 31 Prozent waren schwarz, 31 Prozent gehörten anderen Minderheiten an.[4] Angesichts der zwar sinkenden, aber immer noch bestehenden Einkommensunterschiede zwischen den ethnischen Gruppen bedeutet dies, dass das Durchschnittseinkommen in den Innenstädten regelmäßig deutlich geringer ist als in den Vororten.

Ein Problem ist dies deshalb, weil Finanzierung und Kontrolle des Schulwesens in Amerika stark dezentralisiert sind, Schuldistrikte haben eine vom Obersten Gerichtshof garantierte Unabhängigkeit. Missmanagement auf lokaler Ebene bleibt daher regelmäßig unkorrigiert. Vor allem aber: Nur sieben Prozent der Ausgaben für öffentliche Schulen kommen aus der Washingtoner Bundeskasse; 50 Prozent dagegen tragen die Bundesstaaten, die restlichen 43 Prozent werden auf kommunaler Ebene aufgebracht.[5]

Das bedeutet: Gemeinden, in denen viele Geringverdiener leben und die daher nur über ein geringes lokales Steueraufkommen verfügen, haben weniger Geld für ihre Schulen – vor allem, wenn sie zudem auch noch in einem der ärmeren Bundesstaaten liegen.

Ob allerdings Geldmangel wirklich das zentrale Problem ist, darüber streiten Amerikas Bildungsexperten seit langem. Die Statistiken stimmen skeptisch: So sind die Leistungen amerikanischer Schüler, wie sie in standardisierten Tests gemessen werden, heute kaum besser als 1970 – obwohl sich die Ausgaben je Schüler real ungefähr verdoppelt haben. Empirische Studien kommen zu ähnlichen Schlüssen. So können die Unterschiede zwischen den Ausgaben der Bundesstaaten die Unterschiede beim Leistungsniveau nicht erklären.[6]

Doch was immer die Ursachen sein mögen: Es ist überhaupt nicht zu bestreiten, dass das Schulwesen in Amerika ein gewichtiges soziales Problem darstellt. Mit dem Cowboy-Kapitalismus lässt sich dieses Problem allerdings nur begrenzt in Verbindung bringen. Richtig ist, dass die weitgehende lokale Selbstverantwortung systemtypisch ist. Dass es allerdings insgesamt an öffentlichen Ausgaben für Schulen mangeln würde, kann nicht behauptet werden: Sie lagen 1999 bei 3,5 Prozent des amerikanischen Bruttoinlandsprodukts – und damit um 0,2 Prozentpunkte höher als im OECD-Durchschnitt und um 0,7 Punkte höher als in Deutschland.[7]

Eine Demütigung namens Pisa

So schlecht das amerikanische Schulwesen funktionieren mag – schlechter als das deutsche ist es der vielbeachteten „Pisa"-Studie der OECD zufolge keineswegs.

Die Untersuchung, welche die Leistungsfähigkeit 15-jähriger Schüler gemessen hat, ergab:[8]

- Für ihre Leistungen im Lesen erreichten die Deutschen 484 Punkte; der OECD-Durchschnitt lag bei 500 Punkten, die USA kamen auf einen Wert von 504.

- In keinem anderen OECD-Land ist der Abstand zwischen den besten und schlechtesten Schülern beim Lesen so groß wie in Deutschland – ohne dass die besten im Vergleich besonders gut wären. Der Anteil der Schüler, die eine sehr gute Lesefähigkeit besitzen („Kompetenzstufe 5"), ist in den USA größer als in Deutschland; der Anteil der Schüler, die nur auf einem elementaren Niveau lesen können, ist kleiner.

- Ähnlich ist das Bild bei den Mathematikkenntnissen: Die USA liegt unter dem OECD-Durchschnitt, aber immer noch vor Deutschland. Die Spannbreite der Leistungen ist auch hier geringer.

Eine Auswertung von Experten des Max-Planck-Instituts für Bildungsforschung ergab daher, „dass auch in den Vereinigten Staaten gerade der untere Leistungsbereich auf einem im Vergleich zu Deutschland höherem Niveau beginnt."[9]

Natürlich hätte Deutschland besser abgeschnitten, wenn nicht auch junge Türken und Russlanddeutsche getestet worden wären: Unter den 15-jährigen Kindern von Eltern, die im Ausland geboren wurden, besucht jedes zweite eine Hauptschule – unter ihren Altersgenossen, deren Eltern aus Deutschland stammen, ist nur jedes vierte ein Hauptschüler. Und: Nur 15 Prozent der Einwandererkinder besuchen das Gymnasium – bei der heimischen Bevölkerung ist der Anteil mehr als doppelt so hoch.[10]

Doch Deutschland ist nicht das einzige Einwanderungsland unter den Industrienationen: Der Anteil der Einwandererkinder ist hier zu Lande nicht um so viel höher als in anderen OECD-Ländern, als dass von diesem Faktor ein mehr als marginaler Effekt auf das Pisa-Ranking ausgegangen wäre.[11]

Was offenbar zählt in Deutschland, ist denn auch weniger die geographische als vielmehr die soziale Herkunft: In keinem OECD-Land hängt die Lesekompetenz so sehr vom sozioökonomischen Status der Eltern ab wie in Deutschland. So müssen die Max-Planck-Forscher feststellen: „Selbst die Vereinigten Staaten, die immer wieder als Beispiel für große soziale Disparitäten in den Bildungschancen angeführt werden, weisen zwar immer noch beträchtliche, aber signifikant niedrigere sozial bedingte Leistungsunterschiede [als Deutschland] auf."[12]

Und mehr noch: Selbst bei gleicher Leistungsfähigkeit gehen in Deutschland Akademikerkinder mit einer um 30 Prozent höheren Wahrscheinlichkeit aufs Gymnasium als Kinder von Schulabbrechern. Über die Jahrzehnte hinweg ist diese Abhängigkeit vom sozialem Hintergrund nicht etwa kleiner, sondern größer geworden.[13]

Warum dies so ist, darüber soll hier nicht weiter spekuliert werden. Fest steht nur: Misst man den Kanzler an seinen eigenen Worten, dann regiert er ein äußerst ungerechtes Land – ungerecht im Vergleich zu den anderen europäischen und den asiatischen Ländern, ungerecht aber auch im Vergleich zu den USA.

Und ein Blick auf das Hochschulwesen verdüstert das Bild nur noch weiter.

Die Uni und das liebe Geld

Für ihre Fachhochschulen und Universitäten gaben die Deutschen 1999 gerade einmal 1,1 Prozent ihrer Wirtschaftsleistung aus – das ist, zum Vergleich, weniger als die öffentliche Hand für Arbeitsbeschaffungsmaßnahmen und andere Instrumente der aktiven Arbeitsmarktpolitik spendiert.[14] Die Amerikaner dagegen hatten 1999 mehr als doppelt so viel, nämlich 2,3 Prozent, für ihre Colleges und Universities übrig (siehe Grafik 22.1).

Noch deutlicher wird das Gefälle, wenn nur die akademische Lehre betrachtet wird: Kaufkraftbereinigt wurden in Deutschland 1999 je Student für die Lehre 6.438 Dollar ausgegeben. Das ist deutlich weniger, als Länder wie Irland und Italien aufwänden – und viel weniger als die 17.115 Dollar, die in den USA aufgebracht werden.[15]

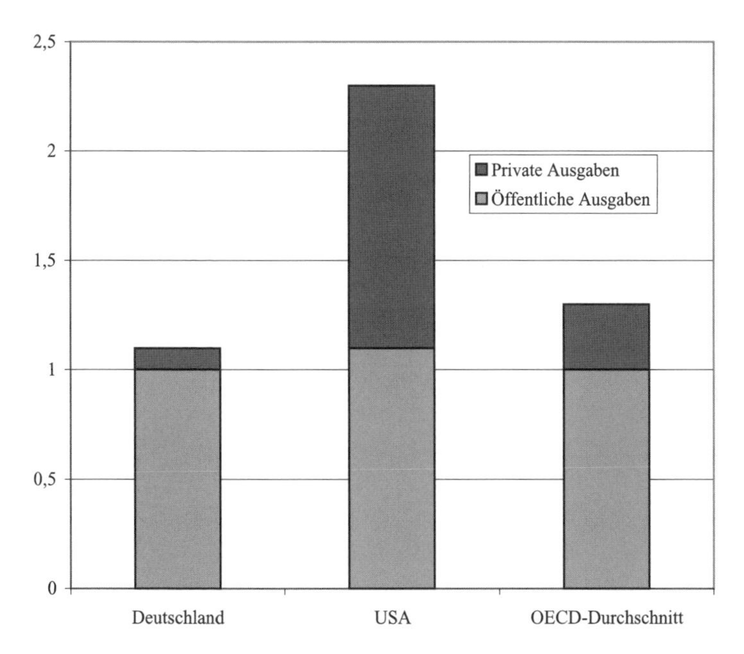

Grafik 22.1: *Ausgaben für tertiäre Bildungseinrichtungen in Prozent des Bruttoinlandsprodukts, 1999* *[Quelle: OECD (2002e), S. 171]*

Der Grund für die Diskrepanz im deutsch-amerikanischen Vergleich ist einfach zu finden: Mehr als die Hälfte der Ausgaben für tertiäre Bildungseinrichtungen werden in den USA von privater Seite finanziert – im Wesentlichen durch Studiengebühren. Im Durchschnitt lagen die Gebühren für eine vierjährige College-Ausbildung im Studienjahr 2001/2002 bei 17.272 Dollar pro Jahr.[16] Elitäre Business Schools verlangen gar 30.000 Dollar und mehr.

In Deutschland, natürlich, gelten Studiengebühren als unsozial. So heißt es im „Sozialbericht" der Berliner Koalition:

„Die Bundesregierung setzt sich dafür ein, zur Gewährleistung von Chancengleichheit auf Studiengebühren ... zu verzichten. Zusätzliche finanzielle Belastungen durch Studiengebühren würden vor allem Kinder aus bildungsfernen und finanziell schlechter gestellten Familien vom Studium abschrecken."[17]

Studiengebühren haben allerdings eine Reihe von Vorzügen. Sie verdeutlichen den Studenten die Kosten ihrer Ausbildung – und tragen so dazu bei, dass der Nachwuchs nicht unbedacht drauflosstudiert oder das Studium über Gebühr in die Länge zieht. Studiengebühren haben in den USA außerdem Elite-Universitäten hervorgebracht, die es in dieser Qualität und Quantität in Deutschland nicht gibt.

Und schließlich: Studiengebühren liefern den Hochschulen einen starken Anreiz, gute Leistungen zu erbringen und ihre Studenten als Kunden statt als Bittsteller zu behandeln. Denn je besser ihr Ruf bei Studenten, Alumni und Arbeitgebern ist, umso höhere Gebühren können sie verlangen.

Der Wettbewerb, der daraus resultiert, äußerst sich zum Beispiel darin, dass viele Hochschulen große Anstrengungen unternehmen, ihren Absolventen beim Einstieg in den Arbeitsmarkt zu helfen – schließlich sind solche Unis für angehende Studenten besonders attraktiv, die von sich behaupten können, erfolgreiche Alumni zu haben. Deutschen Hochschulen demgegenüber kann es herzlich egal sein, was aus ihren Absolventen wird.

Studiengebühren - na und?

Trotz der hohen Gebühren ist ein Studium für die meisten Amerikaner eine lohnende Investition. Die zeigt sich an der jährlichen Rendite, die Akademiker erzielen, indem sie zum Beispiel höhere Gehälter bekommen und besser vor Arbeitslosigkeit geschützt sind. Nach Berechnungen der OECD beträgt diese Rendite brutto für Männer in Amerika 19,6 Prozent. Netto, das heißt nach Abzug der Studiengebühren, bleiben 14,9 Prozent übrig – mehr als in den kontinentaleuropäischen Ländern und deutlich mehr als in Deutschland. In Deutschland beträgt die Netto-Rendite nur neun Prozent.[18]

Allerdings können die meisten Studenten und ihre Eltern in Amerika die Gebühren nicht aus ihrem laufenden Einkommen bestreiten. Entweder müssen sie frühzeitig für ein späteres Studium sparen – oder sie verschulden sich.

Kredite für Ausbildungszwecke aufzunehmen stößt auf grundsätzliche Probleme. So kann der angehende Student nur schwer abschätzen, welchen Wert die akademische Ausbildung in seinem Fall haben wird: Vielleicht wird er das Studium abbrechen, vielleicht wird sich das, was er lernt, am Arbeitsmarkt als wertlos herausstellen. Wer risikoscheu ist, mag daher durch Studiengebühren abgeschreckt werden.

Ein zweites Problem besteht darin, dass die durch ein Studium erworbene Qualifikation nicht liquide ist: Wer ein Haus kauft, hat die Option, es wieder zu verkaufen, wenn er den Schuldendienst für den Hypothekenkredit nicht mehr finanzieren kann; und die Bank hat das Haus als Sicherheit, sie kann es gegebenenfalls zwangsversteigern lassen. Ein Student dagegen kann sich selbst nicht verkaufen, und er kann sich auch nicht als Sicherheit anbieten.[19]

In den USA wird dieses Problem teils durch Stipendien gelöst, die zum Beispiel Universitäten und private Stiftungen vergeben. Vor allem aber springen Staat und Hochschulen mit Darlehen ein: Sie stellen Kredite bereit, für die sie das Ausfallrisiko übernehmen. Ein Teil dieser Kredite, die „Stafford loans" etwa, sind zinsbegünstigt. Zudem sind Aufwendungen für die Ausbildung in Grenzen steuerlich absetzbar.[20]

Stipendien und herkömmliche Kredite von Privatbanken eingerechnet, erreichte die Fremdfinanzierung im Studienjahr 2001/2002 ein Volumen von 89,6 Milliarden Dollar. Je Vollzeitstudent entspricht dies 7.827 Dollar. 57 Prozent davon müssen irgendwann einmal zurückgezahlt werden.[21]

So starten Amerikas Jungakademiker mit beträchtlichen Schulden ins Berufsleben: In einem College-Studium sammeln sich im Durchschnitt Schulden in Höhe von 18.900 Dollar an. Ein Graduiertenstudium erhöht diese Summe um 31.700 Dollar. Angehende Ärzte und Anwälte kommen gar auf 91.700 Dollar.[22]

Optimal ist diese Art der Finanzierung sicher nicht. So decken Studentenkredite nicht die kompletten Kosten ab; Staat und Hochschulen stellen diese Kredite nur in begrenzter Höhe zur Verfügung – schließlich stellen Bürgschaften und Zinsvergünstigungen eine kostenträchtige Subvention dar. Gleichzeitig aber sind die College-Gebühren in den Achtziger- und Neunzigerjahren stark gestiegen; an der Harvard University etwa haben sie sich real glatt verdoppelt.[23] Das, natürlich, macht es Geringverdienerfamilien zusehends schwer, das nötige Geld fürs Studium aufzubringen.

Setzt sich dieser Trend fort, werden Amerikas Bildungspolitiker über kurz oder lang nach alternativen Finanzierungsarten suchen müssen, um Kindern aus einkommensschwachen Familien weiterhin den Zugang zur akademischen Bildung zu garantieren. Zu denken wäre etwa an Darlehen, die vorsehen, dass der Student für eine bestimmte Zeit nach dem Verlassen der

Hochschule einen vorab festgelegten Prozentsatz seines Einkommens zurückbezahlt. Ein solches Arrangement könnte Studentenkredite zu einem profitablen Geschäft machen. Dies wiederum würde Studenten die Aufnahme höherer Kreditsummen erlauben – ohne sie einem Überschuldungsrisiko auszusetzen.[24]

Bisher allerdings funktioniert das gegenwärtige Finanzierungssystem leidlich. Es ermöglicht einem erheblichen und über die Jahre tendenziell gestiegenen Teil des Nachwuchses den Zugang zum Studium. Dies zeigt zum Beispiel ein Blick auf die High-School-Absolventen des Jahres 2002: Selbst von den Schulabgängern aus dem einkommensschwächsten Fünftel der Familien waren im darauf folgenden Herbst 43,8 Prozent an einem College eingeschrieben (siehe Grafik 22.2).

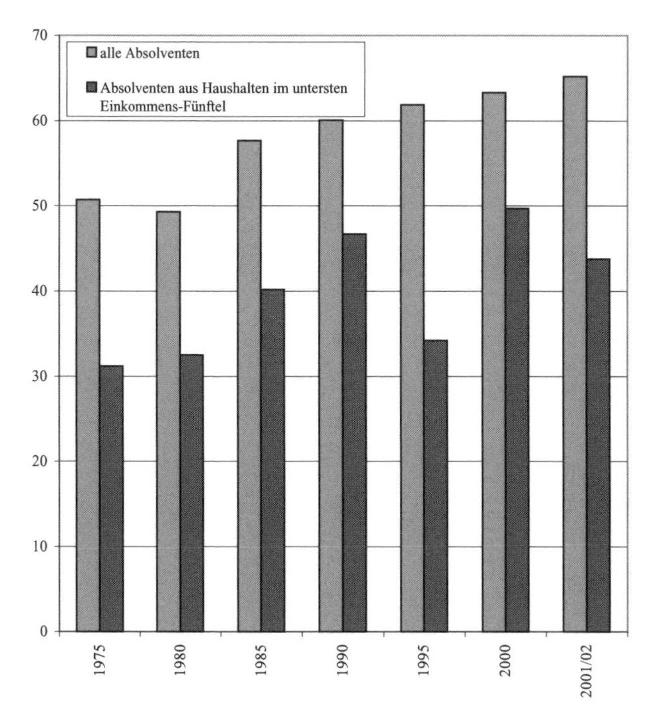

Grafik 22.2: *College-Erstsemester in den USA in Prozent der High-School-Absolventen im gleichen Jahr* *[Quelle: BLS und U.S. Department of Education (2003), S. 127]*

Damit ist die Studierneigung selbst in Amerikas unterstem Einkommensfünftel höher als im deutschen Bevölkerungsdurchschnitt. Außerdem: Im Jahr 2000 waren nur 13 Prozent der Erstsemester in Deutschland Arbeiterkinder, Tendenz: sinkend.[25]

Studiengebühren also haben in den USA augenscheinlich einen begrenzten Effekt auf die Bildungsbeteiligung sozial schwacher Gruppen – während ihr Fehlen in Deutschland keineswegs zu besseren Ergebnissen geführt hat.

Über die Gründe kann nur spekuliert werden. Eine Rolle mag die oben beschriebene soziale Segregation beim Übergang von der Grundschule zu Hauptschule, Realschule und Gymnasium sein. Auch kulturelle Gründe könnten eine Rolle spielen. So haben viele Autoren, darunter Karl Marx, betont, das fehlende feudalistische Erbe habe in Amerika das Entstehen eines Klassenbewusstseins verhindert.[26]

In dieser Tradition argumentiert auch der amerikanische Bildungsökonom James Heckman. Der Nobelpreisträger, der in Bonn und Mannheim als Gastwissenschaftler gearbeitet hat, sagt:

„Kinder aus Familien mit geringem Einkommen verzichten meistens nicht etwa darum auf ein Studium, weil es an Geld fehlt. (...) Gerade in Deutschland gibt es traditionell eine Schicht von Menschen, die sich als Arbeiter definieren. Dort wird den Kindern vermittelt, dass sie nirgendwo anders hinkommen können als in eine Fabrik.“[27]

Ob Heckman Recht hat oder nicht: Das Modell Amerika zeigt, dass es möglich ist, sozial unverwünschte Nebenwirkungen von Studiengebühren zu begrenzen. Sicher könnten die USA ihr Finanzierungssystem optimieren. Dass aber Studiengebühren notwendig die „Gewährleistung von Chancengleichheit“ gefährden, wie die Bundesregierung glaubt, lässt sich kaum behaupten.

Sehr wohl behaupten lässt sich dagegen, dass der *Verzicht* auf Studiengebühren unsoziale Folgen hat.

Die unsoziale Kostenlosigkeit

Das Studium in Deutschland ist nicht kostenlos. Es ist kostenlos nur in dem Sinne, dass nicht ihre Nutznießer dafür bezahlen. Mit ihren Steuergeldern finanzieren Deutschlands Fach- und Hilfsarbeiter die Ausbildung angehender Ärzte und Ingenieure mit. Anders formuliert: Der Verzicht auf Studiengebühren, führt zu einer Umverteilung von unten nach oben.[28]

Die bis heute umfassendste deutsche Analyse der Verteilungswirkungen stammt von Karl-Dieter Grüske, einem Finanzwissenschaftler von der Universität Erlangen-Nürnberg. Die Studie ist zwar schon einige Jahre alt. Zumindest in ihrer Größenordnung dürften die Ergebnisse aber weiterhin aktuell sein.

Am meisten, ermittelte Grüske, profitieren geringverdienende Haushalte mit studierenden Kindern von der deutschen Hochschulfinanzierung. Bei ihnen übersteigen die empfangenen Leistungen – Ausbildungskosten plus BAföG-Zahlungen – den eigenen Finanzierungsbeitrag in Form von Steuerzahlungen um den Faktor 50. Aber auch bei gutverdienenden Familien mit studierenden Kindern liegen die Leistungen 15-mal höher als die Beiträge. Insgesamt kommen Haushalte mit Studierenden nur für etwa vier Prozent der öffentlichen Hochschulfinanzierung auf.[29]

Durch die spätere Besteuerung von Akademikergehältern wird diese Vorzugsbehandlung nicht aufgewogen. Zusammenfassend schreibt Grüske:

„In keiner der untersuchten grundlegenden Varianten zahlen die Nutznießer der öffentlich finanzierten Hochschulbildung die in Anspruch genommenen Leistungen über ihre hochschulbezogenen Abgaben während ihres Erwerbslebens auch nur annähernd zurück! (...) Die Finanzierungslücke decken ... die Nichtakademiker, die [je nach Berechnungsmethode] bis zu 90 Prozent der gesamten Ausbildungskosten der Hochschüler übernehmen.“[30]

Natürlich ließe sich argumentieren, dass auch der Facharbeiter und der Handwerker davon profitieren, wenn eine Volkswirtschaft über eine breite Schicht gut ausgebildeter Akademiker verfügt. Insofern könnte gerechtfertigt werden, dass sie einen Teil der Hochschulausbildung mitfinanzieren. Aber 90 Prozent?

* * *

Allen den Zugang zu hochwertiger Bildung ermöglichen – dies sollte in einer Gesellschaft, die auf Gerechtigkeit bedacht ist, ein hochrangiges politisches Ziel sein. In Deutschland wird dieses Ziel ganz offenkundig weit verfehlt.

Das Modell Amerika kann, was die Schulen angeht, sicher kein Vorbild sein. In seiner gegenwärtigen Form produziert das amerikanische Schulwesen keine Chancengleichheit. Von Deutschlands Schulen allerdings kann dies noch weniger behauptet werden.

Der Verzicht auf Studiengebühren wiederum hat in Deutschland keine Chancengleichheit geschaffen – dafür aber unbestreitbar die Verteilungsgerechtigkeit beeinträchtigt. Amerikas Hochschulwesen, zum Vergleich, erzeugt ganz sicher mehr Verteilungsgerechtigkeit – und offenkundig auch mehr Chancengleichheit.

Fußnoten

1) Regierungserklärung vom 13. Juni 2002, zitiert nach www.bundesregierung.de.
2) Wirtschaftswoche (2000d).
3) siehe zum Beispiel Fairclough (2001), S. 328.
4) Caplow, Hicks und Wattenberg (2001), S. 21.
5) vgl. OECD (2002d), S. 140.
6) Hanushek und Somers (2002) und OECD (2002d), S. 136.
7) OECD (2002e), S. 171. In diesen Angaben sind Ausgaben für die Berufsausbildung eingeschlossen. Wenn berücksichtigt wird, dass diese Ausgaben in Deutschland höher liegen, wächst der Unterschied bei den Schulausgaben noch.
8) Max-Planck-Institut für Bildungsforschung (2001), S. 13.
9) a.a.O., S. 30

10) a.a.O., S. 38.
11) Unicef (2002), S. 18.
12) Max-Planck-Institut für Bildungsforschung (2001), S. 40f.; vgl. OECD (2002e), S.99.
13) Schnepf (2002), S. 18, 35.
14) OECD (2002), S. 327.
15) a.a.O., S. 208.
16) College Board (2002), S. 8.
17) Bundesministerium für Gesundheit und Soziale Sicherung (2002), S. 74.
18) OECD (2002e), S. 134. Die Zahlen beziehen sich auf den Zeitraum 1999/2000. Die entsprechenden Werte für Frauen sind 20,7 und 14,7 Prozent für die USA und 8,3 Prozent für Deutschland.
19) vgl. Krueger (2002), S. 10.
20) U.S. Department of Education (www.ed.gov).
21) College Board (2002), S. 4, 14.
22) Nellimae (www.nellimae.com).
23) Caplow, Hicks und Wattenberg (2001), S. 63.
24) Friedman (1982), S. 102ff., und Palacios (2002), S. 2ff.
25) Bundesministerium für Bildung und Forschung (2003a), S. 204f., und OECD (2002e), S. 222ff.
26) siehe zum Beispiel Lipset (1997), S. 33, 77ff.
27) Wirtschaftswoche (2000e).
28) vgl. Krämer (2003).
29) Grüske (1994), S. 93f.
30) a.a.O., S. 121.

Kapitel 23: Der amerikanische Traum lebt

„Ich verließ England, als ich vier war, weil ich herausfand, dass ich nie König werden konnte." Auch in seiner neuen Heimat Amerika brachte es der Entertainer Bob Hope nicht zum Staatsoberhaupt – das Amt des Präsidenten ist in den USA das einzige politische Mandat, das im Inland geborenen Bürgern vorbehalten ist.

Doch der Mythos, auf den Bob Hope häufig anspielte, ist so alt wie das Land selbst: In Amerika kann es jeder nach oben schaffen. Und der Glaube daran lebt fort. So zeigen sich in Umfragen der Gallup Organization regelmäßig mehr als 30 Prozent der Amerikaner überzeugt, eines Tages „reich" zu sein.[1] Unter den 18- bis 29-Jährigen glaubten Anfang des Jahres 2003 sogar 51 Prozent, dass die Zukunft ihnen Reichtum verheißt. Und selbst unter jenen Amerikanern, die über ein Haushaltseinkommen von weniger als 30.000 Dollar verfügen, betrug der Anteil immerhin noch 21 Prozent.[2]

Soziale Mobilität räumt Menschen die Möglichkeit ein, die eigene Lage, die eigene gesellschaftliche Position zu verbessern. Für die Frage, ob eine Gesellschaft Gerechtigkeit und soziale Sicherheit schafft, ist soziale Mobilität daher von entscheidender Bedeutung. So wird ein Mangel an Mobilität einen Mangel an Chancengleichheit reflektieren. Umgekehrt macht ein hohes Maß an sozialer Mobilität eine größere Ungleichverteilung von Einkommen und Vermögen erträglich. Denn dann ist alles im Fluss, Lebenseinkommen zum Beispiel werden erheblich gleichmäßiger verteilt sein als Jahreseinkommen.

Das Problem ist nur: Genau besehen ist soziale Mobilität nicht einfach zu definieren – und schwer zu messen. Welche Gesellschaft, zum Beispiel, hat die größere soziale Mobilität: Eine, in der die Durchlässigkeit zwischen den sozialen Schichten hoch ist? Eine, in der die Durchlässigkeit zwischen Berufsgruppen hoch ist? Oder vielleicht eine, die auf eine große Mobilität von Einkommen verweisen kann? Hohe Berufs- und Schicht-Durchlässigkeiten werden vermutlich in der Regel mit hoher Einkommens-Mobilität einhergehen – doch immer und überall muss dies keineswegs der Fall sein.

Zur Vereinfachung wird im Folgenden allein die Einkommens-Mobilität betrachtet. Dies deshalb, weil Einkommen am leichtesten zu messen sind – und weil Einkommen eine herausragende Bedeutung für Lebensstandards haben.

Allerdings bereiten auch die Messung von Einkommens-Mobilität und ihre Beurteilung Schwierigkeiten. Beispielsweise ist zu trennen zwischen absoluter und relativer Mobilität: Absolute Einkommens-Mobilität liegt vor, wenn sich Einkommensniveaus Einzelner *in ihrer absoluten Höhe* ändern. Relative Einkommens-Mobilität dagegen bedeutet, dass die Position des Einkommensniveaus *im Vergleich zu anderen* variiert.[3] Man könnte eine hohe absolute Mobilität für bedeutsamer halten – schließlich würde sie andeuten, dass der Weg zu einem hohen Lebensstandard niemandem, der sich anstrengt, versperrt ist. Allerdings ist auch die relative Mobilität von Bedeutung. Dies nicht zuletzt deshalb, weil das Wohlbefinden vieler Menschen nicht nur von ihrem eigenen Lebensstandard abhängt – sondern auch davon, wie hoch er im Vergleich zu dem der Nachbarn, Freunde oder Kollegen ist.

Auf dem Weg nach oben

Es ist nie bewiesen worden, dass das Vom-Tellerwäscher-zum-Millionär-Phänomen mehr ist als ein Mythos: Eindeutige empirische Belege, dass es in Amerika ein im internationalen Vergleich außergewöhnlich hohes Maß an Mobilität gibt, sind nicht zu finden. Auch lässt sich nicht sagen, um wie viel größer die Mobilität in den USA im Vergleich zu Deutschland ist. Nicht einmal, dass sie überhaupt größer ist, kann zweifelsfrei nachgewiesen werden – die Ergebnisse vorliegender empirischer Studien sind widersprüchlich. [4]

Dies mag zum Teil an Messproblemen liegen: Wie bereits erwähnt, ist schon die Analyse von Einkommensverteilungen eine diffizile Angelegenheit. Umso schwerer fallen Analysen, die darauf angewiesen sind, die Entwicklung individueller Einkommen im Zeitverlauf und zugleich im internationalen Vergleich zu verfolgen. [5]

Sagen lässt sich aber, dass die Einkommens-Mobilität in den USA zumindest nicht unbeträchtlich ist. In Kalifornien zum Beispiel ist die Ungleichverteilung der Einkommen besonders groß: schließlich leben in dem bevölkerungsreichsten US-Bundesstaat neben besonders vielen Hochqualifizierten auch besonders viele Einwanderer aus Lateinamerika.

Eine Analyse, die kalifornische Arbeitskräfte über den Zeitraum zwischen 1988 und 2000 verfolgt hat, zeigt jedoch: Diejenigen, die 1988 im untersten Einkommens-Fünftel platziert waren, konnten ihre Durchschnittseinkommen bis zum Jahr 2000 absolut wie relativ am stärksten steigern – um 14.058 Dollar oder 107 Prozent. Im mittleren Fünftel, zum Vergleich, lag der Zuwachs bei 15 Prozent, im obersten bei sieben Prozent (siehe Grafik 23.1). Besonders unter Geringverdienern gibt es demnach eine erhebliche *absolute* Einkommens-Mobilität.

Es gibt auch Hinweise darauf, dass die *relative* Einkommens-Mobilität in den USA sich ebenfalls sehen lassen kann. Aufschlussreich ist beispielsweise das Schicksal von Einwanderern – einer Gruppe, die, wie bereits mehrfach erwähnt, in Amerika typischerweise weit unten in der Einkommensskala anfängt.

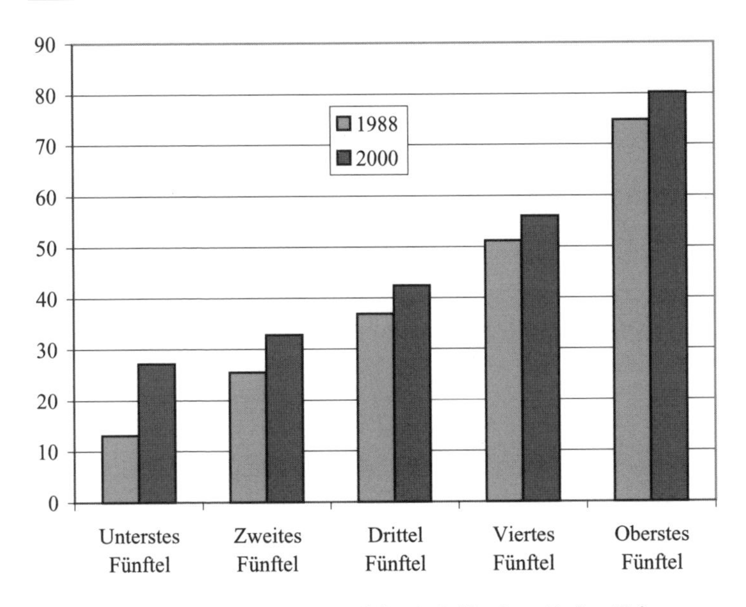

Grafik 23.1: *Absolute Einkommens-Mobilität in Kalifornien – Median-Einkommen von Erwerbstätigen in tausend Dollar, Eingruppierung nach individuellen Einkommensniveaus im Jahr 1988* *[Quelle: Dardia, Barbour, Kahn und Moore (2002), S. 6]*

Das durchschnittliche Haushaltseinkommen von Einwanderern, die seit weniger als zehn Jahren in Amerika leben, liegt um 26 Prozent unter dem Durchschnitt einheimischer Haushalte (siehe Grafik 23.2). Bei Einwanderern, die bereits mehr als 20 Jahre in den USA sesshaft sind, hat sich die Kluft auf drei Prozent verringert. Und: Im Ausland Geborene, die die amerikanische Staatsbürgerschaft erworben haben, kommen sogar durchschnittlich auf ein um sechs Prozent höheres Haushaltseinkommen als die Alteingesessenen.

Auch aufs Gefühl kommt es an

Wissenschaftler, die Mobilität empirisch erforschen, richten ihr Augenmerk für gewöhnlich auf eine objektive Analyse, wie sie sich zum Beispiel aus Einkommensstatistiken ablesen lässt. Von Bedeutung ist aber auch die subjektiv wahrgenommene

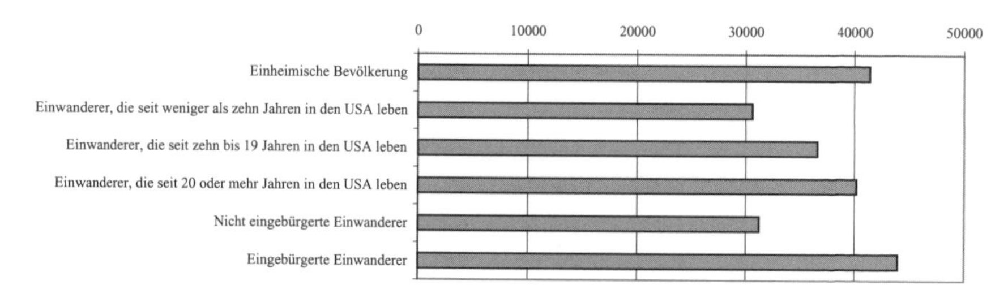

***Grafik 23.2:** Relative Einkommens-Mobilität von Einwanderern in den USA – jährliches Haushaltseinkommen, Median in Dollar, März 2000*

[Quelle: U.S. Census Bureau (2001), S. 45]

Mobilität. Denn das Wohlbefinden des Einzelnen wird davon abhängen, wie er selbst seine Aussichten *einschätzt*. Oder, mit den Worten des Demoskopen Klaus-Peter Schöppner: „Nichts bestimmt das Lebensgefühl der Menschen mehr als die Tatsache, ob es Politik und Wirtschaft gelingt, unabhängig vom tatsächlichen ökonomischen Niveau Zukunftsoptimismus zu vermitteln."[6]

Vermutlich sind Politik und Wirtschaft in Amerika bei dieser Vermittlung wesentlich erfolgreicher als in Europa und insbesondere Deutschland. Zumindest jedenfalls ist die wahrgenommene Mobilität in den USA größer.

So glauben weit mehr Amerikaner als Deutsche, dass sie aus eigener Kraft erfolgreich sein können: 1991 sagten 59 Prozent der befragten Deutschen in einer Umfrage, Erfolg werde von Faktoren bestimmt, die außerhalb der Kontrolle der Einzelnen liege. Im Frühjahr 2003 betrug die Mehrheit gar 68 Prozent. In den USA dagegen lehnen fast zwei Drittel diese Aussage ab (siehe Grafik 23.3).

Derart große Unterschiede im Meinungsbild erklären vielleicht, warum der Sozialstaat in Europa stärker ausgebaut worden ist als in den USA. Grundsätzlich könnte man annehmen: Wohlhabende sind gegen Umverteilung von oben nach unten – schließlich ginge dies zu ihren Lasten. Einkommensschwache dagegen

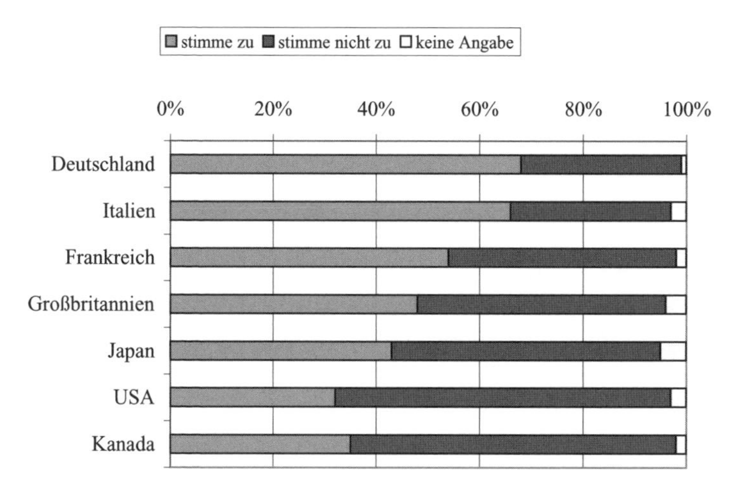

Grafik 23.3: *Fremdbestimmter Erfolg? – Wird Erfolg von Kräften bestimmt, die außerhalb der Kontrolle des Einzelnen liegen? Anteile der Antworten in Prozent; Umfragen vom Frühjahr 2003*

[Quelle: The Pew Research Center For The People and The Press (2003), S. 108]

werden Umverteilung befürworten. Doch die Wirklichkeit ist komplizierter. Und: Im transatlantischen Vergleich zeigen sich interessante Unterschiede, wie eine Untersuchung von Alberto Alesina, Rafael Di Tella und Robert MacCulloch belegt.[7]

Die drei Ökonomen haben Umfragen aus Amerika und der Europäischen Union ausgewertet. Dabei teilen sie Amerikaner und Europäer je nach Einkommen und politischen Standpunkt in Gruppen ein: Personen mit überdurchschnittlichen Einkommen nennen sie der Einfachheit halber „reich“, Personen mit unterdurchschnittlichen Einkommen werden als „arm“ bezeichnet. Personen, die ihren eigenen Standpunkt links beziehungsweise rechts der politischen Mitte einordnen, werden als „Linke“ beziehungsweise „Rechte“ tituliert.

Auf Basis dieser Einteilung haben die Wissenschaftler untersucht, welche Auswirkungen Ungleichheit auf das persönliche Wohlbefinden hat. Den Einfluss, den Bildungs- und Familienstand, Alter oder Geschlecht haben könnten, rechnen sie dabei mit den Mitteln der so genannten Ökonometrie heraus. Es zeigt sich:

- In Europa hegen Arme – unabhängig vom politischen Standort – eine starke Aversion gegenüber ungleich verteilten Einkommen.

- Nur bei den Linken unter den Reichen in Europa beeinträchtigt Ungleichheit das Wohlbefinden. Reiche Rechte dagegen stehen Ungleichheit gleichgültig gegenüber; dies gilt auch, weil die Aversion unter den reichen Linken nicht sehr stark ausgeprägt ist, für Europas Reiche als Gruppe insgesamt.

- In den USA dagegen sind es die Armen jedweder politischer Couleur, die auf Ungleichheit mit Achselzucken reagieren – während die Reichen als Gruppe eine Aversion zeigen.

Diese Ergebnisse sind in Tabelle 23.1 zusammengefasst. Sie erschüttern das nahe liegende Vorurteil, Amerikaner hätten generell eine geringere Präferenz für Verteilungsgerechtigkeit. Besser erklärt werden kann das Muster der Einstellungen durch Unterschiede bei der wahrgenommenen Mobilität.

Tabelle 23.1: Einstellungen zur Ungleichheit in Abhängigkeit von Einkommen und politischer Haltung

(Schattierungen kennzeichnen Gruppen, deren Wohlbefinden durch eine ungleiche Einkommensverteilung beeinträchtigt wird.)

Europäische Union	Linke Arme (schattiert)	Rechte Arme (schattiert)	**Alle Arme** (schattiert)
	Linke Reiche (schattiert)	Rechte Reiche	**Alle Reiche**
USA	Linke Arme	Rechte Arme	**Alle Arme**
	Linke Reiche (schattiert)	Rechte Reiche	**Alle Reiche** (schattiert)

Quelle: eigene Darstellung auf Basis von Alesina, Di Tella und MacCulloch (2003)

So legen die Ergebnisse folgende Interpretation nahe: In den USA sind es die Reichen, die Umverteilung befürworten. Sie empfinden ihren erreichten Status als unsicher und wollen, im Falle des Falles, nicht ins Bodenlose stürzen. In Europa dagegen sind es die Armen, die Umverteilung einfordern – weil sie nicht an ihren eigenen sozialen Aufstieg glauben.[8]

Dieses Einstellungsmuster könnte auch erklären, warum in Amerika zielgenauer umverteilt wird als in Deutschland (siehe Kapitel 20). Zugespitzt formuliert: Wohlhabende in den USA wollen für den Notfall abgesichert sein. Sie haben daher ein Interesse daran, dass sozialpolitische Maßnahmen auf die wirklich Bedürftigen abzielen. Anders in Deutschland: Wenn sich die Wohlhabenden ihres Status sicher sind, haben sie kein eigenes Interesse an einer Umverteilung von oben nach unten. Stattdessen werden sie sich dafür einsetzen, dass in ihre rechte Tasche umgeleitet wird, was ihnen der Staat aus der linken nimmt.

Es soll hier nicht behauptet werden, dass die Implikationen, die sich aus dem Meinungsbild in den USA ergeben, Amerika ein gutes Zeugnis ausstellen: Natürlich ist es ein soziales Problem, wenn die Wohlhabenden in Angst um Hab und Gut leben. Aber ist diese Situation unsozialer als die europäische, in der die Wohlhabenden sich nicht fürchten – dafür aber die unteren Einkommensschichten keine Aussicht auf Besserung ihrer eigenen Situation sehen?

Fußnoten

1) The Gallup Organization. 1990 lag der Anteil bei 32 Prozent, 1996 bei 33 Prozent und Anfang des Jahres 2003 bei 31 Prozent.
2) ebenda.
3) vgl. Birdsall und Graham (2000), S. 14f.
4) vgl. Alesina, Glaeser und Sacerdote (2001), S. 26f., Houtenville (1999), S. 61ff., Sawhill (2000), S. 27f., und Solon (2002), S. 61ff.
5) vgl. Solon (2002), S. 60f.
6) Schöppner (2002).
7) Alesina, Di Tella und MacCulloch (2003).
8) a.a.O., S. 22f.

Kapitel 24: Lieber sicher arbeitslos als unsicher beschäftigt?

Amerikanische Verhältnisse: Arbeitgeber können einzelne Arbeitnehmer fast nach Belieben auf die Straße setzen – von einem Tag auf den anderen, ohne Angabe von Gründen.

Amerikanische Verhältnisse: Ein alleinstehender Erwachsener, der arbeitslos wird, bekommt sechs bis neun Monate Arbeitslosengeld. Danach hat er noch Anspruch auf Essensmarken, und das auch nur eine Zeit lang.

Amerikanische Verhältnisse: Mit dem Job geht, teils nach Monaten, oft aber auch sofort, die Krankenversicherung verloren – nur wer schwanger oder behindert ist oder minderjährige Kinder hat, kann bei der staatlichen Krankenversicherung für Arme („Medicaid") unterschlüpfen.

Selbst wer von Arbeitslosigkeit verschont bleibt, den kann es in Amerika hart treffen. Bricht zum Beispiel die Börse weg, werden viele ältere Arbeitnehmer gezwungen, länger als geplant arbeiten zu gehen. Denn Amerikas Senioren bekommen von der staatlichen, umlagefinanzierten Rentenversicherung kaum mehr als Grundrenten. Entsprechend verbreitet sind Pensionsfonds und andere Formen der kapitalgedeckten Altersvorsorge – und entsprechend abhängig sind die zu erwartenden Auszahlungen von Entwicklungen an den Finanzmärkten. Bezeichnend: Im Jahr 2002 sank die Erwerbsbeteiligung jüngerer Amerikaner – während sie bei den über 55-Jährigen stieg.[1]

Und in konjunkturellen Schwächephasen sind es häufig die freiwilligen Sozialleistungen („Benefits"), die Arbeitgeber als Erstes zusammenstreichen. Dann werden den Beschäftigten höhere Zuzahlungen zur Krankenversicherung aufgelastet oder die Arbeitgeberbeiträge zu betrieblichen Pensionsfonds gekappt.

Die große Mehrheit der Amerikaner allerdings erholt sich von Rückschlägen schnell. Wie in Kapitel 11 berichtet, kann sich fast die Hälfte der Haushalte, die unter die Armutsschwelle rutschen, binnen vier Monaten wieder aus der Armut befreien. Und die Hälfte von denen, die den Krankenversicherungsschutz verlieren, bleibt nicht mehr als fünf Monate unversichert.[2] Dennoch: Ohne Zweifel bürdet das Modell Amerika Millionen und Abermillionen von Menschen soziale Härten auf.

Doch produziert die vermeintlich überlegene (objektive) Absicherung in Deutschland wirklich mehr Lebensqualität, mehr (subjektiv) empfundene Sicherheit?

Manipuliermasse Mensch?

Der laxe Kündigungsschutz in Amerika hat es Gerhard Schröder angetan. Der Kanzler im Wortlaut: „Unser Land ist nicht durch Gesetze des Dschungels oder durch bedenkenloses ‚Hire and fire', sondern durch selbstbewusste Arbeitnehmer stark geworden, deren Motivation eben nicht Angst ist, sondern der Wille, gemeinsam mit tüchtigen Unternehmern etwas zu leisten."[3]

Und bei anderer Gelegenheit: „... nämlich jenes Maß an Unsicherheit für Beschäftigte, das, was man amerikanische Verhältnisse nennt, also ‚Hire und fire', einstellen und wieder rausschmeißen, ohne Sicherheit für die Beschäftigten. Das ist kein Modell, dem ich nacheifere, das sollen andere tun. Wir machen eine saubere Balance zwischen der Flexibilität für die Unternehmen und der Sicherheit und Planbarkeit für die Haushalte von Beschäftigten. Das sind Menschen, und die können nicht einfach zur Manipuliermasse gemacht werden."[4]

Die „saubere Balance“ in Deutschland kommt zum Ausdruck in einem Kündigungsrecht, das zu den striktesten in der OECD zählt (siehe Grafik 24.1). Die USA dagegen haben, ihrem Ruf entsprechend, den geringsten Kündigungsschutz.

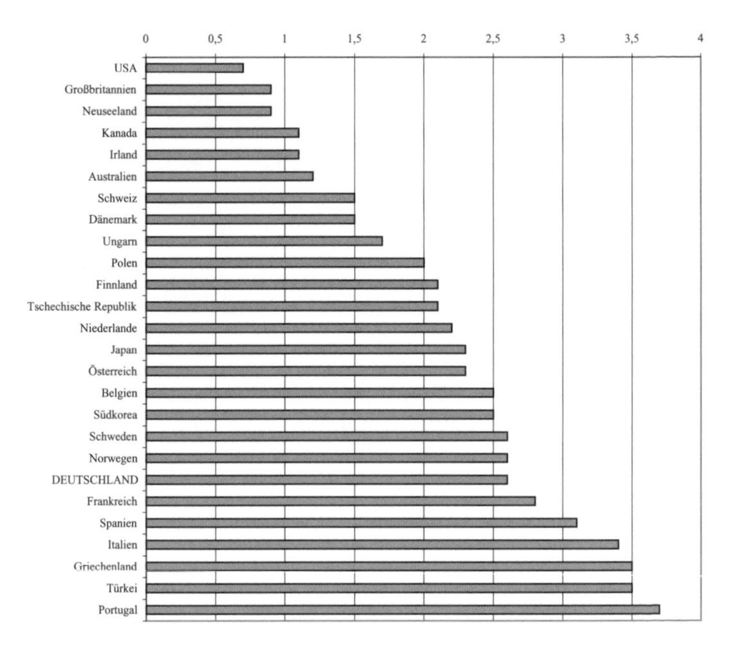

***Grafik 24.1:** Rigidität des Kündigungsschutzes im Vergleich – Ende der Neunzigerjahre, gemessen auf einer Skala von 0 = keine Regulierungen bis 6 = prohibitiv hohe Regulierungen* *[Quelle: OECD (1999), S. 66]*

Wird deshalb mehr entlassen in den USA? Das ist anzunehmen. Ein direkter deutsch-amerikanischer Vergleich ist aber nicht möglich, weil die dazu erforderlichen Statistiken schlicht nicht vorhanden sind.[5]

Sagen lässt sich aber: Entlassungen in den USA sind nicht so weit verbreitet, wie es der Kanzler-Spruch vom „bedenkenlosen ‚hire and fire‘“ nahe legt. So waren 31 Prozent der amerikanischen Arbeitnehmer im Januar 2002 schon seit zehn oder mehr Jahren in ein und demselben Unternehmen beschäftigt.

Und: Die Hälfte der abhängig Beschäftigten zwischen 45 und 54 Jahren hatte eine Betriebszugehörigkeit von mindestens 7,6 Jahren; die Hälfte der 55- bis 64-Jährigen kommt auf mindestens 9,9 Jahre.

Damit hat sich die durchschnittliche Betriebszugehörigkeit in diesen Altersgruppen zwar gegenüber den frühen Achtzigerjahren um jeweils rund zwei Jahre verringert.[6] Nur: Dass die Mehrheit der Amerikaner jeden Tag damit rechnen muss, auf die Straße gesetzt zu werden – diesen Schluss lassen die Zahlen kaum zu.

Ein Blick auf die Arbeitsplatzverlierer bestätigt dies. In Grafik 24.2 wird der Anteil der abhängig Beschäftigten präsentiert, die innerhalb der genannten Drei-Jahres-Zeiträume einen Job verloren haben.[7] Zunächst fällt auf: Obwohl die durchschnitt-

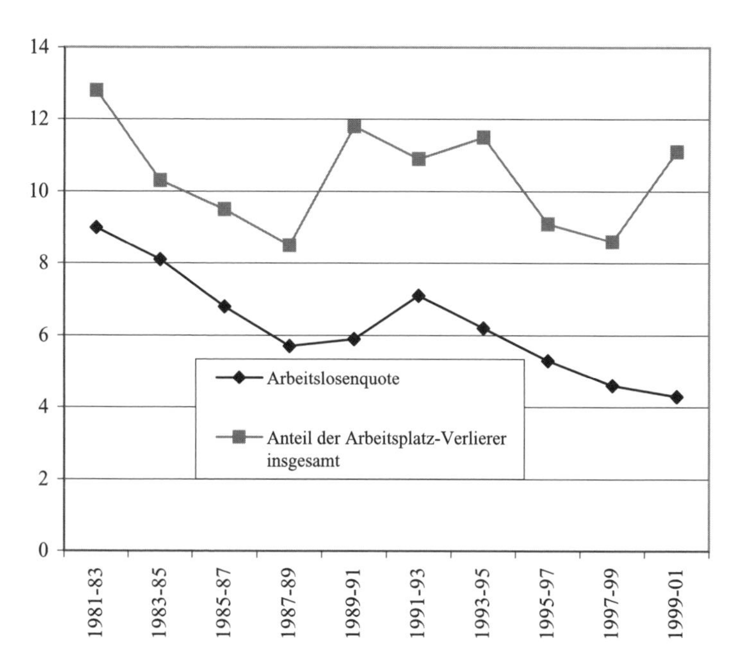

***Grafik 24.2:** Arbeitslosigkeit und Arbeitsplatzverluste in den USA in Prozent*

[Quelle: Farber (2003), S. 36]

liche Arbeitslosenquote in den Neunzigerjahren niedriger war als in den Achtzigern, befand sich der Anteil der Arbeitsplatzverlierer im Durchschnitt in beiden Dekaden etwa auf demselben Niveau – ein Phänomen, das kompatibel ist mit der These, dass technologischer Fortschritt den Strukturwandel beschleunigt hat (siehe Kapitel 4, 6 und 19).

An dieser Stelle von größerer Bedeutung ist Folgendes: Der Anteil der 20- bis 64-jährigen Beschäftigten, die binnen drei Jahren einen Job verlieren, beträgt im langjährigen Durchschnitt 10,4 Prozent. Natürlich verdeckt diese Zahl, dass diverse Gruppen – Geringqualifizierte zum Beispiel – überproportional betroffen sind. Auch soll das Schicksal von Arbeitslosen mit keinem Wort verniedlicht werden: Wer in den USA seinen Job verliert, steht zweifelsohne unter einem enormen Druck, schnell einen neuen Arbeitsplatz zu finden. Und je nach konjunktureller Situation muss der durchschnittliche Arbeitslose bei seinem nächsten Job Gehaltsabschläge von bis zu zwölf Prozent hinnehmen.[8]

Aber diese Rückschläge werden im Berufsleben des durchschnittlichen Arbeitnehmers die Ausnahme bleiben. Die Drei-Jahres-Rate von 10,4 Prozent bedeutet: Rechnerisch beträgt für den durchschnittlichen amerikanischen Arbeitnehmer die Wahrscheinlichkeit, in zwei aufeinander folgenden Drei-Jahres-Perioden einen Job zu verlieren, nur 1,1 Prozent; und die Wahrscheinlichkeit, gleich in drei solcher Perioden hintereinander zu den Betroffenen zu gehören, liegt bei 0,1 Prozent.

Daher die Frage: Ist ein Zehn-Prozent-Risiko, innerhalb von drei Jahren einen Arbeitsplatz zu verlieren, wirklich so unerträglich, dass es möglichst niemandem zugemutet werden sollte?

Vielleicht. Sicher ist das Risiko aber nicht so hoch, dass man sich von vornherein weigern sollte, die Vorzüge der „Gesetze des Dschungels“ zu betrachten.

Gut versus gut gemeint

Aus Sicht des Arbeitgebers erhöht Kündigungsschutz die Kosten von Entlassungen. Insofern kann er als Steuer auf Anpassungen der Größe und Struktur von Belegschaften interpretiert werden.[9] Von dieser Steuer ist zu erwarten, dass sie die Zahl der Entlassungen reduziert.

Gleichzeitig werden Unternehmen zurückhaltender bei Neueinstellungen sein. Insbesondere werden sie ihre Personalpolitik nur zögerlich an erhöhte Auftragseingänge anpassen. Dies deshalb, weil sie in der Regel nicht wissen, ob der Anstieg der Nachfrage nachhaltig ist. Ist er es nicht, übersteigen die Kosten von Neueinstellungen womöglich bei weitem ihren Nutzen.

Sehr deutlich wird dies bei neugegründeten Unternehmen, die naturgemäß ihren wirtschaftlichen Erfolg besonders schlecht vorhersehen können. Für die Jahre 1992 bis 1997 lässt sich feststellen: Amerikanische Start-ups, die die ersten Jahre ihrer Existenz überstanden, bauten ihre Belegschaft binnen zwei Jahren um durchschnittlich 161 Prozent aus. In Deutschland betrug der Zuwachs 24 Prozent, in Frankreich gar nur 13 Prozent.[10]

Die Zurückhaltung bei Neueinstellungen bedeutet: Wer trotz eines strikten Kündigungsschutzes seinen Arbeitsplatz verliert, wird es schwerer haben, einen neuen zu finden. Wirtschaftswissenschaftler sprechen bei solchen Zusammenhängen von einem „Insider-Outsider-Problem“: Die Beschäftigten (Insider) werden beschützt auf Kosten der Arbeitslosen (Outsider).[11]

Letztlich muss eine Gesellschaft abwägen, wessen Interessen gewichtiger sind. Bei zwei oder vier Prozent Arbeitslosigkeit mag eine Entscheidung zugunsten der Insider leicht fallen. Darf sie auch noch leicht fallen bei zehn oder zwölf Prozent? Darf sie das, wenn ein erheblicher Teil dieser zehn oder zwölf Prozent langzeitarbeitslos wird und damit, wie in Kapitel 21 geschildert, dauerhaft aus dem Erwerbsleben gedrängt zu werden droht?

Es ist durchaus möglich, dass ein strikter Kündigungsschutz Phasen der Arbeitslosigkeit nur verlängert und sonst keine weiteren negativen Nebenwirkungen hat: Per Saldo wird Kündigungsschutz die Beschäftigungs*entwicklung* glätten, weil weniger gefeuert *und* weniger geheuert wird. Aus theoretischer Sicht nicht beurteilbar ist dagegen, wie sich Kündigungsschutz auf das Beschäftigungs*niveau* auswirkt – diese Frage kann nur empirisch geklärt werden.[12]

Die empirischen Befunde allerdings sind eindeutig: Der Kündigungsschutz, wie er heute in Deutschland und vielen anderen europäischen Ländern praktiziert wird, sorgt nicht nur dafür, dass Arbeitslose *länger* auf der Suche bleiben – sondern auch dafür, dass *mehr* Menschen arbeitslos sind. Der bereits zitierten einschlägigen Modellrechnung des Internationalen Währungsfonds zufolge würde zum Beispiel eine Anpassung des Kündigungsschutzes an amerikanische Verhältnisse die Arbeitslosenquoten in Europa dauerhaft um 1,65 Prozentpunkte senken (siehe Grafik 5.6 in Kapitel 5). Auf Deutschland bezogen hieße das, über den Daumen gepeilt, dass 700.000 Menschen weniger auf der Straße stünden.[13]

Selbstverständlich könnte man auch hier argumentieren, es sei gerechtfertigt, das Insider-Outsider-Problem zugunsten der Insider lösen: 700.000 Menschen vom Arbeitsmarkt zu verbannen sei ein hinnehmbarer Preis für einen Kündigungsschutz, der in Deutschland mehr als 38 Millionen Erwerbstätigen zugute kommt.

Es stellt sich aber die Frage, ob der Kündigungsschutz diesen 38 Millionen Menschen überhaupt noch das bietet, was er eigentlich garantieren soll: ein Leben frei von Angst vor dem Absturz.

Umfragen nähren Zweifel. Gut gemeint ist nicht immer gut – und manchmal sogar das Gegenteil davon.

Vollbeschäftigung – der bessere Kündigungsschutz

Ende 2002 gaben in den USA 32 Prozent der befragten Beschäftigten an, wenn sie im Jahr 2003 arbeitslos würden, könne die Suche nach einem neuen Job längere Zeit dauern. In Deutschland dagegen lag dieser Anteil bei 57 Prozent (siehe Grafik 24.3).

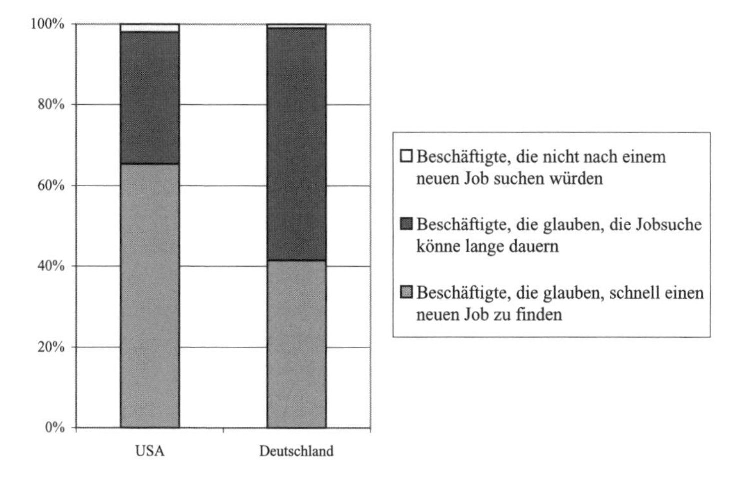

Grafik 24.3: *Beurteilung der Schwierigkeit einer Jobsuche im Vergleich – Anteile in Prozent, Umfragen von Ende 2002* *[Quelle: Gallup International]*

Diese Unterschiede sind, folgt man den oben diskutierten theoretischen Überlegungen, zu erwarten. Was allerdings umso mehr erstaunt: Trotz ihrer besseren rechtlichen Absicherung ist der Anteil der Deutschen, die ihren Arbeitsplatz als unsicher empfinden, mit 26 Prozent um sieben Prozentpunkte höher als in den USA (siehe Grafik 24.4).

Naürlich handelt es sich hier nur um Momentaufnahmen, die stark von der aktuellen konjunkturellen Situation beeinflusst sein dürften. Allerdings: Auch am Ende des (Boom-)Jahres 2000 und des (Rezessions-)Jahres 2001 lag der Anteil der Unsicheren in Deutschland höher als in den USA.[14]

Plausibler ist daher: Nicht unbedingt ein strikter Kündigungsschutz verschafft Beschäftigten ein sicheres Gefühl und auch nur zum Teil die konjunkturelle Lage, sondern ein hoher Beschäftigungsstand: Ein enger Arbeitsmarkt wird Unternehmen

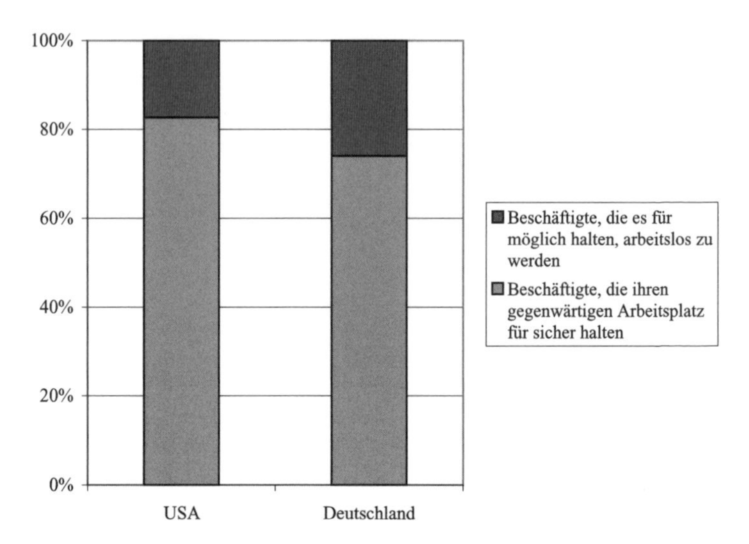

Grafik 24.4: *Beurteilung der Jobsicherheit im Vergleich – Anteile in Prozent, Umfragen von Ende 2002* *[Quelle: Gallup International]*

im Zweifel nicht davon abhalten, Umstrukturierungen vorzunehmen, die der dauerhaften Anpassung an den technischen Fortschritt und dem Erhalt der Wettbewerbsfähigkeit dienen.

Aber: Wenn Arbeitgeber wissen, dass sie auf dem Arbeitsmarkt kaum Ersatz finden, dann werden sie sich zweimal überlegen, ob sie einen unliebsamen Mitarbeiter wirklich feuern wollen. Und sie werden zögern, ehe sie auf Auftrags- oder Umsatzeinbrüche mit Entlassungen reagieren – schließlich würden sie, wenn die Nachfrage wieder anzieht, auf dem falschen Fuß erwischt werden.

Es ist nahe liegend, dass ein solches Kalkül bei amerikanischen Arbeitgebern auf dem Höhepunkt des zurückliegenden Booms, als die landesweite Arbeitslosenquote unter vier Prozent fiel, eine Rolle spielte. Seither ist die Arbeitslosenquote stark gestiegen – Banken in Manhattan, Industriebetriebe im Mittleren Westen und High-Tech-Unternehmen im Silicon Valley dürften sich heute leicht tun, auf dem Arbeitsmarkt geeignete Kräfte zu finden.

Damit rund sechs Prozent war die landesweite Arbeitslosigkeit im Sommer 2003 im historischen wie im internationalen Vergleich noch immer gering. Und vielerorts ist der Arbeitsmarkt weiterhin sehr eng. So lag der Anteil der Arbeitslosen in den Einzugsgebieten von 81 der 151 größten amerikanischen Städte im Mai 2003 bei unter vier Prozent.[15]

Glückliche Tage - in Amerika

Das Leben ist mehr als nur Arbeit, und soziale Sicherheit ist mehr als nur ein sicherer Job. Nahe liegend ist es daher, an dieser Stelle auch Zahlen zu präsentieren, die zeigen, wie abgesichert sich die Menschen in Amerika und Deutschland generell empfinden. Leider jedoch liegen dazu, soweit erkennbar, keine vergleichbaren demoskopischen Erkenntnisse vor.

Ersatzweise werden hier deshalb die Ergebnisse von Umfragen präsentiert, in der die Befragten ihre eigene Lebenssituation beurteilen sollten (siehe Grafiken 24.5 und 24.6). Würden, wie der Kanzler suggeriert, die Amerikaner von „Angst" getrieben, während das Modell Deutschland „Sicherheit und Planbarkeit für die Haushalte von Beschäftigten" bereitstellt, dann sollte sich das in diesen Umfragen widerspiegeln. Denn es darf erwartet werden, dass Angst – Angst um den Job, Angst um den sozialen Status, Angst vor Armut – das Wohlbefinden der Menschen erheblich schmälert.

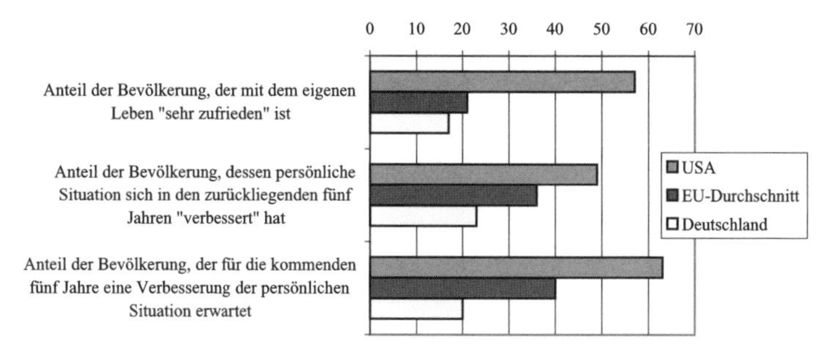

Grafik 24.5: *Beurteilung der eigenen Lebensituation im Vergleich I – in Prozent, Umfragen von April 2003 (USA) und Frühjahr 2002 (EU)* *[Quelle: Harris Interactive]*

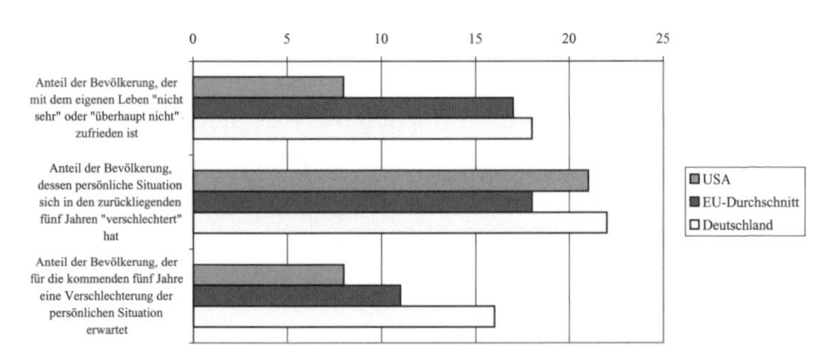

***Grafik 24.6:** Beurteilung der eigenen Lebensituation im Vergleich II – in Prozent*

[Quelle: Harris Interactive]

Zunächst: 49 Prozent der Amerikaner geben an, ihre persönliche Situation habe sich in den vergangenen fünf Jahren verbessert. Dieser Anteil ist vielleicht nicht hoch, aber nach mehrjähriger Börsenbaisse, einer Rezession mit einer nur schleppenden anschließenden Konjunkturerholung und dem Schock des 11. September durchaus nicht unbeträchtlich. Vor allem aber: Der Anteil ist mehr als doppelt so hoch wie in Deutschland (23 Prozent).

Demgegenüber sagen ungefähr gleich viele Deutsche (21 Prozent) und Amerikaner (22 Prozent), ihre Situation habe sich in den zurückliegenden fünf Jahren verschlechtert. An diesem Punkt schneiden die USA also nicht besser ab. Nur: Sollte man nicht eigentlich erwarten, dass dieser Prozentsatz im Heimatland des „Hire and fire“ weit höher ist als in Deutschland?

Zwar machen sich, wie in Kapitel 23 geschildert, offenkundig viele wohlhabende Amerikaner Sorge um die Früchte ihrer Anstrengungen. Fragt sich nur, wie groß diese Sorge ist. Denn wenn sie ein Leben in Angst und Schrecken führen würden, sollte sich dies eigentlich aufs Gemüt niederschlagen. Die Grafiken 24.5 und 24.6 zeigen jedoch, dass ein weit größerer Teil der Amerikaner mit dem eigenen Leben „sehr zufrieden“ ist – und ein weit geringerer Teil unzufrieden.

Außerdem erwarten mehr als dreimal so viele Amerikaner wie Deutsche, dass sich ihre persönliche Situation in den kommenden fünf Jahren verbessert. Und schließlich: Acht Prozent der Amerikaner glauben, dass sich ihre persönliche Situation verschlechtern wird – aber 16 Prozent der Deutschen. Wer ist hier unsicher?

Eine ganze Reihe von Einwänden lässt sich gegen diese Argumentation ins Feld führen. So könnte kritisiert werden, nicht auf die subjektiv wahrgenommene Sicherheit komme es an, sondern allein – oder vorrangig – auf die objektiv vorhandene. Dies aber ist schlicht nicht richtig. Denn das Wohlbefinden der Menschen wird von ihrer Wahrnehmung bestimmt und von nichts anderem.

Angreifbar ist dagegen der Umstand, dass es sich auch hier natürlich nur um Momentaufnahmen handelt, die zudem noch mit einem Jahr Abstand gemacht wurden (April 2003 in den USA, Frühjahr 2002 in der EU). Die Unterschiede zwischen Deutschland und Amerika sind jedoch derart groß, dass es verwundern würde, wenn sie bei einer Wiederholung der Umfragen verschwinden würden.

Möglich ist auch, dass die Amerikaner ein grundsätzlich optimistischeres Volk sind als die Deutschen: Vielleicht würden die Amerikaner auch unter identischen wirtschaftlichen Bedingungen mehr Zufriedenheit und Zuversicht demonstrieren.

Diese These hat durchaus etwas für sich. Alles wird gut, versprach zum Beispiel Franklin D. Roosevelt, als er 1932 auf dem Höhepunkt der Weltwirtschaftskrise als Kandidat der demokratischen Opposition durch den Präsidentschafts-Wahlkampf zog: „Happy days are here again, the skies above are clear again“, hieß es in dem Lied, das „FDR“ immer wieder spielen ließ. Dass in den beiden deutschen Reichstagswahlkämpfen des Jahres 1932 irgendjemand glückliche Tage und den blauen Himmel besungen hätte, ist in den Geschichtsbüchern nicht überliefert.

Ebenso denkbar ist, dass Amerikaner ihren Pessimismus nicht so gerne eingestehen. Und schließlich könnte derzeit auch demonstrativer Optimismus ein Ausdruck von kollektivem Trotz nach dem 11. September sein. Aber auch hier gilt: Die Diskrepanzen bei den Umfragewerten sind so groß, dass fraglich ist, ob die genannten Faktoren sie erklären können.

Wahrscheinlich erscheint daher, dass es noch einen weiteren Grund gibt, der die Unterschiede verursacht. Vielleicht ist dieser Grund schlicht das Bewusstsein der Amerikaner, in einem prosperierenden Land zu leben. Könnte es nicht sein, dass ein relativ hohes Risiko, Arbeitsplatz oder Krankenversicherungsschutz zu verlieren, hinnehmbar wird, wenn man weiß, dass derlei Phasen mit hoher Wahrscheinlichkeit binnen Wochen oder Monaten überwunden sein werden? Wäre es nicht möglich, dass ein nachhaltig hohes Wirtschafts- und Beschäftigungswachstum Menschen mehr soziale Sicherheit geben kann als alle wohlfahrtsstaatlichen Absicherungen es vermögen?

Letztlich, zugegeben, bleibt auch dies nur eine Vermutung. Aber eine plausible. Oder?

Fußnoten

1) AARP (www.aarp.org).
2) CEA (2003), S. 116.
3) Regierungserklärung vom 14. März 2003, zitiert nach www.bundesregierung.de.
4) ZDF-Sommerinterview, 12. August 2001, zitiert nach www.bundeskanzler.de.
5) Von den amtlichen Statistiken werden sowohl in Deutschland als auch in den USA nur Massenentlassungen erfasst. Alternativ wäre es nahe liegend, die Zahl der Erstanträge auf Arbeitslosengeld zu vergleichen. Hier stellt sich jedoch das Problem, dass ein großer Teil der Antragsteller in Deutschland zuvor nicht beschäftigt war, sondern zum Beispiel eine schulische Ausbildung, Wehrpflicht oder Zivildienst absolviert hat. Hinzu kommen Antragsteller, die an arbeitsmarktpolitischen Maßnahmen wie Arbeitsbeschaffungsmaßnahmen teilgenommen haben – und daher letztlich nur von der verdeckten in die offene Arbeitslosigkeit wechseln.
6) BLS (www.bls.gov). Im Januar 1983 betrug die durchschnittliche Betriebszugehörigkeit 9,5 Jahre bei 45- bis 54-Jährigen und 12,2 Jahre bei 55- bis 64-Jährigen.
7) Die Angaben basieren auf Umfragen des U.S. Census Bureau, den „Displaced Workers Surveys".
8) Farber (2003), S. 11ff., 21ff. Ferner ist natürlich möglich, dass Beschäftigte in einer Dreijahres-Periode mehr als einen Job verlieren.
9) OECD (1999), S. 68.
10) Scarpetta, Hemmings, Tressel und Woo (2002), S. 40. Der Kündigungsschutz wird sicher nicht der einzige Faktor sein, der die Unterschiede erklärt. Dass er aber erheblich zu den Diskrepanzen beiträgt, ist nahe liegend.

11) vgl. Bertola, Blau und Kahn (2001), S. 197, und OECD (1999), S. 68.
12) vgl. Bertola, Blau und Kahn (2001). S. 187.
13) Vermutlich wäre der Effekt in Deutschland größer, weil der Kündigungsschutz hier zu Lande rigider ist als im EU-Durchschnitt (siehe Grafik 24.1).
14) Am ähnlichsten waren die Umfragewerte Ende 2001. Der Grund dürfte sein, dass die Amerikaner zu diesem Zeitpunkt noch stark unter dem 11.-September-Schock standen.
15) BLS (www.bls.gov).

Fazit

"Wir leiden gerade an einer bösen Attacke von wirtschaftlichem Pessimismus. Es ist normal, Leute sagen zu hören, dass die Epoche wirtschaftlichen Fortschritts, die das 19. Jahrhundert gekennzeichnet hat, vorüber ist ... Ich glaube, dies ist eine gänzlich falsche Interpretation dessen, was passiert. Wir leiden nicht am Rheuma hohen Alters, sondern an den Wachstumsschmerzen überschneller Änderungen, an der schmerzvollen Anpassung beim Übergang von einer wirtschaftlichen Ära zu einer anderen."

John Maynard Keynes, 1930[1]

"Diese große Nation wird durchhalten, wie sie durchgehalten hat, wird wieder aufleben und prosperien. Lassen Sie mich also als Erstes meinen festen Glauben beteuern, dass das Einzige, was wir zu fürchten haben, die Furcht selbst ist – namenlose, blinde, unberechtigte Angst, die die Anstrengungen lähmt, die notwendig sind, um Rückzug in Fortschritt zu verwandeln."

Franklin D. Roosevelt
Rede zur Amtseinführung, 4. März 1933

Deutschland ist ein wohlhabendes Land. Die überwältigende Mehrheit der Menschen genießt einen Lebensstandard, der vor wenigen Generationen noch als obszöner Reichtum gegolten hätte.

Das Modell Deutschland hat also offensichtlich über Jahrzehnte hinweg anständig funktioniert. Schon deshalb wäre es töricht zu behaupten, das deutsche Modell wäre irgendeinem anderen grundsätzlich, unter allen denkbaren Umständen unterlegen.

Nur, die Bundesrepublik ist in einer Zeit reich geworden, da wirtschaftliche Rahmenbedingungen sich nur langsam änderten und der Anpassungsdruck entsprechend gering war. In einer Zeit, da der globale Wettbewerb erst schwach ausgeprägt war. In einer Zeit, da wirtschaftspolitische Fehler auch deshalb weitgehend folgenlos blieben, weil andere noch größere Dummheiten begingen – Großbritannien und die Niederlande etwa und eine Zeit lang auch die USA.

Vielleicht kommen diese Zeiten ja wieder, irgendwann. Nur deutet derzeit nichts darauf hin.

Für ein „Zeitalter Schumpeters" (Herbert Giersch) mit seinem drastisch erhöhten Anpassungsdruck dagegen ist das Modell Amerika ganz offenbar besser gerüstet: Ein deutsch-amerikanischer Vergleich der Entwicklung von Wachstum und Beschäftigung in den vergangenen 25 Jahren lässt kaum einen anderen Schluss zu.

Warum also nicht Abschied nehmen vom Kuschel-Kapitalismus? Weil er weniger soziale Probleme erzeugt als der amerikanische Cowboy-Kapitalismus, weil er mehr Gerechtigkeit, mehr soziale Sicherheit schafft?

Bei genauerem Hinsehen erweist sich die Vorstellung vom Un-Sozialstaat USA als Zerrbild, als ein Bündel von Vorurteilen, die in weiten Teilen völlig losgelöst von der Wirklichkeit ihr Eigenleben führen.

Natürlich gibt es große soziale Probleme und Ungerechtigkeiten in Amerika. Da ist die medizinische Unterversorgung von Millionen von Bürgern. Da ist die anhaltende Armut unter alleinerziehenden Müttern. Da ist das dysfunktionale Schulwesen. Da ist die Ausgrenzung ehemaliger Strafgefangener. Und schließlich sind da noch die abstrus hohen Gehälter vieler Manager.

Alle diese Phänomene aber sind nicht – oder zumindest nicht größtenteils – eine unausweichliche Folge der Tatsache, dass

Amerikas Kapitalismus-Variante ungezügelter ist. Sie alle ließen sich lösen – oder zumindest stark lindern –, ohne dass sich Amerika deutschen Verhältnissen mehr als einen Deut annähern müsste.

* * *

Was dagegen ein integraler Bestandteil des Modells Amerika ist, sind tendenziell größere Unterschiede in der Verteilung von Einkommen und Vermögen. Dies ist ein Preis, den die Amerikaner für ihr System zahlen – aber zugleich eine zentrale Voraussetzung dafür, dass die Unternehmensgründer, die Hochqualifizierten bereitstehen, die für eine rasche und reibungsarme Anpassung an beschleunigten technischen Fortschritt und Strukturwandel erforderlich sind.

Sind amerikanische Verhältnisse deshalb ungerechter als deutsche?

Die *Leistungsgerechtigkeit* ist selbstverständlich in den USA größer: Wenn in Deutschland eine (wachsende) Minderheit de facto dafür bezahlt wird, sich vom Arbeitsmarkt fernzuhalten, dann lässt sich dies mit Leistungsgerechtigkeit nicht vereinbaren. Wenn sich unter anderem deswegen eine (schrumpfende) Mehrheit mit Grenzabgabenbelastungen von weit mehr als 60 Prozent konfrontiert sieht, dann ist dies alles, nur nicht leistungsgerecht.

Auch *Chancengleichheit* ist in den USA in höherem Maße verwirklicht als in Deutschland. Deutschland, nicht Amerika, ist das Land, das viele Millionen Menschen dauerhaft aus dem Arbeitsmarkt sperrt. Deutschland, nicht Amerika, ist das Land, in dem sich zusehends eine Zwei-Klassen-Gesellschaft aus Arbeitsplatzbesitzern und Arbeitsplatzverlierern herausbildet.

Der Zugang zu Bildungschancen ist in Amerika sicher nicht gerecht verteilt. Nur: So ungerecht wie die deutschen sind die amerikanischen Verhältnisse auch in diesem Bereich nicht. Deutschland, nicht Amerika, ist das Land, in dem schulischer Erfolg stärker vom Status der Eltern abhängt. Deutschland, nicht Amerika, ist das Land, wo weniger Kinder von Geringverdienern studieren – und das, obwohl sich Deutschland mit dem Verzicht auf Studiengebühren einen eklatanten Verstoß gegen das Prinzip Verteilungsgerechtigkeit leistet.

Eben diese *Verteilungsgerechtigkeit* ist es, die in der Regel unausgesprochen gemeint ist, wenn in Deutschland von „sozialer“ Gerechtigkeit die Rede ist. Sicher ist die Verteilungsgerechtigkeit in Amerika geringer, wenn darunter verstanden wird, dass jedem Bürger unbefristet und bedingungslos ein Existenzminimum zu garantieren ist: Ein amerikanisches Pendant zur deutschen Sozialhilfe gibt es schlicht nicht.

Sehr wohl aber hilft das Modell Amerika Menschen, die in Not geraten – nur eben nicht unbefristet. Und Unterstützung für Menschen, die mit ihrem Einkommen nicht auskommen, gibt es auch – nur wird sie durch den „Earned Income Tax Credit“ an eigene Anstrengungen gekoppelt.

Deutschland schafft mehr Verteilungsgerechtigkeit, wenn einfach nur die Masse an Umverteilung zum Maßstab gemacht wird. Wenn jedoch berücksichtigt wird, inwieweit nicht einfach nur hin und her, sondern von oben nach unten verteilt wird, dann sieht die Bilanz ganz anders aus: Deutschland, nicht Amerika, ist das Land, in dem Gutverdiener einen kleineren Teil des Steueraufkommens finanzieren. Deutschland, nicht Amerika, ist das Land, in dem ein überproportionaler Teil der Transferleistungen den Gutverdienern zugeschanzt wird.

* * *

Neben der vergleichsweise großen Ungleichverteilung ist ein weiteres Wesensmerkmal des Cowboy-Kapitalismus seine Ungemütlichkeit: Das Modell Amerika verlangt den Menschen Mobilität ab, geistige, berufliche, geographische.

Doch so wie Ungleichheit kein Synonym für Ungerechtigkeit ist, so ist Ungemütlichkeit nicht einfach gleichzusetzen mit Unsicherheit.

Beispiel Arbeitsmarkt: Natürlich, wenn soziale Sicherheit bedeuten soll, dass jeder einen Anspruch darauf hat, einen einmal erlernten Beruf ein Leben lang auszuüben, einen einmal gewählten Wohnort, einen einmal erhaltenen Arbeitsplatz nicht mehr zu verlassen – dann schafft Deutschland mehr Sicherheit.

Oder, genauer: Dann hat Deutschland *früher* mehr Sicherheit garantiert. *Heute* wird bestenfalls noch die Illusion einer solchen Sicherheit geschaffen – und das auch nur um den Preis, dass einer wachsenden Minderheit eine ganz andere Form der Sicherheit aufgebürdet wird: die Gewissheit nämlich, über lange Zeit oder gar dauerhaft aus der vermeintlichen Solidargemeinschaft ausgegrenzt zu bleiben.

Amerikanische Verhältnisse auf dem deutschen Arbeitsmarkt hießen demgegenüber, dass der durchschnittliche Arbeitnehmer ein jährliches Entlassungsrisiko von knapp vier Prozent zu tragen hätte – dafür aber mit einer Wahrscheinlichkeit von 74 statt 17 Prozent nach spätestens drei Monaten einen neuen Job finden würde.[2]

Solche Verhältnisse würden den Menschen vielleicht nicht unbedingt ein größeres Sicherheitsgefühl verschaffen – auch wenn der deutsch-amerikanische Vergleich von Umfrageergebnissen in Kapitel 24 genau darauf hindeutet.

Was aber ganz sicher bewirkt würde, wäre eine gleichmäßigere Verteilung wirtschaftlicher Risiken: Es würde mehr Menschen treffen, aber dafür weniger hart. Gerade auch in diesem Sinne sind amerikanische Verhältnisse genau das, als dessen Gegenteil sie in Deutschland so gerne dargestellt werden: sozial gerecht.

* * *

Amerikanische Verhältnisse? In Deutschland? Natürlich nicht. Niemand wird vorschlagen, ein Wirtschaftsmodell, egal welches, einfach eins zu eins von einem Land auf ein anderes zu übertragen.

Was aber spricht wirklich dagegen, das Modell Deutschland ein ganzes Stück weit zu amerikanisieren? Warum nicht eine Reformpolitik betreiben, die es Deutschland erlauben würde, die Vorzüge des Modells Amerika zu genießen? Die meisten wirklich problematischen Ecken und Kanten des amerikanischen Modells ließen sich dabei leicht schleifen – gerade, weil sie so wenig mit seinem Kern zu tun haben.

Auch müsste Deutschland selbstverständlich nicht so amerikanisch werden wie das Original. Der Erfolg des Modells Amerika steht und fällt zum Beispiel nicht damit, dass es in den USA keine sechs Wochen Urlaub gibt. In ähnlicher Weise könnte der individuelle Arbeitnehmer weiterhin arbeitsrechtlich vor den Launen seines Chefs geschützt werden: Um Unternehmen die Flexibilität zu verschaffen, die sie in einem Schumpeterschen Zeitalter so dringend brauchen, wäre eine Erleichterung betriebsbedingter Kündigungen völlig hinreichend.

Und schließlich: Nach 20 Jahren Reförmchen-Politik in Deutschland ist ohnedies nicht zu erwarten, dass das Land Gefahr läuft, nun plötzlich übers Ziel hinauszuschießen. Das Risiko ist Unter-, nicht Überdosierung.

So ist es nicht der Cowboy-Kapitalismus, den die Deutschen fürchten sollten. Sondern die Furcht vor ihm.

Fußnoten

1) Keynes (1963), S. 358.
2) vgl. Grafiken 21.2 und 24.2.

Danke!

Bei der Recherche für dieses Buch war die Hilfsbereitschaft von Mitarbeitern des Bureau of Labor Statistics, der Deutschen Bundesbank, des Instituts für Arbeitmarkt- und Berufsforschung, der Organisation für wirtschaftliche Zusammenarbeit und Entwicklung, des Statistischen Bundesamts und des U.S. Census Bureau von großem Nutzen. Hervorzuheben ist Nicole Levourch von der OECD.

Viele Freunde haben erste Fassungen von einzelnen oder mehreren Kapiteln dieses Buches gelesen. Ich habe von ihrer Kritik und ihren Anregungen sehr profitiert: Birgit Braunwieser, Carter Dougherty, Monika Dunkel, Frank Engels, Michael Freitag, Michaela Hoffmann, Matthias Hohensee, Marc Hujer, Jaenene Lairo, Amy Medearis, Heidi Nadolski, Christoph Neßhöver, Laure Redifer, Carsten Rolle, Markus Steingröver, Stefan Sullivan, Olaf Unteroberdörster, Silke Wettach, Jobst Wiskow und Jörg Zeuner.

Besonders wichtig war die Hilfe von Sandra Louven und meinen Eltern, Marianne und Karl Gersemann.

Ihnen allen bin ich zu Dank verpflichtet.

Für den Inhalt dieses Buches, die in ihm geäußerten Werturteile und insbesondere alle verbliebenen Fehler und Unstimmigkeiten bin allein ich verantwortlich.

Washington, D.C., August 2003

Olaf Gersemann

Literaturverzeichnis

Acemoglu, Daron (2002): Cross-country inequality trends. NBER Working Paper Nr. 8832. März 2002.

Acemoglu, Daron (2002a): Technical chance, inequality, and the labor market, in: Journal of Economic Literature, Vol. XL, Nr. 1. März 2002, Seiten 7-72.

Acemoglu, Daron, Simon Johnson und James A. Robinson (2001): Reversal of fortune: geography and institutions in the making of the modern world income distribution. NBER Working Paper Nr. 8460. September 2001.

Adams, Scott und David Neumark (2003): Living wage effects: new and improved evidence. NBER Working Paper Nr. 9702. Mai 2003.

Aizcorbe, Ann M., Arthur B. Kennickell und Kevin B. Moore (2003): Recent changes in U.S. family finances, in: Federal Reserve Bulletin, Vol. 89. Januar 2003, Seiten 1-31.

Alesina, Alberto und Silvia Ardagna (2003): Regulation and investment. CEPR Discussion Paper Nr. 3851. März 2003.

Alesina Alberto, Rafael Di Tella und Robert MacCulloch (2003): Inequality and happiness: are Europeans and Americans different? Unveröffentlichtes Arbeitspapier. März 2003.

Alesina, Alberto, Edward Glaeser und Bruce Sacerdote (2001): Why doesn't the United States have a European-style welfare state? Brookings Paper on Economic Activity, No. 2/2001.

Amirault, Thomas (1997): Characteristics of multiple jobholders, 1995, in: Monthly Labor Review, März 1997, Seiten 9-15.

Anderson, Richard E. (1999): Billions of defense: the pervasive nature of defensive medicine, in: Archives of Internal Medicine, Vol. 159. 8. November 1999, Seiten 2399-2402.

The Atlantic Monthly (1993): Dan Quayle was right. April 1993, Seiten 47ff.

Babeau, André und Teresa Sbano (2003): Household wealth in the national accounts of Europe, the United States and Japan. OECD Statistics Working Paper. März 2003.

Baily, Martin Neil (2003): Information technology and productivity: recent findings. Presentation at the AEA meetings. 3. Januar 2003.

Barringer, William H. und Kenneth J. Pierce (2000): Paying the price for big steel. American Institute for International Steel, Washington, D.C.

Barro, Robert J. (2001): Inequality, growth, and investment, in: Kevin A. Hasset und R. Glenn Hubbard, Inequality and tax policy. The AEI Press, Washington, D.C., Seiten 1-38.

Beck, Ulrich (1997): Die Deutschen sind zu fleißig, in: Süddeutsche Zeitung, 23. Januar 1997.

Bernanke, Ben S. (2003): An unwelcome fall in inflation? Remarks before the Economic Roundtable, University of California, San Diego. 23. Juli 2003.

Bertola, Guiseppe, Francine D. Blau und Lawrence M. Kahn (2001): Comparative analysis of labor market outcomes: lessons for the United States from international long-run evidence, in: Krueger und Solow (2001), Seiten 159-218.

Bertrand, Marianne und Sendhil Mullainathan (2003): Are Emily and Greg more employable than Lakisha and Jamal? A field experiment on labor market discrimination. NBER Working Paper Nr. 9873. Juli 2003.

Bhalla, Surjit S. (2002): Imagine there's no country: poverty, inequality, and growth in the era of globalization. Institute for International Economics, Washington, D.C. September 2002.

Birdsall, Nancy und Carol Graham (2000): Mobility and markets: conceptual issues and policy questions, in: dies. (2000a), Seiten 3-21.

Birdsall, Nancy und Carol Graham (2000a): New markets, new opportunities? Economic and social mobility in a changing world. Brookings Institution Press, Washington, D.C.

Blanchard, Olivier und Justin Wolfers (2000): The role of shocks and institutions in the rise of European unemployment: the aggregate evidence, in: The Economic Journal, Nr. 110. März 2000.

Blanchflower, David G. und Andrew J. Oswald (2000): Well-being over time in Britain and the USA. NBER Working Paper Nr. 7487. Januar 2000.

Blank, Rebecca M. (2002) Evaluating welfare reform in the United States, in: Journal of Economic Literature, Vol. XL, Nr. 4. Dezember 2002, Seiten 1105-1166.

Blinder, Alan S. und Janet L. Yellen (2001): The fabulous decade: macroeconomic lessons from the 1990s, in: Krueger und Solow (2001), Seiten 91-156.

Boraas, Stephanie (2002): A profile of the working poor, 2000. Bureau of Labor Statistics Report Nr. 957. März 2002.

Börsch-Supan, Axel (2000): Die Furcht vor dem Untergang der Arbeit. Beiträge zur angewandten Wirtschaftsforschung, Universität Mannheim, Nr. 576. März 2000.

Bundesministerium für Bildung und Forschung (2003): Zur technologischen Leistungsfähigkeit Deutschlands. Berlin, Februar 2003.

Bundesministerium für Bildung und Forschung (2003a): Grund- und Strukturdaten 2001/2002. Berlin, April 2003.

Bundesministerium für Gesundheit und Soziale Sicherung (2002): Sozialbericht 2001. Berlin.

Bundesregierung (2001): Lebenslagen in Deutschland. Der erste Armuts- und Reichtumsbericht der Bundesregierung. Berlin.

Bureau of Labor Statistics (2002): Twenty-first century moonlighters. Issues in Labor Statistics, Nr. 7/2002. Washington, D.C.

Bureau of Labor Statistics (2000): Comparative real gross domestic product per capita and per employed person: fourteen countries, 1960-1998. Washington, D.C., März 2000.

Business Cycle Dating Committee, National Bureau of Economic Research (2003): The NBER's business-cycle dating procedure. 17. Juli 2003.

Business Week (2003): Executive pay. 21. April 2003, Seiten 86ff.

Business Week (2003a): Diversity is about to get more elusive, not less. 7. Juli 2003, Seiten 30f.

Business Week (2002): The boon behind the bubble. 15. Juli 2002, Seiten 38ff.

Caplow, Theodore, Louis Hicks und Ben J. Wattenberg (2001): The first measured century. The AEI Press, Washington, D.C.

Card, David, Thomas Limeux und W. Craig Riddell (2003): Unionization and wage inequality: a comparative study of the U.S., the U.K., and Canada. NBER Working Paper Nr. 9473. Februar 2003.

Cohen, Jessica, William T. Dickens und Adam Posen (2001): Have the new human-resource management practices lowered the sustainable unemployment rate?, in: Krueger und Solow (2001), Seiten 219-259.

The College Board (2002): Trends in student aid 2002. New York.

Committee on Ways and Means, U.S. House of Representatives (2000): 2000 Green Book. Washington, D.C., 6. Oktober 2000.

Council of Economic Advisers (2003): Annual report, in: U.S. Government Printing Office (Hrsg.): Economic report of the President. Washington, D.C., Februar 2003.

Council of Economic Advisers (1997): Annual report, in: U.S. Government Printing Office (Hrsg.): Economic report of the President. Washington, D.C., Februar 1997.

Cox, W. Michael und Richard Alm (1999): Myths of rich & poor. Basic Books, New York.

Crafts, Nicholas (2002): The Solow productivity paradox in historical perspective. CEPR Discussion Paper Nr. 3142. Januar 2002.

Crews, Clyde Wayne (2002): Ten thousand commandments: an annual snapshot of the federal regulatory state. The Cato Institute, Washington, D.C. Juni 2002.

Cutler, David M. und Mark McClellan (2001): Is technological change in medicine worth it?, in: Health Affairs, Vol. 20, Nr. 5. September/Oktober 2001, Seiten 11-29.

Dardia, Michael, Elisa Barbour, Akhtar Khan und Colleen Moore (2002): Moving up? Earnings mobility in California, in: California Policy Review, Vol. 1, Nr. 4. April 2002, Seiten 1-11.

David, Paul A. (1990): The dynamo and the computer: an historical perspective on the modern productivity paradox, in: The American Economic Review, Vol. 80, Nr. 2, Papers and Proceedings. Mai 1990, Seiten 355-361.

DeKaser, Richard J. (2003): Don't sweat the debt! National City Financial Market Outlook. Februar 2003.

DeLong, J. Bradford (2002): Productivity growth in the 2000s. Unveröffentlichtes Arbeitspapier, Draft 1.2. März 2002.

DeLong, J. Bradford (2002a): Macroeconomic vulnerabilities in the twenty-first century economy: a preliminary taxonomy, in: International Finance, Vol. 5, Nr. 2, Seiten 285-309.

Deutsche Bundesbank (2002): Monatsbericht September 2002.

Deutsche Bundesbank (2002a): Monatsbericht Juni 2002.

Deutscher Bundestag (2002): Unterrichtung durch die Beauftragte der Bundesregierung für Ausländerfragen. Bericht über die Lage der Ausländer in der Bundesrepublik Deutschland. Drucksache 14/9883. 21. August 2002.

Djankov, Simoen, Rafael La Porta, Florencio Lopez-de-Silanes und Andrei Shleifer (2002): The regulation of entry, in: Quarterly Journal of Economics. Vol. 117, Nr. 1. Februar 2002, Seiten 1-37.

Dudley, Bill (2003): The consumer: more likely to bend than break. Goldman Sachs US Economics Analyst Nr. 03/05. 31. Januar 2003.

Eberstadt, Nicholas (2002): A misleading measure of poverty, in: The Washington Post, 17. Februar 2002.

Einblick (2002): „Ewige Neinsager sind keine Meinungsführer." Interview mit dem DGB-Vorsitzenden Michael Sommer. Nr. 14. 22. Juli 2002.

Fairclough, Adam (2001): Better day coming: blacks and equality 1890-2000. Viking, New York.

Farber, Henry S. (2003): Job loss in the United States, 1981 – 2001. NBER Working Paper Nr. 9707. Mai 2003.

Feldstein, Martin (2003): Why is productivity growing faster: paper prepared for presentation at the American Economic Association session on the new economy and growth in the United States. 3. Januar 2003.

Field, Alexander (1980): The relative stability of German and American industrial growth, 1880-1913: a comparative analysis, in: Wilhelm Heinz Schröder und Reinhard Spree (Hrsg.), Wachstumszyklen der deutschen Wirtschaft im 19. und 20. Jahrhundert. Klett-Cotta, Stuttgart, Seiten 208-232.

Forbes (2003): There's life left in the Valley. 7. Juli 2003. S. 33f.

Forbes (2002): Labor's lingering monopoly. 11. November 2002. Seite 112.

Förster, Michael und Mark Pearson (2002): Income distribution and poverty in the OECD area: trends and driving forces. OECD Economic Studies Nr. 34, 2002/I, Seiten 7-39.

Fortune (2003): EDS: „Executives don't suffer". 14. April 2003. Seite 56.

Fortune (2003a): Have they no shame? 28. April 2003, Seiten 57ff.

Frankfurter Allgemeine Zeitung (2002): „Unfrei ist, wer arm ist." Interview mit Guido Westerwelle. 28. April 2002.

Freeman, Richard B. (2000): The US economic model at Y2K: lodestar for advanced capitalism? NBER Working Paper Nr. 7757. Juni 2000.

Freund, Caroline L. (2000): Current account adjustment in industrialized countries, in: Board of Governors of the Federal Reserve System (Hrsg.), International Finance Discussion Papers, Nr. 692. Dezember 2000.

Friedman, Milton (1982): Capitalism and freedom. The University of Chicago Press, Chicago und London (Taschenbuch-Ausgabe).

Friedman, Milton und Rose D. Friedman (1992): Crime, in: Trebach, Arnold S. und Kevin B. Zeese (1992): Friedman and Szasz on liberty and drugs. Washington, D.C., 1992, Seiten 35-43.

Garibaldi, Pietro, und Paolo Mauro (1999): Deconstructing job creation. IMF Working Paper 99/109. August 1999.

Gerken, Lüder, Guido Raddatz und Gerhard Schick (2002): Deutschland im Reformstau. Maßnahmenkatalog III: Ordnungspolitische Grundsatzfragen, in: Argumente zu Marktwirtschaft und Politik, Nr. 71. September 2002.

Gersemann, Olaf (1996): Kontrollierte Heroinabgabe. Optionen einer künftigen Drogenpolitik. Volkswirtschaft aktuell, Band 2. S+W Steuer- und Wirtschaftsverlag, Hamburg.

Giersch, Herbert (1999): Marktökonomik für die offene Gesellschaft. Walter-Adolf-Jöhr-Vorlesung 1999.

Gilder, George (1993): Wealth & poverty. ICS Press, Oakland.

Glied, Sherry (2003): Health care costs: on the rise again, in: The Journal of Economic Perspectives, Vol 17, Nr. 2. Frühjahr 2003, Seiten 125-148.

Gokhale, Jagadeesh und Kent Smetters (2003): Fiscal and generational imbalances: new budget measures for new budget priorities. The AEI Press, Washington, D.C.

Gordon, Robert J. (2002): Two centuries of economic growth. Europe chasing the American frontier: paper prepared for the economic historic workshop, Northwestern University. 17. Oktober 2002.

Gordon, Robert J. (2002a): Hi-tech innovation and productivity growth: does supply create its own demand? Unveröffentlichtes Arbeitspapier. 19. Dezember 2002.

Gordon, Robert J. (2001). Discussion of Daron Acemoglu, Philippe Aghion, and Giovanni L. Violante, Deunionization, technical change and inequality: paper prepared of the Carngie-Rochester conference series on public policy. Februar 2001.

Gordon, Robert J. (2000): Interpreting the „one big wave" in U.S. long-term productivity growth. NBER Working Paper Nr. 7752. Juni 2000.

Greenspan, Alan (2003): The Reagan legacy: remarks at the Ronald Reagan Library, Simi Valley, California. 9. April 2003.

Greenspan, Alan (2003a): Aging global population: testimony before the Special Committee on Aging, U.S. Senate. 27. Februar 2003.

Greenspan, Alan (2002): Remarks at the U.S. Department of Labor and American Enterprise Institute conference. 23. Oktober 2002.

Greenspan, Alan (2000): Structural change in the new economy. Remarks before the National Governor's Association, 92nd annual meeting, State College, Pennsylvania. 11. Juli 2000.

Gries, Thomas, und Angela Birk (1999): Die amerikanische Dienstleistungsgesellschaft – ein Modell für Deutschland?, in: Wirtschaftsdienst, Nr. V/1999, Seiten 300-306.

Grüske, Karl-Dieter (1994): Verteilungseffekte der öffentlichen Hochschulfinanzierung in der Bundesrepublik Deutschland. Personale Inzidenz im Querschnitt und Längsschnitt, in: Verein für Socialpolitik (Hrsg.), Bildung, Bildungsfinanzierung und Einkommensverteilung II, Neue Folge Band 221/II. Duncker & Humblot, Berlin, Seiten 71-147.

Gwartney, James, und Robert Lawson (2003): Economic freedom of the world: 2003 annual report. The Fraser Institute, Vancouver.

Handelsblatt (2003): Deutsche Vorstände werden gut bezahlt. 9. April 2003.

Handelsblatt (1998): Zwickel warnt vor dem Vorbild USA. 5. Februar 1998.

Hanushek, Eric A., und Julie A. Somers (2001): Schooling inequality, and the impact of government, in: Finis Welch (Hrsg.), The causes and consequences of increasing inequality. University of Chicago Press, Chicago, Seiten 169-199.

Hatzius, Jan (2003): Financial conditions: a step in the right direction. Goldman Sachs US Economics Analyst Nr. 03/22. 30 Mai 2003.

Haveman, Robert (2000): Poverty and the distribution of economic well-being since the 1960s, in: Perry und Tobin (2000), Seiten 243-298.

Houtenville, Andrew J. (2001): Income mobility in the United States and Germany: a comparison of two classes of mobility measures using the GSOEP, PSID, and CPS, in: Vierteljahreshefte zur Wirtschaftsforschung. 70. Jahrgang, Heft 1/2001, Seiten 59-65.

Howard, Philip K. (2003): Curing health care: legal malpractice, in: The Wall Street Journal, 27. Januar 2003.

Howard, Philip K. (2002): The collapse of the common good. Ballentine Books, New York.

Hubbard, R. Glenn (2002): Productivity in the 21st century: remarks at the American Enterprise Institute. 23. Oktober 2002.

Hunt, Jennifer (2003): Teen births keep American crime high. NBER Working Paper Nr. 9632. April 2003.

Ilg, Randy E. und Steven E. Haugen (2000): Earnings and employment trends in the 1990s, in: Montly Labor Review, März 2000, Seiten 21-33.

Institut für Arbeitsmarkt- und Berufsforschung (2003): IAB-Kurzbericht Nr. 1/2003. Nürnberg.

Internationaler Währungsfonds (2003): World economic outlook: growth and institutions. Washington, D.C., April 2003.

Internationaler Währungsfonds (2002): World economic outlook: trade and finance. Washington, D.C., September 2002.

Internationaler Währungsfonds (2002a): United States of America: staff report for the 2002 Article IV Consultation. Washington, D.C., Juli 2002.

Internationaler Währungsfonds (2001): World economic outlook: the information technology revolution. Washington, D.C., Oktober 2001.

Jackson, Richard (2003): Germany and the challenge of global aging. Center for International and Strategic Studies, Washington, D.C. März 2003.

Jargowsky, Paul A. (2003): Stunning progress, hidden problems: the dramatic decline of concentrated poverty in the 1990s, in: The Brookings Institution Living Cities Census Series. Mai 2003.

Joint Economic Committee (2003): Liability for medical malpractice: issues and evidence. Mai 2003.

Joint Economic Committee (2002): The economic costs of terrorism. Washington, D.C., Mai 2002.

Jones, Charles I. (2002): Why have health expenditures as a share of GDP risen so much? NBER Working Paper Nr. 9325. November 2002.

Jorgenson, Dale W., Mun S. Ho und Kevin Stiroh (2002): Projecting producitivity growth: lessons from the U.S. growth resurgence. Presentation to the Board of Trustees, Federal Old-Age and Survivors Insurance and Disability Insurance Trust Funds. 7. November 2002.

Juhn, Chinhui und Kevin M. Murphy (1997): Wage inequality and family labor supply, in: Journal of Labor Economics, Vol. 15, Nr. 1. Januar 1997. Seiten 72-97.

Katz, Lawrence F. und Alan B. Krueger (1999): The high-pressure U.S. labor market of the 1990s. Princeton University Industrial Relations Section Working Paper Nr. 416. Mai 1999.

Kennickell, Arthur B. (2003): A rolling tide: changes in the distribution of wealth in the U.S., 1989-2001. Survey of Consumer Finances Working Paper. März 2003.

Keynes, John Maynard (1963): Economic Possibilities for our Grandchildren, in: ders., Essays in Persuasion. W.W. Norton & Co, New York, Seiten 358-373.

Kessler, Daniel P. und Mark McClellan (1996): Do doctors practice defensive medicine?, in: Quarterly Journal of Economics, Vol. 111, Nr. 2. Mai 1996, Seiten 353-390.

Kesteren, John van, Pat Mayhew und Paul Nieuwbeerta (2000): Criminal victimisation in seventeen industrialised countries: key findings from the 2000 International Crime Victims Survey. Wetenschappelijk Onderzoek- en Documentatiecentrum, Onderzoek en beleid nr. 187.

King, Stephen (2002): The consumer takes it all: the real winners and losers from the new economy. HSBC Research Paper. Mai 2002.

Kommission der Europäischen Gemeinschaften (2002): Germany's growth performance in the 1990's. Economic Paper Nr. 170. Mai 2002.

Kommission der Europäischen Gemeinschaften (2002a): Entwurf des Gemeinsamen Beschäftigungsberichts 2002, Mitteilung der Kommission, 13. November 2002.

Krämer, Walter (2003): Studiengebühren sind sozial, in: Novo, Heft 63, März/April 2003. Seite 42.

Krueger, Alan B. (2002): Inequality: too much of a good thing. Unveröffentlichtes Arbeitspapier. 4. August 2002.

Krueger, Alan B. und Robert M. Solow (2001, Hrsg.): The roaring nineties: can full employment be sustained? The Russel Sage Foundation und The Century Foundation, New York.

Krueger, Alan B. (2000): Labor policy and labor research since the 1960s: two ships sailing in orthogonal directions, in: Perry und Tobin (2000), Seiten 299-332.

Krueger, Dirk und Krishna B. Kumar (2002): Skill specific rather than general education: a reason for US-Europe growth differences? NBER Working Paper Nr. 9408. Dezember 2002.

Krueger, Dirk und Fabrizio Perri (2002): Does income inequality lead to consumption inequality? Evidence and theory. NBER Working Paper Nr. 9202. September 2002.

Krugman, Paul (2002): For richer, in: The New York Times Magazine. 20. Oktober 2002, Seiten 62ff.

Krugman, Paul (1998): America the boastful, in: Foreign Affairs, Mai/Juni 1998, Seiten 32-45

Laubach, Thomas (2003): New evidence on the interest rate effects of budget deficits and debt, in: Board of Governors of the Federal Reserve System (Hrsg.), Finance and Economics Discussion Series, Nr. 2003-12. Mai 2003.

Lerman, Robert I. und Stephanie R. Schmidt (1999): An overview of economic, social and demographic trends affecting the U.S. labor market: report prepared at the Urban Institute for the U.S. Department of Labor. Washington, D.C., August 1999.

Lerman, Robert I. (1997): Meritocracy without rising inequality?, in: The Urban Institute (Hrsg.), Economic restructuring and the job market, Nr. 2. September 1997.

Lewis, Michael (2002): In defense of the boom, in: The New York Times Magazine, 27. Oktober 2002, Seiten 44ff.

Lichtenberg, Frank (2003): The impact of new drug launches on longevity: evidence from longitudinal, disease-level data from 52 countries, 1982-2001. NBER Working Paper Nr. 9754. Juni 2003.

Lipset, Seymour Martin (1997): American exceptionalism: a double edged sword. W.W. Norton & Company, New York und London (Taschenbuch-Ausgabe).

Ljungqvist, Lars und Thomas J. Sargent (2002): The European employment experience, CEPR Discussion Paper Nr. 3543. September 2002.

Maddison, Angus (2001): The world economy: a millenial perspective. OECD Development Centre Studies, Paris.

Malkiel, Burton G. (2003): The efficient market hypothesis and its critics, in: Journal of Economic Perspectives, Vol. 17, Nr. 1. Winter 2003, Seiten 59-82.

Martel, Jennifer L. (2000): Reasons for working multiple jobs, in: Monthly Labor Review, Oktober 2000, Seiten 42-43.

Mauer, Marc und Meda Chesney-Lind (2002): Invisible punishment: the collateral consequences of mass imprisonment. W.W. Norton & Company, New York.

Max-Planck-Institut für Bildungsforschung (2001): Pisa 2000. Zusammenfassung zentraler Befunde. Berlin 2001.

McGuckin, Robert H. und Bert van Ark (2003): Performance 2002: productivity, employment, and income in the world's economies. The Conference Board, New York.

McKinnon, Jesse (2003): The black population in the United States: March 2003. U.S. Census Bureau Current Population Report. April 2003.

McKinsey Global Institute (2001): U.S. productivity growth 1995 – 2000: understanding the contribution of information technology relative to other factors. Washington, D.C., Oktober 2001.

Meyer, Bruce D. und James X. Sullivan (2003): Measuring the well-being of the poor using income and consumption. NBER Working Paper Nr. 9760. Juni 2003.

Mincer, Jacob und Stephan Danninger (2000): Technology, unemployment, and inflation, NBER Working Paper Nr. 7817. Juli 2000.

Moore, Michael (2001): Stupid white men ... and other sorry excuses for the state of the nation. Regan, New York.

Mosisa, Abraham T.: The role of foreign-born workers in the U.S. economy, in: Monthly Labor Review, Mai 2002, Seiten 3-14.

Murphy, Kevin M. und Robert Topel (1999): The economic value of medical research. Unveröffentlichtes Arbeitspapier, September 1999.

Naifeh, Mary (1998): Trap door? Revolving door? Or both? Dynamics of economic well-being, poverty 1993-94. U.S. Census Bureau Household Economic Studies. Juli 1998.

Natcher, William C. (2002): Debt service burden reconsidered. National City Financial Market Outlook. September 2002.

Nationale Armutskonferenz (2002): Arbeitsmarktreform verschärft Armut. Pressemitteilung vom 29. November 2002.

National Science Board (2002): Science and engineering indicators 2002. Arlington.

The New Yorker (2003): Spend! Spend! Spend! 17. und 24. Februar 2003, Seiten 132ff.

The New York Times (2003): Hospitals fearing malpractice crisis. 3. Juni 2003.

The New York Times Magazine (2002): Amtrak must die. 10. Juni 2002.

O'Driscoll, Gerald P., Edwin J. Feulner und Mary Anastasia O'Grady (2003): 2003 Index of Economic Freedom. The Heritage Foundation, Washington, D.C.

Office of Management and Budget (2003): Fiscal year 2004: mid-session review. Washington, D.C., 15. Juli 2003.

Organisation für wirtschaftliche Zusammenarbeit und Entwicklung (2003): The sources of economic growth in OECD countries. Paris.

Organisation für wirtschaftliche Zusammenarbeit und Entwicklung (2002): Employment outlook 2002. Paris, Juli 2002.

Organisation für wirtschaftliche Zusammenarbeit und Entwicklung (2002a): Labour force statistics 1981-2001. Paris, Juli 2002.

Organisation für wirtschaftliche Zusammenarbeit und Entwicklung (2002b): OECD science, technology and industry outlook. Paris.

Organisation für wirtschaftliche Zusammenarbeit und Entwicklung (2002c): Main science and technology indicators. Vol. 2002/2. Paris.

Organisation für wirtschaftliche Zusammenarbeit und Entwicklung (2002d): OECD economic surveys: United States. Vol. 2002/18. Paris, November 2002.

Organisation für wirtschaftliche Zusammenarbeit und Entwicklung (2002e): Education at a glance: OECD indicators 2002. Paris.

Organisation für wirtschaftliche Zusammenarbeit und Entwicklung (2000): A new economy? The changing role of innovation and information technology in growth. Paris.

Organisation für wirtschaftliche Zusammenarbeit und Entwicklung (2000a): Employment outlook 2000. Paris, Juni 2000.

Organisation für wirtschaftliche Zusammenarbeit und Entwicklung (1999): Employment outlook 1999. Paris, Juni 1999.

Palacios, Miguel (2002): Human capital contracts: "equity-like" instruments for financing higher education. Cato Institute Policy Analysis Nr. 462. 16. Dezember 2002.

Peach, Richard und Charles Steindel (2002): A nation of spendthrifts? An analysis of trends in personal and gross saving, in: Federal Reserve Bank of New York (Hrsg.), Current Issues in Economics and Finance, Vol. 6, Nr. 10. September 2000, Seiten 1-6.

Perry, George L. und James Tobin (2000): Economic events, ideas, and policies: the 1960s and after. The Brookings Institution, Washington, D.C.

The Pew Research Center For The People & The Press (2003): Views of a changing world. Washington, D.C., Juni 2003.

The Pew Research Center For The People & The Press (2002): What the world thinks in 2002. Washington, D.C., Dezember 2002.

Piketty, Thomas und Emmanuel Saez (2001): Income inequality in the United States, 1913-1998. NBER Working Paper Nr. 8467. September 2001.

Posen, Adam (2003): Is Germany turned Japanese? Institute for International Economics Working Paper Nr. 03-2. März 2003.

Putnam, Robert D. (2000): Bowling alone: the collapse and revival of American community. Simon & Schuster, New York et al.

Rajan, Raghuram G. und Luigi Zingales (2003): Banks and markets: the changing character of European finance. CEPR Discussion Paper Nr. 3865. Mai 2003.

Roach, Stephen S. (2003): An historic moment? Morgan Stanley Daily Economic Comment. 23. Juni 2003.

Roach, Stephen S. (1998): Global restructuring: lessons, myths, and challenges. Morgan Stanley Dean Witter Special Economic Study. 12. Juni 1998.

Rodríguez, Santiago Budría, Javier Díaz-Giménez, Vincenzo Quadrini und José-Víctor Ríos-Rull (2002): Updated facts on the U.S. distributions of earnings, income and wealth, in: Federal Reserve Bank of Minneapolis Quarterly Review, Vol. 26, Nr. 3. Sommer 2002, Seiten 2-35.

Rolle, Carsten und Ulrich van Suntum (1997): Langzeitarbeitslosigkeit im Ländervergleich: zum Einfluß von sozialen Sicherungssystemen und Tariffindungssystemen auf die Beschäftigung in Deutschland, Österreich, Schweiz und USA. Duncker und Humblot, Berlin.

Rosen, Sherwin (1981): The economics of superstars, in: American Economic Review, Vol. 71, Nr. 5. Dezember 1981, Seiten 845-858.

Rubinstein, Gwen und Debbie Mukamal (2002): Welfare and housing: denial of benefits to drug offenders, in: Mauer und Chesney-Lind (2002).

Sachs, Jeffrey D. (2003): Institutions matter, but not for everything, in: Internationaler Währungsfonds (Hrsg.), Finance & Development. Nr. 40, Nr. 2. Juni 2003, Seiten 38-41.

Sachverständigenrat zur Begutachtung der gesamtwirtschaftlichen Entwicklung (2002): Zwanzig Punkte für Beschäftigung und Wachstum. Jahresgutachten 2002/03. Metzler-Poeschel, Stuttgart.

Sachverständigenrat zur Begutachtung der gesamtwirtschaftlichen Entwicklung (1998): Vor weitreichenden Entscheidungen. Jahresgutachten 1998/99. Metzler-Poeschel, Stuttgart.

Sala-i-Martin, Xavier (2002): The world distribution of income, estimated from individual country distributions. NBER Working Paper Nr. 8933. Mai 2002.

Sala-i-Martin, Xavier (2002a): The disturbing ‚rise' of global income inequality. NBER Working Nr. 8904. April 2002.

Sanchez, Thomas W. und Robert E. Lang: Security versus status: the two worlds of gated communities. Metropolitan Institute Census Note 02:02. November 2002.

Sawhill, Isabel (2000): Opportunity in the United States: myth or reality?, in: Birdsall und Graham (2000), Seiten 22-35.

Scarpetta, Stefano, Philip Hemmings, Thierry Tressel und Jaejoon Woo (2002): The role of policy and institutions for productivity and firm dynamics: evidence from micro and industry data. OECD Economics Department Working Paper Nr. 329. April 2002.

Schachter, Jason (2001): Geographical mobility March 1999 to March 2000. US Census Bureau Current Population Report. Mai 2001.

Schmidley, Dianne (2003): The foreign-born population in the United States: March 2002. U.S. Census Bureau Current Population Report. Februar 2003.

Schneider, Friedrich (2003): The development of the shadow economies and shadow labor force of 22 transition and 21 OECD countries. Unveröffentlichtes Arbeitspapier, erste Fassung. März 2003.

Schnepf, Sylke Viola (2002): A sorting hat that fails? The transition from primary to secondary school in Germany. Unicef Innocenti Research Centre Working Paper Nr. 92. Juli 2002.

Schöppner, Klaus-Peter (2002): Sicherheit garantiert noch keine Zuversicht, in: Die Welt, 31. Dezember 2002.

Sinn, Hans-Werner (2002): Die rote Laterne. Die Gründe für Deutschlands Wachstumsschwäche und die notwendigen Reformen. ifo-Schnelldienst, 55. Jahrgang, Sonderausgabe. 17. Dezember 2002.

Solon, Gary (2002): Cross-country differences in intergenerational earnings mobility, in: Journal of Economic Perspectives, Vol. 16, Nr. 3. Sommer 2002, Seiten 59-66.

Sorensen, Elaine, und Helen Oliver (2002): Child support reforms in PRWORA: initial impacts. Urban Institute Discussion Paper. Februar 2002.

Der Spiegel (2003): Mutter aller Gefahren. Nr. 15/2003, 7. April 2003.

Statistisches Bundesamt (2002): Statistisches Jahrbuch für die Bundesrepublik Deutschland. Wiesbaden, September 2002.

Statistisches Bundesamt (2002a): Statistisches Jahrbuch für das Ausland. Wiesbaden, September 2002.

Statistisches Bundesamt (2002b): Leben und Arbeiten in Deutschland – Ergebnisse des Mikrozensus 2001. Wiesbaden, Mai 2002.

Steindel, Charles und Kevin J. Stiroh (2001): Productivity: what is it, and why do we care about it? Federal Reserve Bank of New York Staff Report Nr. 122. April 2001.

Stinson, John F. Jr. (1997): New data on multiple jobholding available from the CPS, in: Monthly Labor Review, März 1997, Seiten 3-8.

Stinson, John F. Jr. (1990): Multiple jobholding up sharply in the 1980's, in: Monthly Labor Review, Juli 1990, Seiten 3-10.

Süddeutsche Zeitung (2003): Das Zitat. 14. Januar 2003.

Süddeutsche Zeitung (2003a): Verstaubte Zunftregeln. 8. März 2003.

Summers, Lawrence H. und J. Bradford DeLong (2002): Anatomy of the Nasdaq crash. Syndizierter Zeitungsaufsatz. 20. April 2002. Zitiert nach www.j-bradford-delong.net.

Summers, Lawrence H., und J. Bradford DeLong (2002a): New rules for the new economy? Syndizierter Zeitungsaufsatz. 20. April 2002. Zitiert nach www.j-bradford-delong.net.

Tagesspiegel (2002): „Was für den Aktienkurs gut ist, ist auch gut für die Mitarbeiter“. Interview mit Kajo Neukirchen. 6. März 2002.

Tanzi, Vito, und Ludger Schuknecht (2000): Public spending in the 20th century: a global perspective. Cambridge University Press, Cambridge.

Time (2003): The doctor won't see you now. 9. Juni 2003, S. 46ff.

Travis, Jeremy (2002): Invisible punishment: an instrument of social exclusion, in: Mauer und Chesney-Lind (2002).

UBS Warburg (2003): U.S. Economic Perspectives. 2. Mai 2003.

UBS Warburg (2002): U.S. Economic Perspectives. 15. November 2002.

Unicef (2002): A league table of educational disadvantage in rich nations. Innocenti Report Card, Issue Nr. 4. Florenz, November 2002.

United Nations Development Programme (2003): Human development report 2003. Millennium development goals: a compact among nations to end human poverty. New York.

USA Today (2003): Few women hold top executive jobs, even when CEOs are female, 27. Januar 2003.

USA Today (2002): Asian business owners gaining clout. 27. Februar 2002.

USA Today (2002a): Fed-up obstetricians look for a way out. 1. Juli 2002.

U.S. Census Bureau (2002): Statistical abstracts of the United States: 2002. Washington, D.C., Dezember 2002.

U.S. Census Bureau (2002a): Money income in the United States: 2001. Washington, D.C., September 2002.

U.S. Census Bureau (2002b): Poverty in the United States 2001. Washington, D.C., September 2002.

U.S. Census Bureau (2001): Profile of the foreign-born population in the United States: 2000. Washington, D.C., Dezember 2001.

U.S. Chamber of Commerce (2002): The 2002 employee benefits study. Washington, D.C.

U.S. Department of Commerce (2002): Digital economy 2002. Washington, D.C., Februar 2002.

U.S. Department of Education (2003): The condition of education 2002. Washington, D.C., Juni 2003.

U.S. Department of Labor (2001): Report on the American workforce. Washington, D.C.

Vedder, Richard K. und Lowell E. Gallaway (1997): Out of work: unemployment and government in twentieth-century America. New York University Press, New York. Aktualisierte Auflage.

The Wall Street Journal (2002): Tech will be back, past slumps suggest, as innovators revive it. 18. Oktober 2002.

The Wall Street Journal (2002a): Drug makers fight to fend off cuts in European prices. 7. Juni 2002.

The Wall Street Journal (2001): As officials lost faith in the minimum wage, Pat Williams lived it. 19. Juli 2001.

The Washington Post (2003): The shift. 23. März 2003.

Wasmer, Etienne (2003): Interpreting European and US labour market differences: the specifity of human capital investments. CEPR Discussion Paper Nr. 3780. Januar 2003.

Weltbank (2002): World development indicators 2002. Washington, D.C., April 2002.

Weltgesundheitsorganisation (2002): The world health report 2002: reducing risks, promoting healthy life. Genf, Oktober 2002.

Winkler, Anne E. (1998): Earnings of husbands and wives in dual-earner families, in: Montly Labor Review, April 1998, Seiten 42-48.

Wirtschaftswoche (2002): Perspektiven. Nr. 8, 14. Februar 2002. Seite 166.

Wirtschaftswoche (2001): „Turbulenzen, Rückschläge, Zufälle." Interview mit Alvin Toffler. Nr. 25, 14. Juni 2001. Seite 59.

Wirtschaftswoche (2001a): Schlampiges Design. Nr. 5, 25. Januar 2001. Seite 36.

Wirtschaftswoche (2000): www. Nr. 7, 10. Februar 2000, Seiten 82ff.

Wirtschaftswoche (2000a): Heilsamer Schock. Nr. 29, 13. Juli 2000, Seiten 48ff.

Wirtschaftswoche (2000b): Länger warten. Nr. 38, 14. September 2000, Seiten 56f.

Wirtschaftswoche (2000c): Erster richtiger Jobs. Nr. 9, 24. Februar 2000, Seiten 52ff.

Wirtschaftswoche (2000d): Nationaler Notfall. Nr. 43. 19. Oktober 2000, Seiten 53ff.

Wirtschaftswoche (2000e): „Viele bildungspolitische Mythen". Interview mit James Heckman. Nr. 44, 26. Oktober 2000, Seiten 23f.

Wirtschaftswoche (1999): Nur Mittelmaß. Nr. 48, 25. November 1999, Seiten 185f.

Wirtschaftswoche (1997): „Egalitärer geht es nicht." Interview mit Joseph Stiglitz. Nr. 50, 4. Dezember 1997. Seite 44.

Wright, Erik Olin, und Rachel E. Dwyer (2003): The patterns of jobs expansions in the United States: a comparison of the 1960s and 1990s. Unveröffentlichtes Arbeitspapier. März 2003.

Wu, Ximing, Jeffrey M. Perloff und Amos Golan (2002): Effects of government policies on income distribution and welfare. University of California Institute of Industrial Relations Working Paper. Februar 2002.

Yergin, Daniel und Joseph Stanislaw (2002): The commanding heights: the battle for the world economy. Touchstone, New York et al. (Taschenbuch-Ausgabe).

Verzeichnis der Grafiken

Verzeichnis der Tabellen

Abkürzungsverzeichnis

AMA	American Medical Association
BEA	Bureau of Economic Analysis (U.S. Department of Commerce)
BJS	Bureau of Justice Statistics (U.S. Department of Justice)
BLS	Bureau of Labor Statistics (U.S. Department of Labor)
CEA	Council of Economic Advisers (The White House)
CEPR	Centre for Economic Policy Research
EITC	Earned Income Tax Credit
Eurostat	Statistisches Amt der Europäischen Gemeinschaften
IAB	Institut für Arbeitsmarkt- und Berufsforschung (Bundesanstalt für Arbeit)
IKT	Informations- und Kommunikationstechnologien
IRS	Internal Revenue Service (U.S. Department of the Treasury)
IWF	Internationaler Währungsfonds
JEC	Joint Economic Committee (U.S. House of Representatives)
NBER	National Bureau of Economic Research
OECD	Organisation für wirtschaftliche Zusammenarbeit und Entwicklung
OMB	Office of Management and Budget (The White House)
StBA	Statistisches Bundesamt
SVR	Sachverständigenrat zur Begutachtung der gesamtwirtschaftlichen Entwicklung
UNDP	United Nations Development Programme
Unicef	United Nations Children's Fund